Telis Marin   Maria Angela Ce

nuovissimo
PROGETTO
italiano **3**

Corso di lingua
e civiltà italiana

C1

Libro dello studente

EDILINGUA

I edizione: agosto 2020 (1ª ristampa)

ISBN: 978-88-99358-98-3 Libro dello studente (+ CD)

ISBN: 978-88-31496-02-5 Edizione per insegnanti (+ CD)

Redazione: Anna Gallo, Laura Piccolo, Daniele Ciolfi, Antonio Bidetti

Videorubrica di cultura e civiltà italiana *Alla scoperta dell'Italia* (su i-d-e-e.it) a cura di Anna Gallo

Foto: Shutterstock

Illustrazioni: Lorenzo Sabbatini (unità 2)

Foto copertina: Telis Marin

Impaginazione e progetto grafico: Edilingua

Produzione video: *Theregisti,* Catania

Registrazioni audio: *Autori Multimediali,* Milano

© **Copyright edizioni Edilingua**

Sede legale

Via Giuseppe Lazzati, 185 00166 Roma

Tel. +39 06 96727307

Fax +39 06 94443138

info@edilingua.it

www.edilingua.it

Deposito e Centro di distribuzione

Via Moroianni, 65 12133 Atene

Tel. +30 210 5733900

Fax +30 210 5758903

Telis Marin è direttore di Edilingua, insegnante e formatore di insegnanti di italiano L2 e LS, in Italia e all'estero. Dopo la laurea in Lettere moderne e il Master ITALS in Didattica e promozione della lingua e della cultura italiana a stranieri, ha insegnato in varie scuole d'italiano per stranieri. L'esperienza didattica diretta lo ha portato a realizzare diversi materiali per l'apprendimento dell'italiano, tra cui: *Nuovissimo Progetto italiano 1 e 2* (Libro dello studente), *Via del Corso A1, A2, B1* (Libro dello studente), *Progetto italiano Junior 1, 2, 3* (Libro di classe), *La Prova Orale 1 e 2.* Negli ultimi anni si è occupato di tecnologie per la didattica delle lingue: frutto dell'approfondimento e della ricerca su queste tematiche è la piattaforma *i-d-e-e.it.*

Maria Angela Cernigliaro, nata a Napoli, si è laureata in Lettere classiche e in Storia e Filosofia presso l'Università Federico II. In possesso di Master in Didattica dell'italiano a stranieri (LS e L2) e del Dottorato in Letteratura italiana con una tesi dal titolo "Il sapore ariostesco in Italo Calvino", attualmente insegna presso l'Istituto Italiano di Cultura e il Centro linguistico dell'Università Capodistriaca di Atene. È autrice di varie opere sull'insegnamento/apprendimento della lingua italiana e neogreca, di saggi letterari e romanzi.

Gli autori apprezzerebbero, da parte dei colleghi, eventuali suggerimenti, segnalazioni e commenti sull'opera (da inviare a redazione@edilingua.it)

La Terra ha bisogno di aiuto... Del tuo **aiuto!**

Edilingua per l'ambiente

Ogni azione umana ha un impatto sull'ambiente. A Edilingua siamo convinti che il futuro del nostro Pianeta dipende anche da ognuno di noi. "**La Terra ha bisogno del tuo aiuto**" è una piccola ma costante campagna di sensibilizzazione rivolta agli studenti: ogni nostro libro vuole essere un invito alla riflessione, uno stimolo al risparmio energetico e alla riduzione delle emissioni di CO_2. Ulteriori informazioni sul nostro sito (in "chi siamo").

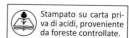

Stampato su carta priva di acidi, proveniente da foreste controllate.

Premessa

Caro insegnante,

dopo i primi due volumi in cui sono state presentate le strutture morfosintattiche e le funzioni comunicative più importanti, Le presentiamo *Nuovissimo Progetto italiano 3*, un libro aggiornato e completo, frutto di una ponderata e accurata revisione, resa possibile grazie al prezioso feedback di tanti colleghi e colleghe di tutto il mondo che hanno usato il libro. In questa nuova edizione si è tenuto conto sia degli sviluppi delle teorie della didattica più recenti sia della realtà del Quadro Comune Europeo di Riferimento per le Lingue (QCER). La lingua moderna, il sistematico lavoro sulle quattro abilità, la presentazione della realtà italiana attraverso testi sulla cultura e la civiltà del nostro Belpaese, l'utilizzo di materiale autentico, l'impaginazione moderna e accattivante rendono *Nuovissimo Progetto italiano 3* uno strumento didattico equilibrato, efficace e semplice nell'uso.

La Nuovissima edizione

Nuovissimo Progetto italiano 3 è, a nostro avviso, sempre più moderno dal punto di vista metodologico, più comunicativo e più induttivo, essendo centrato sull'allievo, costantemente sollecitato a una riflessione attiva, a scoprire i nuovi elementi linguistici incontrati.

Le novità di questa edizione sono tante:
- sono stati sostituiti molti testi dell'edizione precedente, sia scritti che orali, benché in ogni unità sia rimasta la suddivisione in sezioni per facilitare l'organizzazione della lezione;
- le unità, supportate da una varietà di esercizi di fissaggio, sono state riprogettate in modo da costituire un *continuum* progressivo e adattabile alle molteplici situazioni che si possono presentare in una classe;
- le tematiche, essendo molto attuali, mirano "a tenere alta" la motivazione dello studente, stimolato a svolgere una varietà di compiti, sia da solo che in collaborazione;
- grazie al materiale, scelto con attenzione, che si fonda *in toto* su testi autentici, tratti dalla stampa o dalla letteratura, il discente può focalizzare molti degli aspetti socio-culturali dell'Italia odierna, senza trascurare un'attenta revisione degli aspetti linguistici, grammaticali e sintattici;
- nondimeno, va sottolineato che, oltre a un nuovo apparato iconografico, sono stati inseriti degli specchietti comunicativi, per guidare gli studenti nella produzione scritta o orale.

Inoltre, una grande novità di questa edizione sono i video culturali, pensati per approfondire ulteriormente le tematiche viste nelle unità, analizzando vari aspetti della società italiana di oggi, attraverso apposite attività mirate alla comprensione e alla riflessione interculturale.

Anche il *Quaderno degli esercizi*, ora a colori, è stato completamente rinnovato e arricchito con 8-10 esercizi per unità, alcuni dei quali riprendono le tipologie delle prove d'esame delle certificazioni linguistiche. Sempre nel *Quaderno* troviamo un nuovo *Approfondimento grammaticale* che raccoglie la spiegazione dei fenomeni grammaticali e linguistici trattati nelle varie unità.

La struttura dell'unità

Nuovissimo Progetto italiano 3 consta di 30 unità, la cui struttura non è sempre rigida: tranne la sezione iniziale (*Per cominciare...*); le altre variano allo scopo di incentivare continuamente l'attiva partecipazione dell'allievo.

- **Per cominciare...**: varie attività che non hanno solo lo scopo di riattivare le conoscenze pregresse dello studente, ma anche quello di stimolarlo con input che suscitino in lui l'interesse, prima ancora di affrontare l'argomento dell'unità.
- **Comprensione del testo**: diverse tipologie di attività, che mirano a verificare la comprensione globale del testo.
- **Riflettiamo sul testo**: sfruttando molti degli stimoli offerti dal testo, il discente riflette sulla lingua, ricerca in esso frasi, espressioni o parole che corrispondono ad altre date e le riutilizza liberamente. L'obiettivo, infatti, è di giungere, attraverso un'ampia varietà di brevi attività, a una comprensione sempre più dettagliata e a una lettura più analitica e attiva.
- **Lavoriamo sul lessico**: esercitazioni lessicali di diversa natura sui termini del testo o dell'argomento generale: di solito, attività guidate precedute da una riflessione attiva sulla struttura lessicale.
- **Riflettiamo sulla grammatica**: gli studenti sono portati a riflettere sui fenomeni grammaticali individuati nel testo, analizzati nell'Approfondimento grammaticale. Un piccolo rimando indica la pagina in cui si trovano l'approfondimento del fenomeno grammaticale e gli esercizi nel *Quaderno*.
- **Ascoltiamo**: dopo un'attività di preascolto, vengono proposte diverse esercitazioni sulla comprensione di brani audio autentici (trasmissioni radiofoniche e televisive, interviste e servizi Tg) e sul significato che gli elementi linguistici possono assumere in specifici contesti.
- **Parliamo**: attività di produzione orale che hanno l'obiettivo di accompagnare gli studenti all'autonomia linguistica desiderata.
- **Situazione**: role-play nei quali gli studenti possano mettere in pratica quanto appreso nell'unità.
- **Scriviamo**: attività guidate finalizzate allo sviluppo dell'abilità di scrittura (testo argomentativo, espositivo, saggio breve ecc.) in cui lo studente può utilizzare il lessico e le idee emerse nel corso di ogni unità.
- **Lavoriamo sulla lingua**: si cerca di approfondire l'argomento attraverso varie tipologie cloze (libero, mirato, grammaticale, lessicale ecc.) che si alternano, tenendo conto delle diverse certificazioni di lingua italiana. Spesso vengono presentati modi di dire, espressioni idiomatiche e varie locuzioni attraverso delle frasi da completare.

- **Riflessioni linguistiche e Curiosità**: in cui vengono presentati modi di dire, proverbi relativi all'argomento, l'etimologia di alcune parole chiave o semplici curiosità linguistiche.
- **Giochiamo:** attività ludiche orali, per ripassare e consolidare il lessico appreso nell'unità.

Ogni tre unità c'è un rimando al Test di Autovalutazione (su www.i-d-e-e.it e in pdf sul nostro sito) che presenta brevi attività soprattutto sugli elementi comunicativi e lessicali. Gli allievi hanno a disposizione le chiavi e dovrebbero essere incoraggiati a svolgere queste attività non come il solito test, ma come una revisione autonoma.

I materiali extra

Tra i materiali che completano *Nuovissimo Progetto italiano 3* ricordiamo la *Guida didattica* che, oltre a idee e suggerimenti pratici, offre prezioso materiale da fotocopiare, e il *Gioco di società*: 300 carte per 4 giochi, che mirano a far riutilizzare agli studenti i contenuti lessicali, comunicativi, culturali e grammaticali del corso.

Inoltre, *Nuovissimo Progetto italiano 3* è completato da *i-d-e-e*, una piattaforma didattica che comprende gli esercizi del Quaderno in forma interattiva e una serie di risorse e strumenti per insegnanti e studenti, come i nuovi giochi interattivi: per ripassare e consolidare quanto appreso in modo estremamente motivante, divertente e coinvolgente.

Nuovissimo Progetto italiano 3 può essere utilizzato anche indipendentemente dai primi due livelli e può essere corredato in modo ideale da *La nuova Prova orale 2*.

Buon lavoro!
Gli autori

Caro studente,

ormai sei a un livello intermedio-avanzato e molto probabilmente hai già visto tutta o buona parte della grammatica. Compito quindi di *Nuovissimo Progetto italiano 3* è:

- portarti a contatto con la lingua vera, attraverso testi autentici scritti e orali;
- aiutarti ad arricchire il tuo vocabolario, imparando parole nuove e ripassandone altre già incontrate;
- farti riflettere sulla lingua, soffermandosi anche su espressioni idiomatiche e modi di dire che potrai utilizzare quando parli e scrivi;
- ricordarti molti dei fenomeni grammaticali che hai già studiato in precedenza, chiarendo eventuali dubbi;
- fornirti gli spunti per usare liberamente frasi ed espressioni per il raggiungimento della tua autonomia linguistica;
- presentarti aspetti della cultura e della civiltà italiana, ma anche argomenti di interesse generale;
- aiutarti a preparare eventuali esami di lingua in modo piacevole e vario.

Ogni singola attività del libro è stata sperimentata con studenti del tuo livello prima ancora di essere pubblicato. Così non troverai testi troppo facili o troppo difficili, né attività troppo complicate. Fin dall'inizio vedrai che molte attività le potrai svolgere in coppia, o in gruppo. Lo scopo è che impariate insieme, l'uno dall'altro, aiutandovi reciprocamente. Per esempio, insieme dovrete cercare parole ed espressioni del testo che corrispondono ad altre date. Per facilitarti, a volte, ti diamo il numero delle righe (per esempio 6-12) in cui cercare. Oppure insieme dovrete dare un titolo a un paragrafo o a un testo. Non ti devi preoccupare troppo del numero di risposte giuste che riuscirai ad ottenere, perché si sa che *sbagliando s'impara*.

Tutti i testi che leggerai e ascolterai sono autentici. È sicuro che in essi troverai parole ed espressioni sconosciute. Ciò non ti deve spaventare o scoraggiare, anzi. Ogni testo è una piccola sfida: da solo dovrai arrivare a una comprensione prima globale, generale, e, in seguito, più dettagliata e analitica. Non è indispensabile imparare a memoria tutte le parole nuove.

Buon lavoro e... buon divertimento!

Legenda dei simboli

 Ascoltate la traccia n. 12 del CD audio

 Produzione orale libera

 Attività in coppia

 Attività di gruppo

 Attività nel *Quaderno* da svolgere in classe a gruppi o a casa individualmente

 Fate l'esercizio 11 a pag. 14 del *Quaderno*

 Produzione scritta (200-220 parole)

 Situazione comunicativa

 Consultate l'Approfondimento grammaticale al punto 5.6 di pag. 132 del *Quaderno*

 Fate il Test di Autovalutazione su i-d-e-e.it

 Guardate il video su i-d-e-e.it e svolgete le Attività video

 Giochi dell'unità su i-d-e-e.it

Italia e italiani — Unità 1

In questa unità impareremo a...

- *parlare dell'Italia e degli italiani*
- *leggere e commentare un'infografica o dati statistici*
- *sfatare stereotipi*

Inoltre vedremo...

- *il presente indicativo dei verbi irregolari più complessi*
- *gli articoli con i nomi geografici e di persona*

Per cominciare...

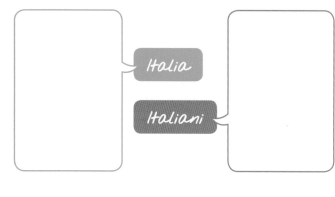

1 Lavorate in coppia. Associate quanti più termini potete alle parole *Italia* e *italiani* per descrivere questo Paese e il suo popolo (pregi e difetti). Poi confrontate le vostre liste con quelle dei compagni. Avete la stessa idea dell'Italia e degli italiani?

Italia

Italiani

2 Secondo voi, che cosa gli stranieri apprezzano di più dell'Italia e degli italiani? Che cosa, invece, non gli piace?

es. 1
p. 5

3 Secondo voi, chi è la "donna bellissima" che compare nel titolo del testo che leggeremo?

A Comprensione del testo

Leggete il testo e indicate se le affermazioni sono vere o false.

UNA DONNA BELLISSIMA, VACANZA QUASI DISASTROSA A POSITANO

Un grande esempio di ironia "all'italiana" in un articolo in cui il giornalista Vittorio Zucconi parla della vacanza di una coppia di americani a Positano, una piccola cittadina di mare campana, in una villa settecentesca.

Ottima famiglia americana in viaggio verso l'Italia: lui ginecologo, lei laureata in economia con temporaneo impego di mamma. Traguardo: stupenda villa, dicono settecentesca (quando non conosci bene l'epoca, il Settecento funziona sempre) a Positano, sulla costiera Amalfitana, affittata per due settimane dai genitori del medico.

L'arrivo all'aeroporto di Napoli via Fiumicino, dopo cambio d'aereo, avviene senza problemi, senza ritardi e senza neppure il tradizionale e caloroso benvenuto dei familiari negli aeroporti italiani o lo smarrimento dei bagagli. Il diavolo, in agguato con la sua coda notoriamente ipertrofica, si sveglia

5

10 quando la coppia scopre che dalla villa, probabilmente settecentesca, si sono sbagliati di giorno e non hanno mandato nessuno a prenderli. Comincia un ricco scambio
di telefonate intercontinentali fra il custode della villa, il volenteroso Roberto (ovvero
Robbè, come lo chiamano gli amici) che non parla una parola d'inglese esattamente
come gli ospiti non parlano una parola d'italiano (pizza, a parte), e l'agenzia turistica
15 negli Stati Uniti. C'è un'unica soluzione possibile: il taxi.

La coppia "s'imbarca" su un taxi che prontamente spegne il tassametro e negozia
un prezzo di favore. Il taxi, deformato su un lato da graffi e botte, parte a palla di
cannone.

Positano, Salerno

La signora ha una crisi di nervi, notando che le strade hanno una larghezza che a un americano ricordano il
20 corridoio di casa, ma sono battute da un fiume di veicoli che corrono come i cavalli al Palio di Siena. Pensa ai
tre bambini lasciati a New York e inesorabilmente destinati all'orfanotrofio.

Alla fine, rintronati, ma incolumi, i fortunati coniugi arrivano alla villa. La doccia non funziona, il letto è a una
piazza e mezza, la camera non ha il riscaldamento. Ma che importa?! Tutto si risolverà certamente al ristorante
davanti a un piatto di delizie italiane. E poi il giorno dopo li attendono Pompei, Ravello, Capri, il mare. Che cosa
25 potrà andare storto?

Quasi tutto. Sull'autostrada per Pompei un incidente rallenta gli automobilisti, incastrandoli in una coda di tre
chilometri, il mare è agitato, il traghetto è in ritardo, a Capri piove.

Incontro i reduci dalla vacanza pochi giorni dopo il rientro in America. Allora? Oso chiedere, come avete trovato
l'Italia?
30 Wonderful! Fantastic! Magnificent! Lovely! Perfect! Non vediamo l'ora di tornarci.

L'Italia deve essere come quelle donne bellissime, che più maltrattano gli uomini e più gli uomini le adorano.

tratto da *D - la Repubblica delle donne*

	V	F
1. I turisti di cui si parla nel testo provengono dall'America latina.		x
2. Si vogliono fermare in Italia per un periodo determinato.	x	
3. Arrivano a Napoli senza problemi.	x	
4. Il custode della villa chiama l'agenzia turistica negli Stati Uniti.	x	
5. Fuori dall'aeroporto c'è una coppia di amici ad attenderli.		x
6. Per andare alla villa dove alloggeranno prendono un taxi pagando un prezzo esorbitante.		x
7. I coniugi ammirano la meravigliosa villa settecentesca.		x
8. Dopo aver affrontato vari disagi, anticipano il ritorno in America.		x
9. Nonostante i contrattempi, si ritengono soddisfatti delle loro vacanze italiane.	x	
10. Questi turisti ritorneranno probabilmente in Italia.	x	

B Riflettiamo sul testo

1 Abbinate le parole in blu del testo con il loro significato in arancione, come nell'esempio.

1. punto d'arrivo *(c)*
2. deformato *(g)*
3. contrattare *(e)*
4. perdita *(b)*
5. orfanotrofio *(a)*
6. frastornato
7. incolume *(d)*
8. reduce *(f)*

a. casa dei bimbi senza genitori
b. smarrimento
c. traguardo
d. sano e salvo
e. negoziare
f. sopravvissuto
g. rovinato
h. rintronato

Pompei, Napoli

2 Le frasi che seguono corrispondono a espressioni presenti nel testo. A quali?

1. nascostosi in un luogo e pronto ad attaccare il nemico *(5-10)* ....*in agguato*........
2. importo da pagare particolarmente vantaggioso, accordato a un cliente *(15-20)* ....*prezzo di favore*....
3. molto velocemente *(15-20)* ....*a palla di cannone*....
4. perdere la calma ed essere in stato di panico *(15-20)* *(avere una) crisi di nervi*
5. un gran numero di automobili e mezzi di trasporto *(20-25)* ....*un fiume di veicoli*....
6. andar male *(25-30)* ....*andare storto*....

C Lavoriamo sul lessico

1 Sono sinonimi (S) o contrari (C)?

1. neppure $\boxed{S}$ nemmeno
2. adorare $\boxed{C}$ odiare
3. smarrimento $\boxed{C}$ ritrovamento
4. storto $\boxed{C}$ dritto
5. agitato $\boxed{C}$ calmo
6. rientro $\boxed{S}$ ritorno
7. caloroso $\boxed{C}$ freddoloso

2 Completate la tabella con i nomi che derivano dai seguenti verbi.

AG
5.2
p. 130

	verbo	nome
1.	sbagliarsi	*sbaglio*
2.	scambiarsi	*scambio*
3.	risolvere	*(ri)soluzione*
4.	imbarcarsi	*imbarco*
5.	graffiare	*graffio*
6.	attendere	*attesa*
7.	rallentare	*rallentamento*
8.	incastrare	*incastro*
9.	rientrare	*rientro*
10.	maltrattare	*maltrattamento*

D Riflettiamo sulla grammatica

 Nel testo abbiamo incontrato i verbi *avviene* e *spegne*. Coniugare alcuni verbi irregolari al presente indicativo può rivelarsi a volte difficile. Ricordate dei verbi irregolari più complessi?

AG
11.1
p. 142

Completate le seguenti frasi con l'indicativo presente dei verbi tra parentesi.

1. Spesso le persone ....*traggono*.... *(trarre)* conclusioni affrettate.
2. D'estate in autostrada ....*muoiono*.... *(morire)* molti animali abbandonati.
3. Quando resto al sole per molto tempo, ...*compaiono*.... *(comparire)* sulla pelle tanti brufoli.
4. Giorgio ....*sostiene*.... *(sostenere)* che per le vacanze sarebbe meglio restare a casa.
5. Quando vado all'estero, ...*riempio*.... *(riempire)* il cellulare di fotografie.
6. ....*Si ode*.... *(udirsi)* una voce in lontananza.
7. ....*Mi duole*.... *(dolermi)* informarla che la casa di suo padre è stata venduta.
8. I miei genitori ....*colgono*.... *(cogliere)* tutte le occasioni che si presentano per partire.
9. Per trovare un luogo turistico incantevole dove trascorrere le ferie, di solito ....*mi avvalgo*.... *(avvalersi, io)* dell'aiuto di agenzie turistiche.
10. È un libro a cui i miei professori ....*tengono*.... *(tenere)* molto.

es. 2-3
p. 5

E Ascoltiamo

1 Secondo voi, quali sono le principali caratteristiche delle città italiane? Discutetene con la classe.

2 Ascoltate il reportage giornalistico e indicate con una ✗ le affermazioni presenti.

- [ ] 1. L'Italia è un Paese di cultura e arte.
- [x] 2. Il centro della città è la piazza.
- [ ] 3. Negli ultimi tempi i visitatori possono fare acquisti in negozi eleganti.
- [ ] 4. La città nel Medioevo era circondata dalle mura.
- [x] 5. La città si può paragonare a una casa.
- [x] 6. Nelle città la vegetazione non è molto sviluppata.
- [x] 7. Le strade delle città sono il luogo della socializzazione.
- [x] 8. La mattina e la sera le strade delle città appartengono ai residenti.
- [ ] 9. Di notte circolano persone pericolose.
- [x] 10. Solitamente, la sera gli italiani fanno una passeggiata.
- [ ] 11. I turisti pensano che gli italiani siano molto affascinanti.
- [x] 12. Dal passato ad oggi l'Italia si è trasformata poco.

F Riflettiamo sulla grammatica

Con i nomi geografici alcune volte si omettono gli articoli. Ricordate quando?

AG 1.3 p. 116

A coppie, completate le frasi con gli articoli, le preposizioni semplici o le preposizioni articolate, dove servono.

Villa Balbianello, Lago di Como

1. _L'_ Italia è fatta di tante città bellissime, come _–_ Venezia, _–_ Roma, _–_ Firenze, _–_ Napoli.

2. Andiamo in vacanza _al/sul_ lago _di_ Como, _in_ Lombardia. La città _di_ Como è molto suggestiva.

3. Numerose le bellezze naturali che i turisti possono ammirare _in_ Italia, come _il_ Parco del Cilento, _la_ Costiera amalfitana, _le_ isole Eolie, ecc.

4. _Nella/In_ Pianura padana scorre _il_ fiume Po.

5. _–_ Torre del Greco è una cittadina che si trova _in_ provincia _di_ Napoli.

6. Sono stata due volte _a_ Capri, ma mai _in_ Sicilia.

7. Il monte più alto _d'/dell'_ Italia è _il_ Monte Bianco che si trova _nelle_ Alpi nord-occidentali.

8. _L'_ Italia è bagnata _dal_ Mar Mediterraneo.

9. Le valli più conosciute _delle_ Dolomiti sono _la_ Val Gardena, _la_ Val Badia e _la_ Val di Fassa.

10. Quest'anno, invece di fare le vacanze _alle_ Baleari o _alle_ Canarie, perché non prenotiamo _in_ Corsica?

es. 4-6 p. 6

G   Lavoriamo sulla lingua

Completate il testo con le parole mancanti date alla rinfusa qui di seguito.

acuta | accorto | affreschi | portata | distrattamente
sembra | bocca | inaspettate | basta | bloccata | angolo

IL PAESE DELLE SORPRESE

Q uello che colpisce di più la giornalista Elena Llorente dell'Italia è che il Paese riesce a sorprenderla sempre con le sue *inaspettate* (1) bellezze. «Non c'è nemmeno bisogno di viaggiare, *basta* (2) camminare per le strade» dice. «Le sorprese sono dietro l'*angolo* (3), soprattutto nel centro storico di Roma – ma non solo – dove ogni pochi metri si vede qualcosa di bello. Solo che spesso non ti accorgi di quali bellezze siano a *portata* (4) di mano. Bisogna avere una vista più *acuta* (5)» consiglia.

Elena si ricorda di una volta che era in macchina, *bloccata* (6) dal traffico, in una strada vicino a piazza Fiume, una zona che non *sembra* (7) distinguersi in modo particolare per la sua bellezza.

«Fermo accanto a me c'era un giovane in moto che, come me, non poteva andare né avanti né indietro». Non avendo nulla da fare, Elena comincia *distrattamente* (8) a guardarsi intorno e scopre all'improvviso un palazzo meraviglioso, decorato con *affreschi* (9). Anche il motociclista lo nota e rimane a *bocca* (10) aperta anche lui. «Era un romano che passava da anni ogni giorno da lì e non se ne era mai *accorto* (11)!»

tratto da "Il bello dell'Italia", *Corriere della Sera*

H   Lavoriamo sul lessico

Se gli abitanti della Campania si chiamano campani, come si chiamano gli abitanti...? Completate con i nomi degli abitanti o delle regioni.

1. della *Valle (Val) d'Aosta*: valdostani;
2. del *Piemonte* : piemontesi;
3. della Liguria: *liguri* ;
4. della Lombardia: *lombardi* ;
5. del Friuli: *friuliani* ;
6. del Trentino: *trentini* ;
7. del Veneto: *veneti* ;
8a. dell'Emilia: *emiliani* ;
8b. della *Romagna*: romagnoli;
9. della Toscana: *toscani* ;
10. dell'Umbria: *umbri* ;
11. delle *Marche* : marchigiani;
12. dell'Abruzzo: *abruzzesi* ;
13. del *Molise* : molisani;
14. del *Lazio* : laziali;
15. della Puglia: *pugliesi* ;
16. della Calabria: *calabresi* ;
17. della Sicilia: *siciliani* ;
18. della Sardegna: *sardi* ;
19. della *Basilicata* : lucani.

I Parliamo

1 Leggete e commentate l'infografica* che illustra le ragioni per cui i turisti visitano l'Italia. Poi riferite alla classe i motivi per cui i vostri connazionali vogliono conoscere il Belpaese e che cosa di solito li colpisce di più (il modo di gesticolare degli italiani, di vestirsi, di parlare, ecc.).

✱ Per leggere e commentare un'infografica
- Si rileva / Si registra / Emerge / Si osserva
- Una percentuale del X per cento
- La percentuale aumenta / diminuisce (cala) del X per cento
- Le differenze sono minime / significative
- Al primo posto / All'ultimo posto
- (Ci) colpisce il fatto che...

IL BELPAESE È: TURISMO

42%	**25%**	**22%**	**11%**
VIAGGI E VACANZE	CITTÀ D'ARTE MONUMENTI E ATTRAZIONI	PAESAGGI E LOCALITÀ TURISTICHE	STRUTTURE RICETTIVE

2 Che cosa sapete sulle differenze tra gli italiani del Nord e quelli del Sud?

3 In realtà, quando parliamo di un popolo è facile lasciarsi influenzare dagli stereotipi, siete d'accordo? Parlatene.

es. 7-8 p. 7

L Scriviamo

Preparate un poster che abbia come destinatari i vostri connazionali. Convinceteli a visitare l'Italia o alcune città in particolare, sfatando gli stereotipi sul Paese e sugli abitanti, emersi dalla conversazione in classe, come negli esempi.

Visitate Milano... Non è vero che i milanesi vanno sempre di fretta...

Non è vero che in Italia si mangia solo pizza o pasta! Ci sono tanti piatti squisiti!

i-d-e-e.it

M Curiosità

Si dice che gli italiani siano "campanilisti". Ma che cosa significa questa parola? Significa che essi sono intimamente legati al "campanile" della propria città che riveste un ruolo simbolico e si propone quale elemento di identificazione con il centro in cui si trova e, quindi, con le persone che vi abitano, che hanno un proprio linguaggio, uguali tradizioni, la stessa storia. Caratteristica affascinante per la pluralità della cultura italiana, ma anche elemento limitante che genera un eccesso di rivalità tra gli abitanti di diverse regioni e comuni.

In questa unità impareremo a...

- *immaginare il contenuto di una favola, osservando delle illustrazioni*
- *individuare e commentare la morale di una favola*
- *inventare e/o scrivere una favola*

Inoltre vedremo...

- *l'indefinito nessuno*
- *le interiezioni*
- *l'imperfetto indicativo*

Per cominciare...

1 Da piccoli, qual era la vostra favola o storia preferita? Se non conoscete il titolo in italiano, potete raccontarla brevemente?

2 Lavorate in coppia. Le parole che seguono si incontrano spesso nelle favole. Secondo voi, quali sono le 5 usate più spesso? Siete d'accordo con le altre coppie?

☐ castello ☐ re ☐ lupo ☐ fata ☐ principe ☐ cavallo
☐ principessa ☐ mago ☐ drago ☐ tesoro
☐ gigante ☐ cacciatore ☐ regina ☐ leone ☐ nonna

3 Prima di leggere la favola *La strada che non andava in nessun posto*, a coppie, provate a mettere in ordine le illustrazioni (a-f) date a destra. Poi raccontate alla classe la vostra versione della favola.

 a 5
 b 6
 c 4
 d 1
 e 3
 f 2

A Comprensione del testo

1 Leggete la favola e verificate le vostre ipotesi.

LA STRADA CHE NON ANDAVA IN NESSUN POSTO

All'uscita del paese si dividevano tre strade: una andava verso il mare, la seconda verso la città e la terza non andava in nessun posto. Martino lo sapeva perché l'aveva chiesto un po' a tutti, e da tutti aveva avuto la stessa risposta:

– Quella strada lì? Non va in nessun posto. È inutile camminarci.

5 – E fin dove arriva?

– Non arriva da nessuna parte.

– Ma allora perché l'hanno fatta?

– Non l'ha fatta nessuno, è sempre stata lì.

– Ma nessuno è mai andato a vedere?

10   – Sei una bella testa dura: se ti diciamo che non c'è niente da vedere...

– Non potete saperlo, se non ci siete mai stati.

Era così ostinato che cominciarono a chiamarlo Martino Testadura, ma lui non se la prendeva e continuava a pensare alla strada che non andava in nessun posto.

Quando fu abbastanza grande da attraversare la strada senza dare la mano al nonno, una mattina si alzò

15   per tempo, uscì dal paese e senza esitare imboccò la strada misteriosa e andò avanti. A destra e a sinistra si allungava una siepe*, ma ben presto cominciarono i boschi. I rami degli alberi si intrecciavano al di sopra della strada e formavano una galleria oscura e fresca, nella quale penetrava solo qua e là qualche raggio di sole.

Cammina e cammina, la galleria non finiva mai, la strada non finiva mai, a Martino dolevano i piedi, e già

20   cominciava a pensare che avrebbe fatto bene a tornarsene indietro quando vide un cane.

Il cane gli corse incontro scodinzolando e gli leccò le mani, poi si avviò lungo la strada e ad ogni passo si voltava per controllare se Martino lo seguiva ancora.

– Vengo, vengo – diceva Martino incuriosito. Finalmente il bosco cominciò a diradarsi, in alto riapparve il cielo e la strada terminò sulla soglia di un grande cancello di ferro.

25   Attraverso le sbarre Martino vide un castello con tutte le porte e le finestre spalancate, e il fumo usciva da tutti i comignoli, e da un balcone una bellissima signora salutava con la mano e gridava allegramente.

– Avanti, avanti, Martino Testadura!

– Toh, – si rallegrò Martino, – io non sapevo che sarei arrivato, ma lei sì.

Spinse il cancello, attraversò il parco ed entrò nel salone del castello in tempo per fare l'inchino alla bella

30   signora che scendeva dallo scalone. Era bella, e vestita anche meglio delle fate e delle principesse, e in più era proprio allegra e rideva:

– Allora non ci hai creduto.

– A che cosa?

– Alla storia della strada che non andava in nessun posto.

35   – Era troppo stupida. E secondo me ci sono più posti che strade.

– Certo, basta aver voglia di muoversi. Ora vieni, ti farò visitare il castello.

C'erano più di cento saloni, zeppi di tesori d'ogni genere, come quei castelli delle favole dove dormono le belle addormentate. C'erano diamanti, pietre preziose, oro, argento, e ogni momento la bella signora diceva: – Prendi, prendi quello che vuoi. Ti presterò un carretto per portare il peso.

> ★ siepe: una serie di piante o alberelli disposti fittamente per delimitare uno spazio o come ornamento per giardini, parchi, ecc.

tratto da *Favole al telefono* di Gianni Rodari

2 Leggete di nuovo e indicate con una ✗ le informazioni presenti.

[x] 1. Nessuno aveva mai seguito quella strada.

[ ] 2. Martino ascoltava con indifferenza la storia della strada.

[x] 3. La strada era diventata un'ossessione per lui.

[x] 4. Un giorno decise di esplorare la strada da solo.

[ ] 5. Era una strada molto larga.

[ ] 6. Il cane che incontrò sapeva parlare.

[ ] 7. Quando arrivarono al castello era ormai notte.

[x] 8. La signora che lo accolse sapeva che sarebbe arrivato.

[x] 9. La donna lo portò in giro per il castello.

[x] 10. La donna gli disse di portarsi dietro quanti più tesori possibile.

3 Secondo voi, come finisce la favola? Più avanti potrete verificare le vostre ipotesi.

es. 1
p. 8

B Riflettiamo sul testo

 Lavorate in coppia. Abbinate le seguenti frasi o parole a quelle evidenziate nel testo.

1. provocavano una sofferenza fisica: *dolevano*
2. muovendo la coda: *scodinzolando*
3. si arrabbiava: *se la prendeva*
4. presto: *per tempo*
5. divenire meno fitto: *diradarsi*
6. ostinato: *testa dura*
7. completamente aperte: *spalancate*

C Lavoriamo sul lessico

1 Completate le frasi con la parola opportuna (sostantivo o aggettivo), formandola a partire da quella data.

1. **camminare** — Martino si riposò un po' e poi riprese il *cammino*.
2. **strada** — Siamo rimasti bloccati per un'ora per via di un incidente *stradale*.
3. **mistero** — Tutti la descrivevano come una donna *misteriosa*.
4. **dolere** — Ogni volta che ci penso sento un profondo *dolore*.
5. **favola** — Complimenti! I tuoi spaghetti al ragù sono *favolosi*!

 Scodinzolare è un verbo che contiene il sostantivo *coda*. Per comprendere il significato di un verbo che non conoscete, a volte, può essere utile soffermarsi sul "cuore" della parola stessa per considerare se c'è qualche elemento (prefisso, sostantivo, aggettivo, ecc.) a voi già noto.

2 Indicate da quali elementi sono formati i seguenti verbi e provate a spiegarne il significato.

1. intrecciare — *in + treccia*
2. imboccare — *in + bocca*
3. allungare — *a + lungo*
4. rallegrarsi — *r + allegro*
5. rinfrescare — *rin + fresco*
6. diradarsi — *di + rado*
7. abbracciare — *a + braccia*
8. innamorarsi — *in + amore*

D Riflettiamo sulla grammatica

 Il titolo di questo racconto è *La strada che non andava in nessun posto*. Come mai l'autore usa *nessun* e non *nessuno*? Con questo aggettivo o pronome indefinito si usa sempre la negazione *non*?

AG 3.6.1 p. 127

1 Ora provate a completare le seguenti frasi con il *non* dove è necessario.

1. *Non* verrà nessuno dei nostri amici alla festa?
2. Nessuno – è perfetto.
3. Nessuno – ascolta i consigli degli altri.
4. *Non* c'è nessun divieto.
5. Nessuno – mi ha detto niente.
6. Nessuno – ha letto questo libro?
7. I miei fratelli *non* conoscono nessuno in questa città.

 es. 2 p. 8

2 La parola *toh* che usa Martino è un'interiezione. Indicate lo stato d'animo che esprimono le interiezioni contenute nelle seguenti frasi, scegliendolo tra quelli nel riquadro.

AG
8.1
p. 140

c	1.	Boh! Non so proprio che dire.
g	2.	Dai, fa' uno sforzo!
e	3.	Uff, qui urlano tutti ed io non capisco niente!
a	4.	Peccato che non verrai alla mia festa!
h	5.	Ahi! Mi sono tagliato!
i	6.	Bleah! Questo cibo fa schifo.
d	7.	Wow! Che bella ragazza!
b	8.	Oh! Non mi aspettavo di incontrarti qui stasera!
f	9.	Guai a te se ripeterai lo stesso errore!
l	10.	Urrà! Ha vinto la mia squadra!

a. dispiacere
b. sorpresa
c. dubbio
d. ammirazione
e. fastidio/noia
f. minaccia
g. esortazione
h. dolore
i. disgusto
l. gioia

es. 3
p. 8

E   Ascoltiamo

1 Secondo voi, quali generi letterari piacciono ai bambini? E voi, che libri leggevate da piccoli?

2 Ascoltate l'intervista al fondatore della *Libreria per ragazzi* e indicate le affermazioni corrette tra quelle proposte.

1. La prima *Libreria dei ragazzi* in Europa è nata
   - [ ] a. nel 1972
   - [ ] b. durante la Seconda guerra mondiale
   - [ ] c. dopo il 1945
   - [x] d. dopo la Prima guerra mondiale

2. Uno dei pregi di Rodari era
   - [ ] a. la capacità di accettare i bambini
   - [x] b. la capacità di sintesi
   - [ ] c. la fantasia onirica
   - [ ] d. la capacità di ascoltare i bambini

3. Gianni Rodari
   - [x] a. fu un innovatore che rivoluzionò la fiaba
   - [ ] b. eredita molto dalla tradizione precedente
   - [ ] c. fa uso di molti elementi fantastici
   - [ ] d. è l'iniziatore di una vera e propria scuola

4. I bambini amano Rodari
   - [ ] a. perché le sue storie sono divertenti
   - [ ] b. perché scrive di fatti cruenti e violenti
   - [x] c. perché nelle sue favole trovano elementi reali
   - [ ] d. perché lo vedono come un secondo padre

3 Abbinate le espressioni in verde, usate nel corso dell'intervista, al loro significato.

a. in quel tempo	b. in ogni modo	c. prima di tutto

b	1.	"Non più proprietario, ma comunque sono quello che l'ha fondata."
c	2.	"Intanto perché considerava i bambini delle persone."
a	3.	"Allora era veramente un'enorme innovazione questa situazione di rispetto."

F Riflettiamo sulla grammatica

La favola che abbiamo letto inizia così: "All'uscita del paese si dividevano tre strade". Vi ricordate quando si usa l'imperfetto?

AG 11.2 p. 143

Nelle frasi che seguono indicate se i verbi all'imperfetto esprimono un'azione di una certa durata temporale (D) o ripetitiva (R) nel passato.

1. Dormivo ☐D come un ghiro quando è squillato il telefono.

2. Quando Gianna abitava ☐D al paese, si alzava ☐R ogni giorno alle 7 e andava ☐R a scuola.

3. Un tempo ogni sera guardavo ☐R una puntata di un telefilm famoso.

4. Mentre cercavamo ☐D di studiare per l'esame di fisica, è arrivato un collega.

5. Da giovane, mia nonna era ☐D bruna e magra, con occhi grandi e zigomi sporgenti. Aveva ☐D pure una bella voce e voleva ☐D studiare canto, ma suo padre glielo proibì.

6. Ricordo che ogni anno a Natale tutta la famiglia si riuniva ☐R a casa dei nonni paterni.

7. L'anno scorso tutti i pomeriggi dopo il lavoro portavate ☐R il cane al parco.

8. Mentre Maria lavava ☐D i piatti, è arrivato Michele.

9. Quell'uomo ogni sera litigava ☐R con sua moglie.

10. Stamane il cielo era azzurro e vi si rincorrevano ☐D solo poche nuvolette dalle forme strane; poi, nel pomeriggio, proprio mentre attendevamo ☐D l'autobus, è iniziato a piovere.

es. 4-8 p. 8

G Lavoriamo sulla lingua

1 Ora potete scoprire come finisce la storia: completate il testo con le parti mancanti, scegliendole tra quelle riportate sotto alla rinfusa.

> ★ cassetta: il sedile del carretto

Figuratevi se Martino si fece pregare. Il carretto era ben pieno quando egli ripartì. A cassetta* sedeva il cane, che era un cane ammaestrato, e sapeva reggere le briglie e abbaiare ai cavalli quando sonnecchiavano e _uscivano di strada_ (1). In paese, dove l'avevano già _dato per morto_ (2), Martino Testadura fu accolto con grande sorpresa. Il cane scaricò in _piazza tutti i suoi tesori_ (3), dimenò due volte la coda in segno di saluto, rimontò a cassetta e via, in una nuvola di polvere. Martino fece grandi regali _a tutti, amici e nemici_ (4), e dovette raccontare cento volte la sua avventura, e ogni volta che finiva qualcuno correva a casa _a prendere carretto e cavallo_ (5) e si precipitava giù per la strada che _non andava in nessun posto_ (6). Ma quella sera stessa tornarono, _uno dopo l'altro_ (7), con la faccia lunga così per il dispetto: la strada, per loro, finiva in mezzo al bosco, contro un fitto muro d'alberi, in un mare di spine. Non c'era più né cancello, _né castello, né bella signora_ (8). Perché certi tesori esistono soltanto per chi batte per _primo una strada nuova_ (9), e il primo era stato Martino Testadura.

tratto da Favole al telefono di Gianni Rodari

a. non andava in nessun posto
b. dato per morto
c. uno dopo l'altro
d. a tutti, amici e nemici
e. primo una strada nuova
f. a prendere carretto e cavallo
g. uscivano di strada
h. piazza tutti i suoi tesori
i. né castello, né bella signora

2 Secondo voi, qual è la "morale", l'insegnamento della favola? Condividete la scelta di Martino? Parlatene.

 3 Voi siete mai stati/e delle "teste dure" come Martino? In quali occasioni? Raccontate.

es. 9
p. 10

H Parliamo

 1 Confrontate le seguenti immagini e commentatele.

 2 Provate a raccontare una favola, classica o anche della vostra tradizione popolare, che vi piaceva ascoltare quando eravate bambini.

 3 Oggi, nella nostra società tecnologica, la favola e la fiaba sono in declino o, al contrario, continuano ad avere un posto privilegiato nella vita dei bambini? Motivate le vostre risposte portando degli esempi.

I Scriviamo

 150-200

Provate a raccontare* una favola che inizi così:
"C'era una volta un uomo che aveva tre figli..."

✱ **Per inventare o scrivere una favola**

- Si può iniziare con: «C'era una volta un/una bambino/a.... che si chiamava...»;
- descrivere aspetto e carattere dei protagonisti (eroi/antieroi);
- descrivere i luoghi dove si svolge la storia;
- riferire le intenzioni del protagonista, spiegando le motivazioni dell'impresa;
- raccontare come il protagonista mette in atto il suo piano;
- concludere riferendo i sentimenti che prova l'eroe per il successo della sua impresa;
- la favola può finire con una formula di chiusura come questa: «E vissero tutti felici e contenti.»

L Curiosità

Si dice fiaba o favola?

Fiaba e *favola* non sono esattamente la stessa cosa. Come spiega il linguista russo Vladimir Propp, la fiaba è un racconto che ha solitamente come protagoniste figure umane, come re, regine e cavalieri, alle quali si affiancano personaggi fantastici come fate, streghe e orchi, mentre la favola presenta spesso animali parlanti, che rispecchiano vizi e virtù umane. Nella fiaba la morale non è esplicita e alla fine il bene trionfa sempre. Nella favola, invece, il lieto fine non è scontato e si chiude sempre con un insegnamento morale. Sono, quindi, fiabe i celebri racconti dei fratelli Grimm, come *Biancaneve*, *Cenerentola* e *Hansel e Gretel* o di Andersen, come *La sirenetta* e *Il brutto anatroccolo*, mentre sono favole i classici greci di Esopo (*La cicala e la formica*, *La volpe e l'uva*...) e romani di Fedro (*Il lupo e l'agnello*).

Genitori e figli

In questa unità impareremo a...

- *ricavare elementi (riconoscere emozioni, fare delle ipotesi, ecc.) da una foto*
- *scrivere un saggio breve partendo da una scaletta*
- *sostenere una discussione con un genitore*

Inoltre vedremo...

- *i possessivi con i nomi di parentela*
- *gli indefiniti*
- *i sostantivi indipendenti*

Per cominciare...

Genitori & figli - Agitare bene prima dell'uso, G. Veronesi

 1 Osservate il fotogramma a destra: quali elementi si possono ricavare? (il probabile motivo del litigio, il ruolo del padre, quello della madre, ecc.)

2 Com'è il rapporto con i vostri genitori o con i vostri figli? Andate d'accordo o litigate? Per quali motivi? Raccontate.

3 Quali caratteristiche dovrebbe avere un buon genitore?

A Riflettiamo sulla grammatica

 Ricordate la regola che riguarda l'uso degli aggettivi possessivi con o senza articolo davanti ai nomi di parentela?

AG
3.1
p. 124

Completate le frasi con i possessivi e, dove necessario, con l'articolo.

1. Pina, come sta ___tuo___ padre dopo l'incidente? E ___i tuoi___ fratelli?
2. Per me, ___(la) mia___ mamma e ___la mia___ sorellina sono le cuoche migliori del mondo.
3. Stasera Luigi non potrà venire con noi alla festa di Paola. Deve uscire con ___i suoi___ genitori e con ___le sue___ sorelle.
4. Carlo, dove vivono ___i tuoi___ nonni?
5. Quest'estate Marco, Stefania e ___i loro___ cugini andranno in vacanza in Marocco.
6. Mi piace fare acquisti con ___la mia___ zietta.

es. 1-2
p. 11

B Situazione

Immaginate di dover girare un video per YouTube, inscenando una discussione tra un padre / una madre e un figlio / una figlia di 16 anni. Il genitore dirà sicuramente queste battute. Le altre… inventatevele voi.

- No. Non se ne parla proprio. Tu non esci da questa casa. Qui comando io.
- Stai sempre al cellulare. Hai fatto i compiti per domani?
- Uscirai solo quando avrai finito di fare i compiti.
- Devi tornare alle 11.
- Prendere o lasciare.
- Per questa volta ti lascio uscire, ma domani, invece di andare in giro, studierai e sistemerai la tua camera.
- Mi raccomando! Se fai tardi, scordati cosa vuol dire uscire di sera! Almeno fino a quando diventerai maggiorenne.

C Comprensione del testo

Leggete il testo e scegliete l'affermazione corretta tra le quattro proposte.

CONFLITTI TRA GENITORI E FIGLI. URLARE NON SERVE

A tutti è capitato. Tra lo stress e la mancanza di tempo, succede di alzare la voce con i propri figli. Esasperati dai capricci di bimbi "tirannici" o di adolescenti perennemente "contro", si assumono comportamenti aggressivi, che non generano risoluzione, ma solo frustrazione. A spiegarlo è il nuovo libro *Urlare non serve a nulla* (edizioni BUR), scritto da Daniele Novara, uno dei maggiori pedagogisti italiani. Lo abbiamo intervistato per capire come gestire i conflitti con i figli, per guidarli al meglio nella loro crescita.   5

Nel suo libro afferma che i conflitti con i figli oggigiorno sono aumentati per motivi culturali. Quali sono quelli che li hanno incrementati?

Sì, in un certo senso sono aumentati anche per motivi culturali. Prima, fino agli anni Settanta del secolo scorso non c'era molto spazio per il conflitto: il genitore comandava e il figlio, volente o nolente, ubbidiva. Ora invece i genitori apprezzano i figli che prendono posizione e discutono. Però c'è il rovescio della medaglia: prima o poi   10 i figli finiscono col rispondere, anche male, ai genitori, lasciandoli spesso interdetti.

La colpa è anche imputabile al fatto che si è passati da una educazione rigida e autoritaria, come quella dei nostri nonni, a una fin troppo morbida e permissiva, dove prevale l'accudimento sull'educazione?

Non credo. I conflitti c'erano anche prima e non certo di meno. Solo che quando l'educazione era rigida e autoritaria non si potevano esprimere, mentre ora i figli vivono una relazione di maggiore confidenzialità con i   15 genitori e quindi la conflittualità si manifesta. Il problema dell'educazione morbida dei nostri giorni non sta nell'aumentare i conflitti, ma nel non essere "educazione". È "prendersi cura"; è soddisfare tutti i bisogni, anche quelli non ancora espressi. Il compito dei genitori è, invece, fare diventare i figli autonomi, capaci di stare al mondo, di relazionarsi con gli altri. E in questo compito il conflitto è un elemento inevitabile,   20 che bisogna imparare a gestire bene.

Se il conflitto non è roba da bambini, per gli adolescenti sembra essere funzionale alla crescita. In che modo e perché?

La crescita comporta inevitabilmente un processo di individuazione: ogni bambino, man mano che diventa preadolescente prima, e adolescente   25 poi, ha bisogno di distaccarsi da quelle figure che sono state fondamentali per lui e testare le proprie capacità e risorse: mettersi in gioco, sperimentare l'autonomia, imparare a cavarsela. Da questo punto di vista il conflitto è fisiologico e nasce dal processo di differenziazione. Il problema si pone piuttosto quando un ragazzo o una ragazza non trovano nessuno con cui litigare. Io dico sempre: meglio che questa casa sia diventata una sorta 30 di albergo, piuttosto che il luogo dove si incontrano solo figure adulte compiacenti e amichevoli. C'è bisogno di qualcuno che si contrapponga e che, come ogni albergo che si rispetti, stabilisca, nell'ascolto e nella negoziazione, quali sono le regole della convivenza. Imparare a litigare bene con i nostri figli li aiuterà a diventare uomini e donne competenti, in grado di affrontare con successo le sfide e la complessità del futuro che ci attende.

tratto da *www.repubblica.it*

1. Daniele Novara
   - [ ] a. litiga spesso con i suoi figli perché sono "tirannici"
   - [ ] b. è autore di un libro di favole per adolescenti aggressivi
   - [x] c. ci dà dei consigli riguardo al rapporto con i nostri figli
   - [ ] d. quando litiga con i suoi figli, urla anche se non serve a nulla

2. I conflitti con i figli oggigiorno sono aumentati
   - [ ] a. a causa della crisi d'identità della famiglia
   - [ ] b. perché vogliono andare a vivere da soli senza avere un lavoro
   - [ ] c. perché i genitori non gli permettono di lasciare la casa paterna
   - [x] d. perché i rapporti tra i membri della famiglia sono cambiati

3. Un tempo
   - [ ] a. l'educazione che i genitori impartivano ai figli era meno severa dell'odierna
   - [x] b. i figli non avevano confidenza con i genitori e non osavano ribellarsi
   - [ ] c. i figli economicamente erano più autonomi e si sposavano presto
   - [ ] d. i genitori potevano soddisfare tutti i desideri dei figli perché lavoravano entrambi

4. Oggigiorno la cosa peggiore per un figlio è
   - [ ] a. non urlare abbastanza con i suoi genitori
   - [x] b. avere un genitore che non lo ascolta
   - [ ] c. andare in viaggio con i suoi genitori
   - [ ] d. non avere soldi per uscire la sera

D   Riflettiamo sul testo

1 Abbinate le seguenti espressioni contenute nel testo (colonna A) con il loro significato (colonna B).

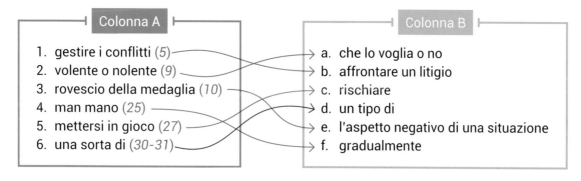

Colonna A
1. gestire i conflitti (5)
2. volente o nolente (9)
3. rovescio della medaglia (10)
4. man mano (25)
5. mettersi in gioco (27)
6. una sorta di (30-31)

Colonna B
a. che lo voglia o no
b. affrontare un litigio
c. rischiare
d. un tipo di
e. l'aspetto negativo di una situazione
f. gradualmente

2 Riformulate con parole diverse le espressioni evidenziate tratte dal testo.

1. a tutti **è capitato** *è successo*
2. **alzare la voce** *urlare*
3. la colpa **è imputabile** *si può attribuire*
4. educazione **morbida** *permissiva*
5. capaci di **stare al mondo** *vivere*

6. il conflitto non è **roba da bambini** *una questione semplice*
7. **testare** le proprie capacità *mettere alla prova*
8. imparare a **cavarsela** *superare le difficoltà*

E   Lavoriamo sul lessico

Completate la tabella con le parole che mancano, formandole a partire da quella data.

	nome	aggettivo	verbo
1.	esasperazione	esasperato	esasperare
2.	aggressione	aggressivo	aggredire
3.	frustrazione	frustrato	frustrare
4.	litigio/litigata	litigioso	litigare
5.	ubbidienza	ubbidiente	ubbidire
6.	educazione	educato	educare
7.	competenza	competente	competere

F   Riflettiamo sulla grammatica

Nel testo abbiamo trovato il pronome indefinito *qualcuno*. Sostituite nelle seguenti frasi le espressioni evidenziate con uno dei pronomi dati.

AG
3.6
p. 126

a. chiunque **|** b. ognuno/ciascuno **|** c. qualcuno **|** d. nessuno **|** e. alcuni
f. altri **|** g. niente **|** h. qualcosa **|** i. tanti/molti **|** l. tutti

[e] 1. **Alcune persone** pensano che quel cantante sia eccezionale.
[a] 2. Per andare al seminario non bisogna pagare, perciò **qualunque persona** può parteciparvi.
[i] 3. In fila ci sono ancora **molte persone** che aspettano di entrare nel cinema.
[d] [l] 4. A quest'ora in ufficio non c'è più **nessuna persona**, perché **tutte le persone** sono andate in mensa.
[c] 5. A **qualche persona** piace leggere commedie *noir*.
[g] 6. Non so **nessuna cosa** di Luisa.
[h] 7. Qui **qualche cosa** non mi quadra.
[f] 8. Alla mia festa sono venuti trenta invitati: alcuni erano miei colleghi, **la parte restante** amici e parenti.
[b] 9. **Ogni persona** può vivere la propria vita come vuole.

es. 3
p. 11   es. 4-5
p. 12

G   Ascoltiamo

1 Ascolterete i consigli di un noto psicopedagogista su come educare i figli. Secondo voi, quali sono gli errori più comuni che un genitore può commettere?

3 **2** Ascoltate e completate le frasi (massimo 4 parole).

1. Educare è sempre un'esperienza affascinante, vedere i bambini che crescono, che fanno .... *i primi passi* ...., che dicono le prime parole...

2. Osservare gli adolescenti che *in maniera abbastanza goffa*
cercano gli altri, si innamorano, cercano i loro progetti, è sempre molto molto interessante.

3. È importante ....*sintonizzarsi su*........ ciò che serve a loro.

4. Mi piace ricordarvi che è opportuno educare ....*non alla pari*........ .

5. Non confondiamo ....*il nostro destino con*........ il loro destino.

6. Il nostro destino è quello di ....*tenere una posizione*........ ferma.

7. Spesso cadiamo in una ....*simpatica trappola*........ che è quella dell'«anch'io».

8. Abbandoniamo ....*questa confessione*........, abbandoniamo questa modalità che semplicemente confonde il bambino.

9. Primo piccolo segreto: non educare ....*in senso autobiografico*........, occupati della tua storia.

 3 Siete d'accordo con quanto afferma lo psicologo sul fatto che i figli non vadano educati "alla pari"? Motivate la vostra opinione, riportando una vostra esperienza personale.

H Lavoriamo sul lessico

 Nel testo a pag. 18, abbiamo trovato le parole *conflitto* e *conflittualità*. Attenzione: i sostantivi che si somigliano, pur avendo la stessa radice, non hanno sempre lo stesso significato. Ne ricordate alcuni di questo tipo?

Ora provate a inserire nelle coppie di frasi i sostantivi dati, preceduti, dove è necessario, dall'articolo determinativo o indeterminativo.

1. *conflitto* × *conflittualità*
   a. Michele è in palese ....*conflitto*........ con i suoi figli.
   b. I rapporti tra madre e figlia sono sempre improntati a una certa ....*conflittualità*........ .

2. *differenza* × *differenziazione*
   a. Bisogna operare *una differenziazione* tra i vari prodotti immessi sul mercato.
   b. Tra il dire e il fare c'è molta ....*differenza*........ .

3. *confidenza* × *confidenzialità*
   a. Oggi i figli vivono una relazione di maggiore ....*confidenzialità*........ con i genitori.
   b. Tra madre e figlia si sviluppa quasi sempre ....*confidenza*........ reciproca.

4. *negoziato* × *negoziazione*
   a. Tra i due Paesi è in corso ....*un negoziato*........ volto a risolvere alcune questioni economiche.
   b. È d'importanza vitale *una negoziazione* tra genitori e figli.

es. 6 p. 12

I Lavoriamo sulla lingua

Completate il seguente testo scegliendo la parola giusta tra le quattro proposte a pag. 22.

LA FAMIGLIA ALLARGATA

Con il termine odierno "famiglia allargata" (o famiglia ricomposta) si intende una famiglia ricostruita con un nuovo partner, dopo una rottura. Significa che c'è stata una *separazione* (1), che due genitori si sono lasciati e si sono innamorati una seconda volta, ma di persone diverse. Indica una probabile nascita di al-

I Cesaroni

tri ....*figli*.......... (2) che in qualche modo dovranno imparare a ....*convivere*.......... (3) con dei "fratellastri"; o figli del ....*compagno*.......... (4) già grandi magari, che si ritrovano da un giorno all'altro a doversi relazionare con altri coetanei, figli del nuovo partner di mamma o papà. Se un tempo la parola fratellastro o sorellastra era ....*considerata*.......... (5) dispregiativa*, perché l'associavamo alla favola di Cenerentola, oggi sono i termini precisi per identificare i soggetti in questione e cioè fratelli sì, ma non di ....*sangue*.......... (6), che hanno in comune soltanto un genitore. In Italia una fiction che trattava di questo argomento, *I Cesaroni*, ha ....*riscosso*.......... (7) grande successo di pubblico. Vi si raccontano, infatti, le vicende di una famiglia ....*allargata*.......... (8), il cui cognome è appunto Cesaroni, composta da due ex fidanzati, Giulio e Lucia, che si ritrovano per ....*caso*.......... (9) ad un semaforo dove riscoprono il loro amore, si sposano e vanno a vivere a casa di lui, a Roma, con i tre figli di lui (Marco, Rudi e Mimmo) e le due figlie di lei (Eva e Alice).

★ dispregiativo: che esprime disprezzo

1. (a.) separazione   b. unione   c. divisione   d. distacco
2. a. fratelli   b. cugini   (c.) figli   d. nipoti
3. (a.) convivere   b. sopravvivere   c. rivivere   d. vivere
4. a. collega   (b.) compagno   c. complice   d. consorte
5. (a.) considerata   b. valutata   c. pensata   d. detta
6. a. famiglia   b. razza   (c.) sangue   d. stirpe
7. (a.) riscosso   b. risvegliato   c. preso   d. incassato
8. a. ampliata   (b.) allargata   c. divorziata   d. lasciata
9. a. fortuna   (b.) caso   c. tempo   d. effetto

es. 7-8 p. 12

L   Riflettiamo sulla grammatica

Di solito per la maggior parte dei nomi è possibile formare il femminile dal maschile mediante la variazione della desinenza o del suffisso (es. *figlio/figlia*, *attore/attrice*). Ricordate che ci sono, però, alcuni sostantivi, come *fratello* e *sorella*, che presentano forme completamente diverse per il maschile e il femminile? Questi nomi vengono chiamati "indipendenti".

AG 2.1.2 p. 119

Abbinate il femminile ai seguenti nomi indipendenti. (Attenzione: i femminili sono di più!)

b	1. babbo
h	2. padrino
i	3. genero
f	4. fratellastro
e	5. celibe
c	6. bue
g	7. frate
d	8. dio

a. dama
b. mamma
c. mucca
d. dea
e. nubile
f. sorellastra
g. suora
h. madrina
i. nuora
l. matrigna

es. 9-10 p. 13

M   Parliamo

1 Leggete il grafico e commentatelo.

Quale insegnamento dei tuoi genitori hai apprezzato di più?

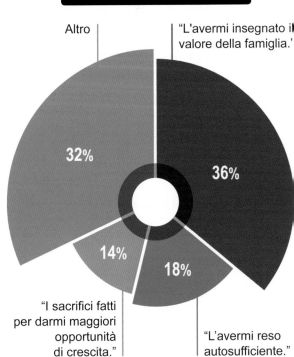

Altro

"L'avermi insegnato il valore della famiglia."

32%

36%

14%

18%

"I sacrifici fatti per darmi maggiori opportunità di crescita."

"L'avermi reso autosufficiente."

2 Confrontate le due immagini e commentatele, sottolineando i cambiamenti avvenuti nella famiglia nel corso del tempo.

N Scriviamo

180-200

Scrivete un saggio breve* sul rapporto tra genitori e figli, che cominci con queste parole:

"I rapporti tra genitori e figli rappresentano da sempre una questione delicata e difficile, talvolta un vero e proprio problema, che si accentua durante l'adolescenza."

O Riflessioni linguistiche

Sottolineate i modi di dire presenti in questo brano.

Non è facile decidere di lasciare il focolare, cioè andarsene di casa, anche perché si sa che in casa propria ognuno è re. Però viene un giorno in cui ognuno deve fare il gran passo, cioè prendere la decisione di aprire le ali e smettere di vivere sulle spalle dei propri genitori. Anche se è probabile che spesso penserà 'casa dolce casa'.

***

✱ Utilizzate questa scaletta di domande per redigere il vostro testo

- I genitori oggi fanno di tutto per risparmiare ogni problema ai loro figli. Potrebbe rivelarsi un errore?
- Quali sono gli sbagli più frequenti che oggigiorno i genitori commettono nei riguardi dei figli e viceversa?
- Genitori e figli possono essere "amici"? Per quale motivo?
- Quali sono le "strategie" per mantenere l'armonia tra i genitori e i figli?

P Giochiamo

Giocate in due squadre. Il vostro scopo è creare insieme il profilo del... genitore ideale. Preparatevi per qualche minuto riguardando l'unità. Poi uno studente della squadra A comincia con una frase come queste:

Un buon genitore fa/non fa...

Un buon genitore dovrebbe...

Se la frase è corretta (dal punto di vista linguistico e del significato), la squadra vince un punto.
Poi tocca a uno studente della squadra B e così via.
Il gioco finisce quando una squadra resta senza argomenti. Quale squadra ha fatto più punti?
Conviene preparare più di una frase per non farsi cogliere di sorpresa dagli avversari!

A caccia di amici

In questa unità impareremo a...

- fare delle ipotesi sul contenuto di un testo, partendo dal titolo
- commentare massime sull'amicizia
- scrivere su un blog

Inoltre vedremo...

- i numerali collettivi
- farsi + infinito
- gli avverbi di modo
- i prefissi nominali e aggettivali

Per cominciare...

1 Lavorate in coppia: pensate ad almeno tre cose importanti su cui deve basarsi un'amicizia (sincerità, fiducia, ecc.). Poi confrontatele con quelle scelte dalle altre coppie e scrivetele qui sotto in ordine di importanza.

....

....

....

....

....

2 Commentate le seguenti affermazioni, esprimendo la vostra opinione e motivandola.

> L'amicizia disinteressata tra uomo e donna non è possibile.

> L'amicizia è un'intesa spirituale e non si fonda sullo scambio di favori.

> Tanti amici virtuali non valgono un solo amico reale.

> I genitori oggi tendono ad essere amici dei loro figli.

> Perdere un amico è una sofferenza peggiore rispetto a quella di perdere un amore.

es. 1
p. 14

A Curiosità

Chi trova un amico trova un tesoro, dice un proverbio. Effettivamente l'amicizia è uno dei legami più particolari e belli che l'essere umano possa stabilire. All'amicizia, com'è noto, è dedicata la **Giornata mondiale dell'amicizia** che si tiene ogni anno il 30 luglio: una giornata per celebrare questo sentimento che è capace di smuovere il mondo ed è insostituibile, come l'amore.

tratto da *www.blog.graphe.it*

Giornata mondiale dell'amicizia

30 luglio

B Comprensione del testo

1 Leggete il titolo dell'articolo nella pagina seguente e fate delle ipotesi sul suo contenuto.

2 Ora leggete tutto il testo e abbinate i seguenti titoli ai paragrafi corrispondenti, inserendoli al posto giusto.

a. Donne che condividono gioie e dolori
b. Il vero patrimonio su cui investire
c. Spazi pubblici e privati
d. Le differenze culturali
e. Una questione di sopravvivenza

LUNGA VITA ALLE (VERE) AMICHE

1. *Donne che condividono gioie e dolori*

C he gli uomini vengono da Marte e le donne da Venere lo sappiamo da un pezzo, grazie a John Gray che ci sta costruendo la sua fortuna personale con un bestseller internazionale. Ma una delle prove che certifica la sua teoria arriva in tarda età, più o meno dopo la pensione. Le signore, infatti, a furia di condividere kleenex, confidenze, rimedi anticoliche del neonato e tradimenti coniugali, si ritrovano sulla sessantina senza aver perso la loro intesa: come una testuggine, hanno imparato ad affrontare in formazione compatta ogni tipo di tormenta. Sono cresciute insieme, si sono fatte compagnia, hanno condiviso illusioni e dolori. E gli uomini?

2. *Una questione di sopravvivenza*

Ad alimentare le amicizie tra maschi c'è sempre stato un denominatore contingente: la carriera, il calcio, la barca, la montagna. Esauriti i tempi (e i passatempi), si sono ritrovati soli. Non hanno saputo dare profondità al cameratismo e futuro agli hobby. Raggiunta l'età degli abbandoni, senza per forza pensare ai lutti, ma solo al fatto che oggi non si ha più paura di separarsi con i capelli bianchi, quando il lavoro ha smesso di dare un senso alle loro giornate, i maschi si sono ritrovati soli. Il *New York Times* ne ha scritto con una certa preoccupazione. Anche perché uno studio australiano ha dimostrato che la presenza delle amicizie sta avendo un impatto serio sulle persone, facendo crescere del 22 per cento l'aspettativa di vita. Dunque la sfida dell'amicizia maschile non è qualcosa che si può perdere, è una questione di sopravvivenza. Semmai bisogna chiedersi perché la solitudine a una certa età riguardi più gli uomini che le donne, che si ritrovano sì con un conto in banca più povero, ma infinitamente più ricche dei coetanei in fatto di emozioni, sentimenti, affetti.

3. *Le differenze culturali*

«L'amicizia maschile non fa parte della nostra cul-

tura. Superata l'infanzia, non viene fatto niente per incentivarla», ha raccontato al quotidiano statunitense Marla Paul, autrice del saggio *La crisi dell'amicizia. Trovare, creare e mantenere degli amici quando non sei più un ragazzino*. E in effetti sono molte le cose che una donna fa e un uomo non farebbe mai. Per esempio è difficile che un uomo passi mezz'ora al telefono con un amico per lamentarsi della moglie. Così come non spenderebbe del tempo a raccontare al collega o a farsi raccontare dal collega quanto lo stanno facendo penare i figli adolescenti (per quello ci sono le mamme). Un uomo non frequenterebbe nessun circolo dei lettori (a meno che non ci sia una ragazza da corteggiare) e la domenica non aspetta di aver riempito la lavastoviglie per andare dal vicino di casa a bere un caffè e sfogarsi sulle amarezze della vita domestica (a meno che non ci sia un Gran Premio e lui non abbia la tivù più grande, ma in nessun caso parlerebbe della casa).

4. *Spazi pubblici e privati*

Storicamente, l'ambito maschile è stato quello del pubblico, mentre il femminile si è mosso nel privato. E queste sono le conseguenze. «L'uomo, da un punto di vista culturale, ha ereditato lo spazio pubblico del lavoro, della politica, del bar sport, dell'economia. Le sue amicizie sono state finalizzate a quei contesti», spiega Carla Facchini, sociologa della famiglia all'Università Bicocca di Milano che ha studiato queste tematiche con Nestore, l'associazione nata per favorire la preparazione al pensionamento. La relazione tra donne, invece, ha sempre avuto come obiettivo la relazione stessa e come teatro non certo un luogo pubblico, ma quello privatissimo della propria casa, la cucina o il salotto, a seconda dell'estrazione sociale.

5. *Il vero patrimonio su cui investire*

«Un'altra differenza importante tra amicizie maschili e femminili — va avanti la docente — è che le prime tendenzialmente sono di gruppo, quindi poco intime. Le seconde poggiano sulla intimità della con-

divisione della quotidianità, sono solide e si alimentano nella relazione duale, senza essere esclusive: una donna può avere tante amiche». Così il momento della pensione sta diventando cruciale: se in casa le donne sono state per una vita custodi del focolare, gli uomini si ritrovano quasi a fare gli ospiti, e questo non li aiuta.

Talvolta correre ai ripari a ottant'anni non è più possibile. Ma, strada facendo, bisogna ricordarsi di investire meno in derivati e più in amici. Sarà quello, un giorno, il nostro vero patrimonio.

tratto dal *Corriere della Sera*

3 Adesso rileggete l'intero articolo e indicate l'affermazione corretta tra quelle proposte.

1. Secondo l'articolo
   - ☐ a. gli uomini non hanno amici nel corso della loro vita
   - ☐ b. le donne vivono meno degli uomini
   - ☒ c. le donne e gli uomini non vengono dallo stesso pianeta
   - ☐ d. gli uomini in tarda età alimentano la loro amicizia grazie al calcio

2. La vera amicizia
   - ☒ a. ha conseguenze perfino sulla durata della vita
   - ☐ b. non esiste tra le donne e tanto meno tra gli uomini
   - ☐ c. si fonda sulla condizione economica dei coetanei
   - ☐ d. richiede a ogni individuo di sacrificare la propria vita pubblica

3. L'associazione Nestore ha riscontrato
   - ☐ a. quali sono i motivi del pensionamento delle donne
   - ☐ b. che esiste una relazione tra i contesti sociali e la durata delle amicizie
   - ☒ c. quali sono gli ambiti in cui un uomo coltiva le sue amicizie
   - ☐ d. che le amicizie maschili tendono a essere duali e perciò più intime

4. L'autore del testo
   - ☐ a. esprime disapprovazione per la qualità di vita che conducono i maschi
   - ☐ b. giudica sleale l'atteggiamento che i maschi adottano verso le loro compagne
   - ☐ c. approva il comportamento maschile
   - ☒ d. ritiene che le amicizie femminili siano più durature rispetto a quelle maschili

4 Come interpretate la frase nel testo "come una testuggine, hanno imparato ad affrontare in formazione compatta ogni tipo di tormenta"?

C Riflettiamo sul testo

 1 Lavorate in coppia. Completate le frasi con le seguenti espressioni del testo (aggiungete alle preposizioni l'articolo, se necessario).

> da un pezzo | grazie a | a furia di | per forza
> semmai | in fatto di | a seconda di

1. _Grazie alla_ loro complicità, le donne restano unite, anche in tarda età.
2. _A furia di_ raccomandazioni, mio marito ottenne il posto a cui aspirava.
3. Non bisogna _per forza_ sfogare sugli amici le proprie frustrazioni.

25

4. _In fatto di_ sincerità non transigo.
5. Non ho amici perché ho litigato già _da un pezzo_ con tutti quelli che conoscevo.
6. Gli amici non si trovano _a seconda dei_ propri bisogni.
7. E non dire che alla nostra età non si possono trovare amici. Alla tua, _semmai_ !

2 A quali espressioni del testo corrispondono quelle date di seguito?

1. conferma il suo ragionamento (_par. 1_) _certifica la sua teoria_
2. ha una conseguenza rilevante (_par. 2_) _sta avendo un impatto serio_
3. dispiaceri (_par. 3_) _amarezze_
4. in base alla classe sociale (_par. 4_) _a seconda dell'estrazione sociale_
5. rimediare (_par. 5_) _correre ai ripari_
6. durante il percorso (_par. 5_) _strada facendo_

3 Abbinate le parole evidenziate nell'articolo ai loro sinonimi forniti qui di seguito.

1. casa _focolare_
2. tartaruga _testuggine_
3. decisivo _cruciale_
4. complicità _cameratismo_
5. sollecitare _incentivare_
6. campo _ambito_
7. dato comune _denominatore_
8. difficoltà _tormenta_

D Lavoriamo sul lessico

1 Completate la tabella con i nomi che derivano dai verbi indicati.

AG 5.2 p. 130

	verbo	nome
1.	venire	venuta
2.	certificare	certificato certificazione
3.	esaurire	esaurimento
4.	aspettare	aspettativa
5.	incentivare	incentivo
6.	sfogarsi	sfogo
7.	estrarre	estrazione
8.	escludere	esclusione

2 Nelle seguenti frasi sostituite il verbo _fare_ con uno più adatto, scegliendolo tra quelli dati, che sono di più.

concludere | procurare | commettere
contrarre | praticare | confezionare
comporre | rendere | eleggere | sbrigare

1. fare felice _rendere felice_
2. fare un danno _procurare un danno_
3. fare un lavoro _sbrigare un lavoro_
4. fare uno sport _praticare uno sport_
5. fare un debito _contrarre un debito_
6. fare presidente _eleggere presidente_
7. fare un abito _confezionare un abito_
8. fare un accordo _concludere un accordo_

es. 2 p. 14

3 Nel testo viene usato il sostantivo _sessantina_ per dire _circa 60_. Cosa si dice per indicare...?

1. circa 10 _una decina_
2. circa 12 _una dozzina_
3. circa 15 _una quindicina_
4. circa 20 _una ventina_
5. circa 100 _un centinaio_
6. circa 1000 _un migliaio_

E   Riflettiamo sulla grammatica

AG
20
p. 164

Nella frase «non spenderebbe del tempo [...] a farsi raccontare dal collega [...]» perché, secondo voi, l'autore dell'articolo usa il verbo *farsi* + *infinito*? Quale significato assume?

Completate le seguenti frasi, inserendo i verbi dati.

si faccia | ti faresti | mi sono fatto | vi farete | si facciano | farsi | si fa | fatti | ci facevamo

1.   Ieri ..... *mi sono fatto* ..... tagliare i capelli dal parrucchiere.
2.   Per favore, signora, ... *si faccia* ..... dare le indicazioni dal mio collega.
3.   Ragazzi, quando ..... *vi farete* ..... firmare questi documenti dal preside?
4.   Marino riesce sempre a ..... *farsi* ..... perdonare da Sandra.
5.   Luisa ..... *si fa* ..... sempre accorciare i vestiti dalla sarta.
6.   Matilde, se non sai fare gli esercizi di matematica, ... *fatti* ..... aiutare da Davide.
7.   Ma tu, al posto mio, ... *ti faresti* ..... riparare la macchina da questo meccanico?
8.   Quando eravamo bambini, ... *ci facevamo* ..... raccontare le favole dai nonni.
9.   Gli studenti che non hanno capito, ora ..... *si facciano* ..... spiegare la regola dal professore!

es. 3
p. 14

F   Lavoriamo sulla lingua

1 Individuate e correggete gli errori nel seguente testo (uno per ogni rigo).

ELENA E LILA

1   **P**oco prima del esame di licenza media, Lila mi spinse a fare un'altra
2   delle tante cose che da sola non avrei mai avuto il coraggio a fare.
3   Decidemo di non andare a scuola e passammo i confini del rione.
4   Non era mai successo. Da quando avevo memoria non mi avevo mai
5   allontanata dalle palazine bianche a quattro piani, dal cortile, dalla
6   parrocchia, dai giardinetti, ne avevo mai sentito la spinta a farlo.
7   Passavano treni di continuo oltre la campagna, passavano auto e camion, sù
8   e giù per lo stradone, eppure non riesco a ricordare nemmeno un occasione
9   in quale chiedo a me stessa, a mio padre, alla maestra: dove vanno le auto,
10 i camion, i treni, in quale città, in quale mondo? Anche Lila non c'era
11 mai particolarmente interessata, però quella volta organizzò ogni cose.

tratto da *L'amica geniale* di Elena Ferrante

L'amica geniale, serie televisiva

1.	*dell'*	5.	*palazzine*		
2.	*di*	6.	*né*	9.	*cui*
3.	*Decidemmo*	7.	*su*	10.	*s'*
4.	*ero*	8.	*un'*	11.	*cosa*

2 Raccontate come, secondo voi, continuerà e terminerà questa avventura delle due amichette, Elena e Lila.

G Riflettiamo sulla grammatica

Nel testo avete trovato gli avverbi *infinitamente, storicamente, tendenzialmente*. Come si forma un avverbio di modo a partire dall'aggettivo?

AG 7.3 p. 139

Provate a trovare gli avverbi di modo che derivano dagli aggettivi dati a destra.

es. 4-8 p. 15

1.	freddo	*freddamente*	9. gentile	*gentilmente*
2.	semplice	*semplicemente*	10. facile	*facilmente*
3.	affettuoso	*affettuosamente*	11. felice	*felicemente*
4.	regolare	*regolarmente*	12. aperto	*apertamente*
5.	sistematico	*sistematicamente*	13. finale	*finalmente*
6.	impaziente	*impazientemente*	14. lento	*lentamente*
7.	rispettoso	*rispettosamente*	15. gratuito	*gratuitamente*
8.	silenzioso	*silenziosamente*	16. caldo	*caldamente*

H Ascoltiamo

1 Ascoltate una prima volta un brano sull'amicizia e indicate le parole pronunciate.

- [ ] compagnia
- [x] coltivare
- [x] segreto
- [x] socievole
- [ ] alternative
- [ ] vicino di casa

2 Riascoltate il brano e completate le frasi (massimo 4 parole).

1. Hanno creato una generazione di giovani uomini quasi privi *di autentici amici*, rivela un'indagine.

2. Significa che ormai gli amici "veri", quelli su *cui si può contare* e a cui si può dire tutto, si sono quasi dimezzati.

3. Quella dei pensionati che vivono a lungo, i cui amici di una vita *scompaiono poco per volta*, lasciandoli soli.

4. Non è la stessa cosa dell'amico del cuore *con cui si andava* al bar, facendo tardi.

5. Io sono molto *socievole, vado fuori* un sacco, vedo tanta gente...

6. Quando metti su famiglia, rinunci quasi senza accorgertene *a coltivare le amicizie*.

I Riflettiamo sulla grammatica

Riflettete sulla formazione della parola *sopravvivenza* che abbiamo trovato nel testo a pag. 25. *Sopra-* è un prefisso, cioè uno degli elementi che vengono messi prima delle radici delle parole per formare parole derivate. Ne conoscete altri?

AG 5.6 p. 132

Provate a individuare i prefissi delle seguenti parole derivate e a specificare il loro significato. Se necessario, ricorrete al vocabolario.

1. anteguerra — *ante (prima)*
2. subacqueo — *sub (sotto)*
3. entroterra — *entro (interno)*
4. extracomunitario — *extra (fuori)*

5. retromarcia	*retro (dietro)*	10. neolaureato	*neo (nuovo)*
6. internazionale	*inter (tra)*	11. postmoderno	*post (dopo)*
7. iperattivo	*iper (oltre)*	12. maxiprocesso	*maxi (grande)*
8. semianalfabeta	*semi (metà)*	13. antidolorifico	*anti (contro)*
9. vicedirettore	*vice (invece di)*	14. bilingue	*bis/bi (due)*

es. 9
p. 16

L Parliamo

1 Descrivete le due immagini, mettendole a confronto.

La pazza gioia
di Paolo Virzì

Perfetti sconosciuti
di Paolo Genovese

2 In un suo racconto Alberto Moravia scrive: «Dicono che gli amici si vedono nei problemi e nelle disgrazie. Io dico che l'amico vero lo vedi nei momenti di gioia.» Voi che ne pensate?

3 Da quando è esploso il boom dei social network, il mondo si è riempito di "amici" e contatti, dandoci la sensazione di essere meno soli. Ma i rapporti virtuali sono davvero in grado di sostituire una solida rete di amicizie fatte di incontri, gesti, sguardi e parole? Esprimete la vostra opinione, motivandola.

es. 10-11
p. 17

M Scriviamo

150-160

Volete anche voi "dire la vostra" scrivendo su un blog che invita gli utenti a commentare il seguente aforisma di Oscar Wilde.

"Fra uomo e donna non può esserci amicizia.
Vi può essere passione, ostilità, adorazione, amore, ma non amicizia."

Sul blog esporrete brevemente il vostro punto di vista su questo argomento, spiegando le motivazioni della vostra opinione e facendo anche riferimento al vostro vissuto personale.

In questa unità impareremo a...

- *riassumere un testo letterario seguendo delle indicazioni*
- *raccontare un'esperienza vissuta*
- *scrivere una lettera formale di protesta*
- *leggere un grafico*

Inoltre vedremo...

- *l'uso di infine, alla fine, finalmente*
- *l'uso dell'imperfetto e del passato prossimo*
- *le reggenze verbali*

Per cominciare...

1 Leggete i titoli di alcuni articoli sugli animali domestici e commentate con un compagno: qual è la notizia più strana/incredibile/buffa? Cosa pensate delle diverse maniere in cui la gente manifesta il proprio amore verso questi animali?

> **Chi l'ha visto?**
> **Un sito per i cani smarriti**

> DogCatRadio
> per piccoli animali
> **Così si sentiranno meno soli**

> **Fido, sorpasso in famiglia**
> **Più cani e gatti che bambini**

> **Eredità di 12 milioni di euro al gattino**

> **Cane e padrone si ammalano e muoiono lo stesso giorno**

2 Vi è mai capitato di trovare o di soccorrere un animale? Raccontate.

A Ascoltiamo

1 Portereste con voi in vacanza il vostro animale domestico? Che cosa comporta organizzare le vacanze tenendo conto anche di un animale?

2 Ascoltate e segnate la risposta giusta tra quelle proposte.

1. Il cliente telefona all'Hotel Fenix
   - ☐ a. per chiedere informazioni sul suo cane
   - ☐ b. perché è l'unico albergo di Roma che accetta i cani
   - ☒ c. perché è un albergo in cui i cani sono ammessi
   - ☐ d. per prenotare una camera per il suo cane

2. I servizi dell'hotel, tra le altre cose, prevedono
   - ☐ a. una cuccia e un'area solo per cani nel parco
   - ☐ b. un piccolo letto per il cane e un parco
   - ☒ c. una brandina per il cane e la ciotola
   - ☐ d. un lettino e un piccolo bagno per il cane

A CUCCIA!

Una giornata speciale per conoscere, educare e capire il cane, a Oltremare.

In collaborazione con:

ASSOCIAZIONE CINOFILA WHY NOT DOG?

ASSOCIAZIONE PROFESSIONALE NAZIONALE EDUCATORI CINOFILI

Il programma si propone di far comprendere ai partecipanti che, giocando con il proprio cane, si possono **eliminare comportamenti non desiderati** e insegnargli, in maniera positiva e permanente, come si fa a "**stare al mondo**".

OLTREMARE

info line 0541.4271 - www.oltremare.org

3. Il cliente ha un

- [x] a. grande cane maremmano che si chiama Neve
- [ ] b. grande cane lupo che si chiama Leve
- [ ] c. cane di media taglia che si chiama Leve
- [ ] d. grande cane nero che si chiama Neve

4. L'Hotel Fenix si trova

- [ ] a. in Via Veneto
- [x] b. vicino ai Parioli
- [ ] c. lontano dal centro
- [ ] d. a Trieste

3 Qual è il significato delle espressioni in verde?

1. Durante la conversazione il cliente dice: "Ogni taglia? No, perché il nostro cane è proprio grosso…" e più avanti: "No, perché io non conosco bene Roma e venendoci con il cane…". Secondo voi, dice così per

- [ ] a. esprimere disaccordo con quanto ha ascoltato
- [x] b. continuare il discorso e spiegare qualcosa

2. La receptionist dice: "Guardi, Roma negli ultimi tempi è diventata sempre più una città *pet friendly*…" perché

- [ ] a. vuole fare vedere qualcosa di importante
- [x] b. vuole richiamare l'attenzione del suo interlocutore

B   Lavoriamo sulla lingua

1 Secondo voi, gli animali comunicano tra loro e con gli esseri umani? In che modo?

2 Correggete gli errori (uno per ogni rigo).

1 Tutte le creature del regno animale comunicanno tra loro,	*comunicano*
2 svolgono cioe una *vita di relazione*, sia	*cioè*
3 al'interno di una stessa specie	*all'*
4 che tra specie diverse, grazie di un complicato	*a*
5 e continuo sistema di messaggi. I studiosi	*Gli*
6 analizzano i segnali emesi da ogni animale, dal più piccolo	*emessi*
7 protozoo alle grande balene, e tentano di individuarne	*grandi*
8 il significato, cioè la codice. Molte specie animali	*il*
9 non hanno moltissime cose di dirsi: in genere i loro messaggi	*da*
10 riguardano informazione essenziali legate	*informazioni*
11 alla sopravivenza e alla riproduzione.	*sopravvivenza*

C   Comprensione del testo

VISITA A UN CANILE

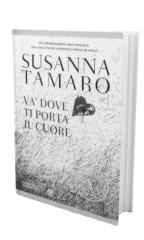

1   Ricordi? Abbiamo discusso a lungo, alla fine ci siamo messe d'accordo per un cane. La notte prima di andare a prenderlo non hai chiuso occhio. Ogni mezz'ora bussavi alla mia porta e dicevi: "Non riesco a dormire". La mattina alle sette avevi già fatto colazione, ti eri vestita e lavata; con il cappotto addosso mi aspettavi seduta in poltrona. Alle otto e mezza eravamo davanti all'ingresso del canile, era ancora chiuso. Tu guardando

tra le grate dicevi: "Come saprò qual è proprio il mio?" C'era una grande ansia nella tua voce. Io ti rassicuravo, non preoccuparti, dicevo. Siamo tornate al canile per tre giorni di seguito. C'erano più di duecento cani là dentro e tu volevi vederli tutti. Ti fermavi davanti ad ogni gabbia, stavi lì immobile assorta in un'apparente indifferenza. I cani intanto si buttavano tutti contro la rete, abbaiavano, facevano salti, con le zampe cercavano di divellere le maglie.

2   Assieme a noi c'era l'addetta del canile. Credendoti una ragazzina come tutte le altre, per invogliarti ti mostrava gli esemplari più belli: "Guarda quel cocker", diceva. Oppure: "Che te ne pare di quel lassie?". Per tutta risposta emettevi una specie di grugnito e procedevi senza ascoltarla.

3   Buck l'abbiamo incontrato al terzo giorno di quella via crucis. Stava in uno dei box sul retro, quelli dove venivano alloggiati i cani convalescenti. Quando siamo arrivate davanti alla grata, invece di correrci incontro assieme a tutti gli altri, è rimasto seduto al suo posto senza neanche alzare la testa. "Quello", hai esclamato tu indicandolo con un dito. "Voglio quel cane lì". Ti ricordi la faccia esterrefatta della donna? Non riusciva a capire come tu volessi entrare in possesso di quel botolo* orrendo. Già perché Buck era piccolo di taglia ma nella sua piccolezza racchiudeva quasi tutte le razze del mondo. La testa da lupo, le orecchie morbide e basse da cane da caccia, le zampe slanciate quanto quelle di un bassotto, la coda spumeggiante di un volpino e il manto nero focato** di un dobermann.

4   Quando siamo andate negli uffici per firmare le carte, l'impiegata ci ha raccontato la sua storia: era stato lanciato da un'auto in corsa all'inizio dell'estate. Nel volo si era ferito gravemente e per questo motivo una delle zampe posteriori pendeva come morta.

5   Buck adesso è qui al mio fianco. Mentre scrivo ogni tanto sospira e avvicina la punta del naso alla mia gamba. Il muso e le orecchie sono diventati ormai quasi bianchi e sugli occhi, da qualche tempo gli si è posato quel velo che sempre si posa sugli occhi dei cani vecchi. Mi commuovo a guardarlo. È come se qui accanto ci fosse una parte di te, la parte che più amo, quella che tanti anni fa, tra i duecento ospiti del ricovero, ha saputo scegliere il più infelice e brutto.

tratto da *Va' dove ti porta il cuore* di Susanna Tamaro

> ★ botolo: piccolo cane, tozzo, robusto
> ★★ focato: di pelle scura, con macchie di color rosso acceso

1   Leggete il testo e rispondete alle seguenti domande.

1. Che rapporto, secondo te, potrebbe esserci tra la donna che scrive la lettera e la persona che la riceverà? *Risposta libera (sono una nonna e sua nipote)*

2. Che cosa rievoca la donna? *Il giorno in cui sono andate al canile per scegliere un cane.*

3. Perché l'addetta al canile mostra agli ospiti gli esemplari più belli del canile? *Perché desidera che venga adottato qualche cane e crede che sarà più facile per un cane di razza, di solito preferito rispetto agli altri.*

4. Come reagisce la ragazza? *Sceglie un bastardino ferito.*

5. Che tipo di maltrattamento aveva subito il povero cagnolino? *Era stato scaraventato fuori dall'auto dai suoi padroni ed abbandonato.*

6. Quale sentimento prova la donna guardando Buck invecchiato? *Un sentimento di commozione, misto ad amore e nostalgia.*

2   Riassumete, oralmente o per iscritto, il testo toccando i seguenti punti.

- l'eventuale relazione che lega le due protagoniste del brano
- il ricordo della donna narrante
- la visita che le protagoniste fanno al canile in compagnia dell'addetta
- i motivi legati alla scelta di Buck
- i sentimenti della persona narrante nei riguardi di Buck

D   Riflettiamo sul testo

Le frasi che seguono corrispondono ad altre che sono nel testo. A quali?

1. non hai dormito *(par. 1)* .... *non hai chiuso occhio*
2. persa nei tuoi pensieri *(par. 1)* .... *assorta*
3. cosa ne pensi? *(par. 2)* .... *Che te ne pare?*
4. come unica reazione *(par. 2)* .... *per tutta risposta*
5. borbottavi qualcosa di incomprensibile *(par. 2)* *emettevi una specie di grugnito*
6. serie interminabile di difficoltà *(par. 3)* .... *via crucis*
7. viso stupito *(par. 3)* .... *faccia esterrefatta*
8. proprio così *(par. 3)* .... *già*
9. nel lancio *(par. 4)* .... *nel volo*
10. vicino a me *(par. 5)* .... *al mio fianco*

E   Lavoriamo sul lessico

1 A quale categoria appartengono i seguenti animali?
Fate l'abbinamento.

e	1.	coccodrillo │ serpente │ tartaruga │ vipera
f	2.	mosca │ zanzara │ formica │ farfalla │ ape
d	3.	rondine │ civetta │ pellicano │ gabbiano
b	4.	squalo │ tonno │ salmone │ merluzzo
a	5.	scimmia │ orso │ foca │ delfino │ balena
c	6.	rospo │ rana │ tritone │ salamandra

a. mammiferi
b. pesci
c. anfibi
d. uccelli
e. rettili
f. insetti

2 Abbinate ciascun animale della colonna A con il rispettivo verso della colonna B, poi trovate l'infinito del verbo.

Colonna A	Colonna B	Verbo
1. cane *(c)*	a. ulula ▶	*ululare*
2. gatto *(b)*	b. miagola ▶	*miagolare*
3. pecora *(d)*	c. abbaia ▶	*abbaiare*
4. cavallo *(g)*	d. bela ▶	*belare*
5. lupo *(a)*	e. muggisce ▶	*muggire*
6. leone *(h)*	f. grugnisce ▶	*grugnire*
7. mucca *(e)*	g. nitrisce ▶	*nitrire*
8. maiale *(f)*	h. ruggisce ▶	*ruggire*

3 Conoscete le espressioni "avere una memoria da elefante" e "avere una febbre da cavallo"? Secondo voi, cosa significano? *avere una buona memoria e avera la febbre molto alta*

es. 1
p. 18
es. 2-3
p. 18

Alla fine, che abbiamo trovato nel brano, si può usare al posto di *infine*? E di *finalmente*? Perché?

AG
7.5
p. 139

4 Completate le seguenti frasi.

1. La lettera che attendevo è arrivata ieri. ......*Finalmente* ......!

2. Prima il direttore e l'impiegato hanno discusso della questione dello stipendio e ...*alla fine/infine* si sono messi d'accordo.

3. Il cane si è ammalato e ...*alla fine/infine* ... è morto.

4. Dopo aver sostenuto per tre volte l'esame, ieri ......*finalmente* ...... l'ho superato.

es. 4
p. 18

F   Riflettiamo sulla grammatica

 All'inizio del brano di pag. 32 abbiamo letto la frase «La notte prima di andare a prenderlo non hai chiuso occhio. Ogni mezz'ora bussavi alla mia porta [...]». Potete dire in quali casi si usa l'imperfetto e in quali il passato prossimo?

AG
11.2-3
p. 143

1 a Sottolineate questi tempi nel testo alle pagine 32-33.

b Ora completate il seguente testo coniugando i verbi dati al tempo giusto.

HACHIKO, L'AKITA GIAPPONESE CONOSCIUTO IN TUTTO IL MONDO

Q uella di Hachiko è probabilmente la storia più nota di legame tra un cane e il suo padrone. Hachiko ....*era*........... (1. *essere*) un cane di razza akita e ....*viveva*.......... (2. *vivere*) con il suo padrone, Eisaburo Ueno, docente presso la Facoltà di Agraria dell'Università di Tokyo. Tutte la mattine Hachiko ...*accompagnava*.. (3. *accompagnare*) il professore alla stazione di Shibuya e tutti i pomeriggi, alle tre in punto, ...*si sedeva*...... (4. *sedersi*) sulla panchina ad aspettare il ritorno del suo amico Eisaburo. Purtroppo un giorno il professor Ueno .....*si è sentito*..... (5. *sentirsi*) male sul posto di lavoro ed ....*è morto*......... (6. *morire*).

Hachiko, non sapendo della morte del suo amico, quel pomeriggio, alle 15:00 come sempre, ...*è andato*.... (7. *andare*) ad aspettarlo in stazione. Non lo ....*ha visto*........ (8. *vedere*) tornare, ma lui non .....*si è perso*..... (9. *perdersi*) d'animo: per dieci anni, tutti i pomeriggi alle 15:00 in punto Hachiko ....*si è recato*.... (10. *recarsi*) a quella stazione in attesa del suo amico umano. La sua straziante storia ben presto .....*è diventata*..... (11. *diventare*) nota a tutti, tanto che alcuni negozianti ...*hanno deciso*... (12. *decidere*) di costruirgli una cuccia e, in seguito, quando ....*è morto*........ (13. *morire*), ...*hanno eretto*.... (14. *erigere*) fuori dalla stazione perfino una statua in suo onore.

G   Parliamo

es. 5
p. 19

es. 6
p. 19

 1 Secondo voi, come bisognerebbe punire chi abbandona gli animali o li maltratta (nei circhi, nelle corride, per sadismo, ecc.)? **Parlatene.**

nuovissimo
PROGETTO
italiano **3**

 2 Leggete il grafico e provate a spiegare il motivo delle preferenze degli italiani.

 3 Leggete l'affermazione che segue. Secondo voi, quali seri provvedimenti si potrebbero prendere per scongiurare il pericolo? Motivateli.

L'allarme arriva dai biologi. Entro il 2100 rischiamo di perdere la metà della popolazione animale nel mondo. La colpa è sempre nostra, dell'uomo. Può scomparire il 60% delle scimmie e 100.000 specie di uccelli sono ormai in via d'estinzione.

Quanti sono

La stima degli animali domestici presenti in Italia

🐕	Cani	7.000.000
🐈	Gatti	7.500.000
🐟	Pesci da acquario	16.000.00
🐦	Uccelli	12.000.000
🐍	Serpenti	10.000
🦁	Leoni, pantere, ghepardi	3.000

Totale: oltre 42 milioni

💰 **oltre 2.500.000**
gli euro che gli italiani spendono in un anno per cibo, veterinari e accessori

Fonte: Lav (Lega anti vivisezione)

H Curiosità

L'Isola dei Conigli

La spiaggia dell'Isola dei Conigli, un'autentica meraviglia dell'isola di Lampedusa, con un'acqua la cui limpidezza e le cui sfumature azzurre attraggono visitatori e turisti da ogni parte del mondo, è zona di deposizione delle uova della tartaruga marina Caretta Caretta, specie particolarmente protetta perché seriamente minacciata d'estinzione. Dal 1995 l'intera area è affidata alla gestione di Legambiente che ogni anno attiva i campi di volontariato e seleziona il personale addetto a sorvegliare la spiaggia durante la stagione estiva.

I Riflettiamo sulla grammatica

 All'inizio del brano di pag. 32 abbiamo letto la frase "Non riesco a dormire". Il verbo *riuscire* regge la preposizione *a* + *infinito*.

AG
10.1
p. 142

Potreste inserire i seguenti verbi nel giusto riquadro a seconda che reggano la preposizione *a* oppure *di* + *infinito*?

andare | cercare | preoccuparsi
mettersi | convincere | scegliere
rischiare | invitare | aiutare
abituarsi | chiedere | continuare
smettere | consigliare | divertirsi
temere | insegnare | accettare
imparare | iniziare

Verbo + *di* + infinito	Verbo + *a* + infinito
cercare	andare
preoccuparsi	mettersi
scegliere	convincere
rischiare	invitare
chiedere	aiutare
smettere	abituarsi
consigliare	continuare
temere	divertirsi
accettare	insegnare
	imparare
	iniziare

es. 7-9
p. 20

Da parecchi mesi nella strada dove abitate ci sono una decina di cani abbandonati. Questi cani randagi non hanno ciotole per mangiare e bere, sono pieni di zecche, qualcuno è anche malato o ferito. Per di più la notte abbaiano, costringendovi a dormire con le finestre chiuse, anche se è estate. Decidete di scrivere una lettera al sindaco per segnalare il problema e per chiedergli di prendere provvedimenti. Compilate la lettera a destra e poi provate a scriverne una voi. Potete usare le espressioni contenute nello specchietto*.

Al Sindaco ...., .../...../.....

OGGETTO: **Segnalazione presenza cani randagi**

Gent.le Sindaco,

con la presente desidero portare alla Sua attenzione la seguente situazione: in via ....
(*indicare la località precisa*) da circa ....
(*indicare orientativamente da quanto tempo*) è presente/sono presenti n. .... cani randagi, di taglia .... (*indicare se grande, media o piccola*).

In particolare, si ritiene giusto segnalare che questi cani ....
....
....
....
.... (*riportare i vari disagi*).

Certo che in relazione all'oggetto, Lei e l'amministrazione prenderete i dovuti provvedimenti, La ringrazio anticipatamente.

Firma ....

Per eventuali risposte e contatti:

telefono: ....

email: ....

✱ Per scrivere una lettera formale

- **Formule di apertura:** Gentile Sig., Sig.ra / Egregio, -a Dott.re, Dott.ssa / Preg.mo, -a Prof., Prof.ssa X / Chiarissimo Rettore / Spett. Ditta, Agenzia, Istituto
- **Fare riferimento a contatti precedenti:** In riferimento (In merito) alla Sua lettera (missiva*)
- **Esprimere rammarico:** Vorrei esprimere il mio rammarico per l'inconveniente (per il contrattempo, il disturbo arrecatoLe, ecc.)

*linguaggio burocratico/giuridico

- **Chiedere scusa:** Desidero esprimerLe le mie scuse / Confidando nella sua comprensione, mi auguro che voglia accettare le mie scuse
- **Dare spiegazioni:** Desidererei chiarire tale malinteso, dovuto a / Credo doveroso fornirLe delle spiegazioni
- **Formule di chiusura:** RingraziandoLa anticipatamente, Le invio cordiali (distinti) saluti / La ringrazio e Le porgo cordiali (distinti) saluti / In attesa di un cortese riscontro (di una Sua risposta), Le porgo cordiali (distinti) saluti

i-d-e-e.it

L Scriviamo

Gli esami non finiscono mai

- *scrivere una lettera d'opinione al giornale*
- *confrontare passato e presente per cogliere e descrivere cambiamenti epocali*

Inoltre vedremo...

- *l'infinito presente e passato*
- *il plurale di nomi e aggettivi in -co e -go*
- *l'avverbio* appunto
- *i marcatori o segnali discorsivi*
- *i nomi collettivi*
- *le parole polisemiche*

Per cominciare...

 1 Lavorate in coppia. Associate quanti più termini potete alle due parole chiave presenti al centro dello schema e confrontate le vostre liste con quelle dei compagni.

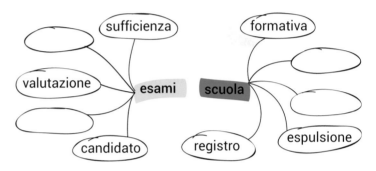

 2 Avete mai avuto un "insuccesso" agli esami? Come avete reagito? Raccontate.

 3 Avete qualche trucco o strategia per prepararvi agli esami? Parlatene, spiegando anche come, secondo voi, bisogna affrontare il panico che si prova prima di essere esaminati.

A Comprensione del testo

1 Leggete il testo e indicate le affermazioni corrette tra quelle proposte.

PANICO DA ESAMI: LA PAROLA ALLO PSICOLOGO

Arrivano gli esami, e insieme agli esami la paura, che a volte rischia di mandare all'aria tutto. Come combatterla? Questi i consigli agli studenti di Tiziano De Luca, docente di Psicologia dello sviluppo all'Università La Sapienza di Roma.

"Diciamo che lo strumento migliore per combattere la paura è sentirsi preparati. Naturalmente, aver studiato in precedenza è importante, ma è molto importante anche aver fatto un buon ripasso, il che sembra una cosa banale ma non lo è. Perché bisogna fare dei sommari, mettere in evidenza i temi più rilevanti, preparare degli schemi, magari suddividendo un argomento in sottounità, perché questo aiuta molto la memorizzazione. In genere questo i ragazzi non lo sanno fare. Leggere e rileggere in modo lento, passivo è una gran perdita di tempo, mentre il ripasso è una cosa attiva. I ragazzi dovrebbero chiedere agli insegnanti di essere aiutati in questo senso, aiutati ad organizzare il pensiero. E potrebbero aiutarsi tra di loro, ripetendo in coppia le materie e interrogandosi a vicenda. Questo insieme di conoscenze e di capacità di controllarle dovrebbe ridurre la paura. E, poiché la paura nasce dall'ignoto, è inoltre molto utile avere un'idea precisa di come si svolgerà l'esame, aver fatto delle 'prove generali' e magari parlato con chi l'ha già sostenuto.

Inoltre, meglio darsi degli orari, e cercare comunque di non fare una vita troppo sedentaria, che comprenda qualche pausa e qualche distrazione. Il giorno prima dell'esame, poi, bisogna assolutamente staccare, non pensarci più per una mezza giornata almeno. E quando si arriva in aula, se c'è qualche compagno particolarmente ansioso e agitato, meglio allontanarsi, perché si tratta di emozioni contagiose".

E se malgrado tutto questo, al momento dell'esame arriva l'attacco di panico?

"Ebbene bisognerebbe aver imparato qualche semplice esercizio di rilassamento, di training autogeno. Ad esempio, già fare dei lunghi respiri è una cosa che tranquillizza, si riacquista un ritmo diverso, più calmo, e lo si può fare anche un momento prima di entrare all'esame. L'ansia contrae i muscoli striati, quindi bisogna usare il procedimento opposto, cioè la decontrazione muscolare, che induce la tranquillità. E un piccolo esercizio di decontrazione può farlo anche una persona seduta su una sedia. Imparare qualche 'mossa', diciamo così, di rilassamento muscolare indubbiamente serve, anche durante la prova scritta. Ci si ferma un momento e si fa un esercizio, in modo da controllare l'ansia".

In linea di massima, meglio rilassati o meglio adrenalinici?

"Direi che dipende dal temperamento individuale e dalla quantità di stress. Un po' di stress serve, perché ad esempio si è in grado di fare collegamenti più rapidi, ma se è eccessivo può bloccare. Ecco perché servirebbe aver già fatto un po' di prove. Oggi forse i ragazzi vengono interrogati di meno rispetto a una volta, il che non aiuta".

Ci sono problemi diversi a seconda del sesso, vantaggi o svantaggi specifici dei ragazzi e delle ragazze di fronte a un esame?

"Le ragazze tendono in genere a parlare di più e a esprimere di più i loro stati emotivi, e questo certamente è un vantaggio perché aiuta anche a controllarli, mentre i ragazzi sono più chiusi".

Cosa devono fare le famiglie per aiutare i ragazzi, e cosa devono assolutamente evitare?

"Devono cercare di tranquillizzarli e non devono creare un clima competitivo, sostenendoli nello studio, ma evitando di drammatizzare l'evento. In genere la paura aumenta se si associa il fallimento all'esame ad una bocciatura su tutta la linea, una bocciatura della persona. Ma l'esame non è un giudizio sulla persona, è un giudizio sulla sua preparazione, quindi non va né sopravvalutato né sottovalutato, va interpretato con realismo".

E agli esaminatori invece che consigli bisognerebbe dare?

"Immedesimarsi nei ragazzi. Capire che per loro è un atto ripetitivo mentre per ciascun ragazzo quello è il 'suo' esame, quindi un fatto unico. Un esaminatore esperto dovrebbe capire con poche occhiate che tipo di ragazzo ha davanti, in che condizioni emotive si trova, saper sdrammatizzare la situazione con qualche battuta, ricordando che a quell'età il controllo delle emozioni è minore di quello di un adulto. In realtà, l'esame potrebbe essere una prova anche per i docenti, una verifica di quanto sono capaci di creare un buon clima con l'esaminando".

tratto da la Repubblica

1. Secondo lo psicologo, il rimedio migliore contro la paura degli esami è
   - [ ] a. aver studiato molto durante tutto l'anno
   - [ ] b. studiare molto negli ultimi giorni
   - [x] c. fare un ripasso sistematico e attivo
   - [ ] d. memorizzare le informazioni più importanti

2. È molto importante
   - [x] a. non pensare troppo agli esami
   - [ ] b. non pensare affatto agli esami
   - [ ] c. pensare solo agli esami
   - [ ] d. non essere distratti

3. Se durante l'esame ci si sente molto stressati
   - [ ] a. meglio ripetere l'esame un altro giorno
   - [ ] b. bisogna chiedere aiuto all'esaminatore
   - [x] c. aiuta conoscere qualche tecnica anti-stress
   - [ ] d. bisogna pensare a cose positive

4. In genere lo stress
   - [x] a. è positivo solo se moderato
   - [ ] b. aiuta chi pensa in modo veloce
   - [ ] c. aiuta anche quando è eccessivo
   - [ ] d. serve sempre

5. I genitori
- ☐ a. devono spiegare quanto sono importanti gli esami
- ☐ b. devono ignorare l'importanza degli esami
- ☐ c. non devono occuparsi affatto dello studio
- ☒ d. non devono trasmettere la loro ansia

6. L'esaminatore dovrebbe
- ☐ a. capire che per un ragazzo non è facile sostenere un esame
- ☐ b. sapere che è necessario "rompere il ghiaccio" prima di iniziare l'esame
- ☐ c. mettersi "nei panni" dei genitori
- ☒ d. pensare che anche lui in fondo in quel momento è sotto esame

2 Pensate a un titolo alternativo per l'articolo e scrivetelo su un foglio. Poi leggetelo ad alta voce ai vostri compagni: quale dei titoli proposti vi piace di più?

B Riflettiamo sul testo

Abbinate le parole in blu del testo con il loro significato in arancione, come nell'esempio.

1. identificarsi *(h)*   → a. ripetizione
2. ripasso
3. interrompere *(b)*
4. bocciatura *(d)*
5. sommario *(g)*
6. fare domande *(e)*
7. battuta *(c)*
8. chi sostiene un esame *(f)*

a. ripetizione
b. staccare
c. frase divertente ed efficace
d. il non superare un esame
e. interrogare
f. esaminando
g. riassunto
h. immedesimarsi

C Riflettiamo sulla grammatica

Agli esami bisognerebbe "studiare" o "aver studiato"? L'infinito composto si usa quando l'azione espressa con l'infinito è anteriore, posteriore o contemporanea rispetto a quella espressa dal verbo della frase principale? *anteriore*

AG
13.1
p. 155

Sottolineate la forma corretta del verbo.

1. Luca è stato espulso dalla scuola per insultare / <u>aver insultato</u> il suo professore.
2. Studia prima di <u>uscire</u> / essere uscito.
3. Ho mal di stomaco: devo mangiare / <u>aver mangiato</u> troppo!
4. Dopo terminare / <u>aver terminato</u> i compiti, andremo a cena con gli amici.
5. Ci siamo allontanati dall'aula per <u>conoscere</u> / aver conosciuto il risultato finale dell'esame.
6. Oggi ho camminato talmente tanto da non <u>riuscire</u> / essere riuscito a reggermi più in piedi.
7. Dovrete <u>impegnarvi</u> / esservi impegnati molto per superare l'esame di anatomia.
8. Ma che dici! Non puoi vivere senza <u>leggere</u> / aver letto?
9. Non posso credere di prendere / <u>aver preso</u> un voto così alto!
10. Sono stato escluso dal concorso, per non inviare / <u>aver inviato</u> la domanda in tempo.

es. 1-2

p. 21

D Lavoriamo sul lessico

 1 Lavorate in coppia. Trovate la parola estranea in ogni gruppo.

1. conferenza | facoltà | ateneo | università
2. studente | alunno | allievo | candidato
3. prova | test | provino | esame
4. sostenere | superare | passare | bocciare
5. docente | preside | maestro | insegnante
6. stressato | preparato | ansioso | agitato

2 Completate le frasi con i derivati delle parole date tra parentesi. (Vi diamo un aiutino 😊)

1. Il governo ha finalmente annunciato una *riduzion*e (*ridurre*) delle tasse!
2. Ogni volta che volevo parlarle provavo un *blocc*o (*bloccare*) psicologico.
3. A questo punto vorrei fare una *precisazion*e (*precisare*).
4. È solo grazie al *sostegn*o (*sostenere*) dei suoi che ce l'ha fatta.
5. Il sindaco attuale ha annullato tutte le decisioni di quello *precedent*e (*precedere*).

es. 3-4 p. 22

E Riflettiamo sulla grammatica

 Il protagonista dell'articolo è uno psicologo. Qual è il plurare della parola *psicologo*? *psicologi*

Sapreste indicare il singolare o il plurale delle seguenti parole?

stanco *stanchi*   classici *classico*
cardiologi *cardiologo*   simpatico *simpatici*
alberghi *albergo*   cataloghi *catalogo*
parchi *parco*   dialogo *dialoghi*

 Riuscite a formulare una regola? Attenzione, ce n'è più di una!

AG 2.2.1 p. 120   es. 5 p. 23

F Ascoltiamo

 1 Il testo che ascolterete tratta di come è possibile gestire l'ansia da esame. Completate le seguenti parti di frasi tratte dal testo con un massimo di quattro parole.

1. L'ansia è una risposta che il nostro corpo dà a *un evento esterno* che può essere un evento appunto negativo o estraneo.
2. Possiamo anche capire come *riuscire a sconfiggere* quest'ansia.
3. Il primo consiglio che voglio darti è *quello della meditazione*.
4. Ci fa concentrare sul momento, *sul qui e ora*, per esempio, su parti del corpo e sul nostro respiro.
5. In questo modo *possiamo focalizzarci* in maniera più tranquilla e stare più sereni.
6. Quel pensiero che ti arriva, magari, *segnalo su un foglio* e metti in discussione quel pensiero.

7. Mettere in discussione l'ansia è il primo modo e ......*quello più efficace*...... per disinnescarla.

8. Non aprire i libri, non leggere ...*in maniera compulsiva*... tutto quello che trovi davanti a te.

9. Stai tranquillo: l'......*esame andrà alla*...... grande!

---

2 Lo studente usa spesso l'avverbio di affermazione *appunto*. Che differenza c'è tra *appunto* e *in punto*? Sottolineate nelle seguenti frasi l'alternativa giusta.

1. Gianna arrivò alle quattro appunto / <u>in punto</u>.

2. *Divorzio all'italiana* è un noto film che ha dato il nome a un genere cinematografico, detto <u>appunto</u> / in punto "commedia all'italiana".

3. Le cose stanno <u>appunto</u> / in punto così.

4. Stavo cercando <u>appunto</u> / in punto il mio cellulare.

5. Il treno è partito alle sette appunto / <u>in punto</u> ed è arrivato a Roma all'orario previsto.

G Lavoriamo sulla lingua

Quando parliamo usiamo dei *marcatori/segnali discorsivi*. I segnali discorsivi sono elementi complessi da gestire da parte di apprendenti di lingue seconde per le loro caratteristiche (non possono essere classificati in una categoria grammaticale precisa) e per il loro significato extralinguistico. Tuttavia sono importanti dal punto di vista dello sviluppo della conversazione, essendo espressione di fluidità e spontaneità del linguaggio, soprattutto parlato. Lo psicologo nell'intervista a pag. 38 ne ha usati alcuni come *diciamo, direi, ebbene*.

AG
9
p. 141

 In coppia, associate i segnali discorsivi nei balloon alle funzioni indicate, come negli esempi.

a. chiedere conferma: *Dunque?, Capisci (Capisce)?, Capito?, No?, Quindi?, Cioè?, Allora?, Fammi (Mi faccia) capire, Chiaro?*

b. attenuare la forza di ciò che si dice: *Diciamo (Praticamente), Direi, Per così dire, A dire il vero, Non saprei...*

c. attenuare la forza di ciò che dice l'interlocutore: *Veramente?!, Davvero?!*

d. sottolineare di essere d'accordo o meno con l'interlocutore: *Ebbene sì/no!, Ma che dici!?, Ma sì/no!, Però!, Bene, Appunto!, (Ma) certo!, Proprio così, ecco!, Va be' (Vabbe')*

e. ricollegarsi a quanto detto in precedenza: *Dunque, Insomma, Quindi, Cioè, Allora*

f. dare delle indicazioni: *Guarda (Guardi)*

H Situazione

Un amico ti telefona per dirti che è stato bocciato e ti chiede consigli per comunicare la notizia ai suoi genitori che si aspettano la promozione.

I Riflettiamo sulla grammatica

Un insieme di alunni formano una *scolaresca*, che è un nome collettivo, cioè un sostantivo singolare che indica una pluralità di individui, animali o cose.

AG
2.2.8
p. 122

 A piccoli gruppi, provate a completare le definizioni con le parole date, come nell'esempio. Vince il gruppo che termina per primo e con più risposte esatte.

flotta | giuria | sciame | squadra | equipaggio | clero | vigneto | esercito | folla
stormo | pineta | arcipelago | gregge | banda | gente | branco

1. Molte persone che stanno insieme formano la ....*folla*.... o la ....*gente*.....

2. Tanti uccelli che volano insieme costituiscono uno ....*stormo*...., un insieme di pecore costituisce un ....*gregge*...., mentre un insieme di api formano uno ....*sciame*.... e un insieme di lupi un ....*branco*.....

3. Un insieme di isole forma un ...*arcipelago*....

4. Una ....*banda*.... è un insieme di persone che suonano diversi strumenti musicali.

5. Un insieme di navi forma una ....*flotta*...., mentre un insieme di soldati forma un ....*esercito*.....

6. Una ....*pineta*.... è costituita da tanti pini, mentre un ....*vigneto*.... da tante viti.

7. Tutte le persone che lavorano su un aereo ne costituiscono l'....*equipaggio*.....

8. I calciatori di una partita costituiscono una ....*squadra*.....

9. L'insieme dei preti costituisce il ....*clero*.....

10. Al concorso di Miss Italia la ....*giuria*.... è composta di persone che devono giudicare chi è la più bella.

es. 6-7
p. 23

L Lavoriamo sul lessico

In italiano ci sono parole che cambiano di significato, a seconda del contesto in cui vengono usate: queste parole si chiamano polisemiche.

 Lavorate in coppia. Nelle seguenti frasi manca la stessa parola, quale? Dopo indicate l'esatto significato che questa parola o l'espressione che la contiene assume nel contesto della frase, scegliendolo tra quelli dati.

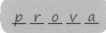 _p_ _r_ _o_ _v_ _a_

a. dimostrazione

b. elementi accusatori

c. tentativo

d. esame

e. verifica

f. solidissima

g. accertamento

h. simulazione

i. gara

[e] 1. Prima di essere assunto definitivamente, l'impiegato dovrà sottoporsi a un periodo di ... .

[f] 2. La nostra amicizia è "a ... di bomba".

[d] 3. Il candidato sarà sottoposto a una ... scritta in lingua italiana.

[a] 4. Dammi la ... che mi ami e io sarò tuo per sempre.

[i] 5. Serena ha vinto la ... di salto in alto.

[h] 6. Domenica ci sarà la "... generale" della vostra rappresentazione teatrale?

[c] 7. Farò ancora una ... prima di deporre definitivamente le armi.

[g] 8. Prima di darLe la diagnosi definitiva, il medico La sottoporrà a una ... di funzionalità epatica.

[b] 9. L'imputato è stato assolto per mancanza di "... (*plur.*) schiaccianti".

M Parliamo

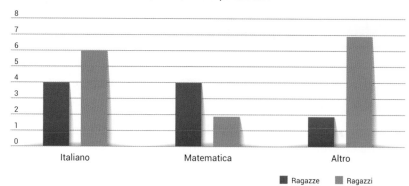

Qual è la materia più difficile?

■ Ragazze ■ Ragazzi

1 Leggete il grafico e commentatelo, sottolineando se anche nel vostro Paese i risultati di questa indagine sarebbero gli stessi.

2 L'insegnamento scolastico ha il compito di istruire, ma anche di educare a vivere con gli altri. Pare, tuttavia, che tale ruolo che dovrebbe essere rivestito tanto dalla scuola quanto dall'università, a tutt'oggi, sia arduo. Secondo voi, che cosa occorrerebbe fare affinché le istituzioni scolastiche riescano ad essere veramente formative?

3 La scuola, un tempo "per pochi", oggi è aperta "a tutti". Come giudicate questo cambiamento epocale? Quali vantaggi e quali svantaggi ha apportato alla società odierna? Discutetene, portando degli esempi a sostegno delle vostre idee.

N Scriviamo

160-180

Mauro Esposito, docente di latino e greco in un liceo italiano, scrive una lettera a un giornale e chiede consigli ai lettori sul seguente interrogativo:

"Promuovere o bocciare"? Alle sicurezze che nel passato i docenti avevano, ora subentrano sempre più le incertezze, i dubbi, le crisi. Non è che manchino i docenti decisi a bocciare e quelli decisi a promuovere magari tutti gli alunni, indiscriminatamente. Ma, in genere, sembra prevalere l'incertezza, il dubbio, l'esitazione, determinata soprattutto dalla presenza di una normativa che sconsiglia o addirittura vieta di bocciare. Che fare, dunque? Quale criterio tenere presente?

Immagina di essere un lettore e di rispondere con una lettera a questi interrogativi, esprimendo e motivando la tua opinione.

O Curiosità

Sapete cosa vuol dire *marinare la scuola*? Disertare, non andare a scuola per uno o più giorni. Marinare letteralmente significa mettere un cibo nell'aceto per conservarlo. Quindi, nello stesso modo, si "conserva" la scuola, si mette da parte per il futuro. Si dice anche *salare la scuola*, *bigiare la scuola* o *fare forca a scuola*. Ma gli studenti preferiscono dire: "ho fatto sega", "ho bruciato", "ho fatto filone"... e chi più ne ha, più ne metta!

P Giochiamo

Giocate in due squadre. Il vostro scopo è dare dei consigli su cosa fare e non fare il giorno prima dell'esame. Preparatevi per qualche minuto riguardando l'unità e pensando anche a qualche tecnica efficace che usate voi o i vostri figli. Poi uno studente della squadra A comincia con una frase tipo:

Prima dell'esame uno studente deve fare / non deve fare...

Se la frase va bene, la squadra vince un punto.
Poi tocca a uno studente della squadra B e così via.
Vince la squadra con più argomenti validi.

i-d-e-e.it

Cellulari, che passione!

Unità 7

In questa unità impareremo a...

- *commentare delle affermazioni, esprimendo il nostro punto di vista*
- *estrapolare da un testo le informazioni più importanti*
- *esprimere e argomentare il nostro accordo o disaccordo*

Inoltre vedremo...

- *l'uso di magari*
- *gli aggettivi deverbali in -bile*
- *il prefisso di negazione in-*
- *gli alterati e i falsi alterati*
- *i nomi in -io*

Per cominciare...

Leggete le seguenti affermazioni sull'argomento "cellulare". Ognuno di voi ne spieghi una e la commenti, esprimendo il proprio punto di vista e riportando degli esempi.

> Una volta avevo una vita. Ora ho uno smartphone e una connessione wi-fi.

> È bello svegliarsi, allungare la mano e sentire di avere accanto a te la cosa più preziosa che hai. Lo smartphone.

> I primi telefoni servivano per restare insieme anche a distanza. Gli ultimi per isolarci anche da vicino.

> Con uno smartphone non sei mai veramente solo. Con uno smartphone non sei mai veramente in compagnia.

> 8 anni e hanno già facebook, twitter e smartphone. A 8 anni, avevo un libro per colorare, matite di colori diversi e... tanta fantasia!

A   Comprensione del testo

 In coppia. Leggete l'articolo e completate i riquadri con i vantaggi e gli svantaggi della telefonia mobile contenuti nel testo. Poi confrontatevi con i vostri compagni: avete stilato le stesse liste?

PIÙ MESSAGGI E MENO ABBRACCI, COSÌ È CAMBIATA LA COMUNICAZIONE FRA I RAGAZZI

1   Serata d'estate, una semplice passeggiata "giù alla marina" a osservare la bellezza del panorama da una parte e i tanti, tantissimi tavoli di bar e pizzerie dall'altra. Una fila interminabile di ragazzini e ragazzoni seduti ad aspettare un gelato, una pizza, una bella bibita fresca da gustare in un posticino così poetico.

2   Se un passante si ferma a osservare meglio, si rende conto di una costante comune: a ogni tavolo c'è almeno una persona che chatta, con uno di quei moderni telefonini che, a pensarci bene, l'unica cosa che non fanno è il caffè! C'è da rimanere perplessi nel vedere che spesso il dialogo è sostituito dalla chat! Nessuno dialoga, ma tutti ridono tanto davanti al piccolo schermo del telefonino ed è un generale tintinnio di messaggi che arrivano da una parte e dall'altra.

3 Ormai si chatta dappertutto, anche con il sole o con il tempaccio. I ragazzi, ma non solo loro, comunicano così! Siamo nell'epoca del "mi piace", del "condivido", dei messaggi e persino delle emoticon: mandare una faccina che sorride, vuol dire incontenibile felicità. Una faccina che piange significa che una terribile "tragedia" imperversa!

4 La psicologa americana Sherry Turley ha lanciato uno slogan: "Condivido quindi sono" proprio per indicare come la tecnologia abbia influenzato e modificato il modo di comportarsi di ognuno, il modo di relazionarsi e comunicare con gli altri. Senza ombra di dubbio, la tecnologia ha fatto enormi progressi in questi ultimi tempi e questo ha reso le comunicazioni più veloci ed efficaci, consentendo a chiunque di comunicare con persone che si trovano dall'altra parte del mondo.

5 Essa è riuscita ad avvicinare la gente tramite il web ed è davvero strano sentire ogni tanto qualche nonnino dire orgoglioso "Ho visto il mio nipotino con la webcam!", nipotino che magari prima poteva solo sentire per telefono. Però, bisogna anche considerare il fatto che l'uso e a volte l'abuso di questi strumenti ha creato un fenomeno avverso: ha rotto gli schemi della comunicazione umana più intima, quella fatta di gesti, di abbracci, di socializzazione reale.

6 Oggi, soprattutto i ragazzi, non comunicano più tra loro come un tempo: a loro basta un messaggio di 3 lettere (tvb) per dire ad un amico che gli si vuole bene, se non addirittura una semplice emoticon a forma di cuore. Con Facebook, basta un click per diventare "amici", "fan", "seguaci", ma è un'amicizia virtuale, che poco ha da condividere con l'amicizia reale, perché magari due sono amici sul social, ma se si incontrano per strada neppure si salutano. Magari nemmeno si riconoscono.

7 Nel web è facile controllare e distillare le proprie emozioni, nascondendosi dietro allo schermo si possono dire tante cose, condividere stati d'animo, mettere un "mi piace" sotto ad un link o ad una fotografia che poi, magari, non piace sul serio!

8 La tecnologia è magia, è progresso, è fortuna, ma è anche un possibile "pericolo di sterilizzazione dei rapporti"!

9 Se al ristorante o al bar, invece di dialogare, di socializzare si vedono persone vicine fra loro che sono, invece, intente a scrivere, chattare o prestare più attenzione al proprio telefonino piuttosto che alla persona di fronte, perdendosi così la bellezza e la magia del contatto diretto, degli occhi dentro agli occhi, di un sorriso vero, c'è da chiedersi quanto la tecnologia ci abbia dato e quanto ci abbia tolto.

10 L'era del computer e dei social network hanno segnato una svolta nella vita di ognuno di noi, ma sarebbe bello se ogni tanto ci ricordassimo che dentro al nostro corpo batte un cuore che non è una macchina e che si scalda molto di più con una stretta di mano, piuttosto che con una faccina che ti manda un bacio, arrivata sul telefonino come messaggio!

tratto da *www.brindisireport.it*

Vantaggi	Svantaggi
Risposta libera	*Risposta libera*

B Riflettiamo sul testo

1 Riformulate le seguenti espressioni con parole diverse.

1. senza ombra di dubbio *(par. 4)* *sicuramente*
2. ha rotto gli schemi *(par. 5)* *non ha seguito le solite regole*
3. distillare le proprie emozioni *(par. 7)* *far emergere molto lentamente i propri sentimenti*
4. sterilizzazione dei rapporti *(par. 8)* *riduzione o annullamento degli effetti di un rapporto*
5. hanno segnato una svolta nella vita di ognuno di noi *(par. 10)* *hanno cambiato totalmente la nostra vita*

2 Delle due alternative proposte, quale esprime meglio il significato che hanno nel testo le parole evidenziate?

1. c'è da rimanere perplessi *(par. 2)*   indecisi / stupiti
2. tintinnio di messaggi *(par. 2)*   suono / rumore
3. una terribile "tragedia" imperversa *(par. 3)*   si prevede / si diffonde
4. un fenomeno avverso *(par. 5)*   contrario / ostile
5. persone intente a scrivere *(par. 9)*   impegnate / prudenti

C Lavoriamo sul lessico

 Nel testo abbiamo incontrato varie volte la parola *magari*. Che significato ha?

AG 8.3   p. 141

1 Costruite anche voi delle frasi in cui *magari* abbia lo stesso significato.

 2 Lavorate in coppia. Completate questo messaggio con alcune delle parole date. Se ci sono parole sconosciute, consultatevi con le altre coppie.

prefisso | tariffa | tasto
batteria | messaggio | telefonata
e-mail | ricaricare | bolletta
segreteria | canone | squillo

Ma dove 6?! È da ieri che aspetto 1 tua *telefonata* (1) 😔 Ti ho lasciato 1 *messaggio* (2) sulla *segreteria* (3) telefonica. Hai forse la *batteria* (4) scarica? Cmq* quando torni a casa fammi uno *squillo* (5) che ti richiamo io. Beppe. 😉

*cmq: comunque

D Riflettiamo sulla grammatica

 Vi ricordate che particolare significato dà il suffisso -*bile* agli aggettivi, come *interminabile* e *incontenibile*, che abbiamo trovato nel testo?

AG 5.1.3   p. 130

1 a Provate a formare anche voi degli aggettivi derivati dai verbi dati. (Ricordate! -*abile* per quelli della 1ª coniugazione, -*ibile* per gli altri.)

1. che si può abitare   *abitabile*
2. che si può coltivare   *coltivabile*
3. che si può definire   *definibile*
4. che si può raggiungere   *raggiungibile*
5. che si può tollerare   *tollerabile*
6. che si può punire   *punibile*
7. che si può accettare   *accettabile*
8. che si può riconoscere   *riconoscibile*

b Quale prefisso occorre per formare i contrari degli stessi aggettivi? *in-*

AG 5.7   p. 133

2 Ora scegliete un aggettivo o il suo contrario e provate a formare una frase.

 es. 1-2 p. 24

E Situazione

Come avviene nel film di Paolo
Genovese, durante una cena, un amico
vi propone di mettere sul tavolo il
vostro cellulare e di rivelare ai presenti
il contenuto di tutte le comunicazioni
che riceverete nel corso della serata.
Mentre i tuoi amici accettano,
tu rifiuti la sfida perché ritieni che...

F Riflettiamo sulla grammatica

Nel testo abbiamo trovato vari nomi alterati, come *ragazzini, ragazzoni, tempaccio*, ecc. Molti nomi, tuttavia, presentano terminazioni uguali ai nomi alterati, ma sono dei *falsi alterati*. Le loro sillabe finali, infatti, non sono suffissi alterativi, ma fanno parte della radice della parola.

AG
2.3
p. 122

Trovate i falsi alterati che si nascondono tra le seguenti parole.

1. marina
2. bottone
3. gattaccio
4. mattone
5. vicino

6. libraccio
7. tacchino
8. borsetta
9. canino
10. fumetto

11. mulino
12. rossetto
13. limone
14. postino
15. scarpette

es. 3-5
p. 24

G Lavoriamo sulla lingua

1 Completate con le preposizioni *di* e *a* (semplici o articolate).

Dove nasce la passione per i selfie? Stando *alle* (1) ricerche *degli* (2) psicologi dell'Università Cattolica del Sacro Cuore *di* (3) Milano, la risposta è molto meno complessa *di* (4) quanto si potrebbe immaginare. E se *di* (5) sicuro c'è chi sarebbe pronto *a* (6) scommettere che si tratta *di* (7) una pura questione *di* (8) vanità, in realtà solo il 30% *degli* (9) appassionati di selfie si dedicano *agli* (10) autoritratti perché vanitosi: nella maggior parte *dei* (11) casi, pari *al* (12) 39%, si tratta di un mezzo per far ridere e divertire gli altri e in un altro 21% dei casi di un modo per raccontare un momento *della* (13) propria vita.

Osservandola da questo punto di vista, la "selfite" che colpisce tanti internauti sembra avere retroscena molto meno oscuri rispetto *a* (14) quanto si è tentato *di* (15) far credere. Qualche tempo fa si era addirittura parlato *di* (16) una vera e propria malattia.

2 Chi di voi è affetto da "selfite" acuta? Spiegate il motivo di questa vostra "mania".

es. 6-7
p. 25

H Riflessioni linguistiche

Riflettiamo insieme sul significato e sulle differenze di due parole fondamentali che vengono spesso confuse: *istruzione* ed *educazione*.

> L'istruzione è parte dell'educazione che si basa sul trasferimento delle conoscenze da insegnanti a studenti. L'educazione, invece, ha un significato più ampio: include apprendimenti legati a stili di vita, esperienze, regole di comportamento che, spesso, non sono formalizzati in ambienti specifici, ma possono avvenire in famiglia, nella scuola o in altri luoghi di socializzazione durante la vita quotidiana.

I Ascoltiamo

1 Ormai perfino i bambini hanno il cellulare. Perché, secondo voi? Quali sono i pro e i contro di tale fenomeno? I genitori dovrebbero porre delle regole? Quanto è difficile per loro insegnare un corretto uso delle nuove tecnologie?

7 **2** Su questo tema, ascoltate l'intervista a una psicologa e indicate le risposte giuste tra quelle proposte.

1. L'uso del cellulare da parte dei bambini
   - [ ] a. deve essere vietato per legge
   - [ ] b. è utile per educare un bambino
   - [ ] c. è dannoso per la salute
   - [x] d. può essere pericoloso

2. I bambini possono usare il cellulare
   - [ ] a. senza alcun limite
   - [ ] b. prima dei dieci anni
   - [x] c. "un passo alla volta"
   - [ ] d. solo per divertirsi

3. La verità è che i genitori devono
   - [ ] a. regalare il cellulare ai figli per il loro compleanno
   - [x] b. mettere dei limiti ai figli nell'uso del cellulare
   - [ ] c. comprare un cellulare ai figli per controllarli meglio
   - [ ] d. parlare con i figli al cellulare per sapere come stanno

4. I bambini dovrebbero condividere quasi tutti i contenuti del cellulare con
   - [ ] a. i coetanei per divertimento
   - [x] b. i genitori perché possano filtrarli
   - [ ] c. con gli insegnanti per fare lezioni online
   - [ ] d. con i nonni che sono lontani per salutarli

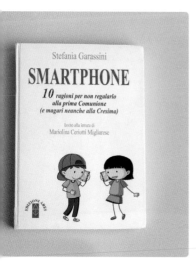

3 Nel brano che abbiamo ascoltato, Stefania Garassini ha usato spesso il termine *quindi* che significa *di conseguenza*, *perciò*. Un sinonimo di questa parola è *allora*, ma non sempre. Sottolineate in ogni frase la parola adatta o entrambe, se l'una è usata come sinonimo dell'altra.

1. Nei lontani anni '60 i bambini erano felici con poco. I giochi dei bambini di <u>allora</u>/quindi erano diversi.

2. Sono stanco, <u>allora</u>/<u>quindi</u> resto a casa.

3. Se vuoi vivere in un mondo migliore, <u>allora</u>/quindi non puoi essere indifferente ai problemi degli altri.

4. <u>Allora</u>/<u>Quindi</u>, cari amici, dove eravamo rimasti? Continuiamo pure!

5. I cellulari sono pericolosi nelle mani dei bambini. <u>Allora</u>/<u>Quindi</u> i genitori devono fare attenzione prima di regalargliene uno.

L Riflettiamo sulla grammatica

Di solito i nomi terminanti in -io hanno il plurale con una sola i. Tuttavia, alcuni nomi, avendo la i tonica, cioè su cui cade l'accento, hanno il plurale con la doppia -i finale, come la parola *tintinnio*, usata nel testo, che al plurale diventa *tintinnii*.

AG
2.2.3
p. 121

Provate a individuare tra le seguenti parole quelle che al plurale terminano in -ii.

addio | orologio | zio | armadio | operaio | ronzio | specchio | vocio
consiglio | mormorio | figlio | pendio | cambio | rinvio

es. 8-9
p. 26

M Parliamo

1 Commentate la foto e dite se, seguendo determinate regole, ammettete l'uso del telefonino in classe durante la lezione. Motivate la vostra risposta, riportando degli esempi (annotarsi appunti, cercare su internet qualche parola o qualche concetto che non si conosce, ecc.).

2 Vi è mai capitato di avere la necessità di effettuare una telefonata urgente, ma uno sguardo veloce al cellulare vi ha svelato l'assenza di segnale? Come avete reagito? Raccontate la vostra avventura in tutti i particolari.

3 Il proprietario e chef di un ristorante americano ha deciso di offrire il 5% di sconto sul totale delle consumazioni ai clienti che accettano di lasciare il proprio telefono cellulare all'entrata del ristorante, per poi riprenderlo all'uscita. Cosa ne pensate di questa iniziativa? Secondo voi, potrebbe essere applicata anche in altri luoghi pubblici? Quali?

N Scriviamo

180-200

Scrivi un testo per esprimere il tuo accordo o disaccordo con l'affermazione che segue. Sottolinea se esiste per te una differenza tra una foto scattata con la vecchia macchina fotografica o con il cellulare e in che cosa consiste tale differenza.*

Una foto, che venga scattata con la vecchia macchina fotografica o con il cellulare, è per sempre e racchiude in sé momenti magici che si possono rivivere attraverso di essa.

✱ Potete usare i seguenti connettivi o espressioni utili per argomentare

• Innanzitutto,
• Da un lato... dall'altro, D'altra parte
• Tra l'altro, Inoltre
• Non si deve dimenticare...
• Va sottolineato...
• Benché (Nonostante)...
• Tuttavia, Eppure
• In realtà, Invece
• Infatti, Di conseguenza
• Quindi, Dunque
• In conclusione, Infine, ecc.

In questa unità impareremo a...

- *fare delle ipotesi sul contenuto generale di un testo, dopo aver letto il primo paragrafo*
- *definire il carattere di una persona*
- *spiegare a qualcuno il motivo di un rifiuto*
- *scrivere un saggio breve*

Inoltre vedremo...

- *l'uso di anzi*
- *il trapassato prossimo*
- *imperfetto, passato e trapassato prossimo*
- *i verbi con doppio ausiliare*

2 Secondo voi, ci sono sport "da uomo" e sport "da donna"? È vero che gli uomini si appassionano di più allo sport, o è solo uno stereotipo? Parlatene.

Per cominciare...

1 Osservate le foto. Vi siete mai trovati in situazioni simili? Raccontate.

A Comprensione del testo

1 Dopo aver letto il primo paragrafo del testo a pag. 52, fate delle ipotesi sul suo contenuto, cerchiando per ogni affermazione la risposta più probabile.

1. La coppia si è separata perché
   - a. tifavano per squadre diverse
   - b. a lei erano antipatici gli amici di lui
   - [x] c. secondo lei, lui amava troppo il calcio
   - d. lei si è innamorata di un altro uomo

2. Il protagonista ha rivisto la sua ex
   - a. mentre lei stava parcheggiando la macchina
   - b. mentre erano entrambi in fila per entrare allo stadio
   - c. mentre lui e i suoi amici compravano i biglietti
   - [x] d. fuori dallo stadio, prima di una partita di calcio

3. Al protagonista è sembrato strano il fatto che
   - a. dopo due anni provasse ancora qualcosa per lei
   - [x] b. lei andasse a una partita di calcio
   - c. lei fosse insieme a un suo vecchio amico
   - d. lei ormai tifasse per la sua stessa squadra

4. Il protagonista non poteva credere che
   - [x] a. la sua ex si comportasse in quel modo
   - b. la sua squadra avesse perso in quel modo
   - c. il compagno della sua ex fosse un ultrà
   - d. la sua ex fosse ancora così bella

5. Ciò che più dava fastidio al protagonista era che lei
- [ ] a. sembrava essere cambiata in peggio
- [x] b. con lui era sempre stata troppo seria
- [ ] c. faceva il tifo per un'altra squadra
- [ ] d. aveva trovato la scusa del calcio per lasciarlo

2 Leggete il testo per verificare le vostre ipotesi e poi indicate con una ✗ le risposte giuste alla pagina precedente.

GOAL!

Come succede spesso quando una storia d'amore finisce, il bilancio diventa di colpo negativo in modo ingiusto e sconcertante. Almeno per quello dei due che ha deciso di rompere. A sentire la mia donna, anzi la mia ex, in quattro anni di vita comune io non ne avrei fatta una giusta.

L'ultima lite, quella definitiva, è nata durante i campionati del mondo di calcio. Lei era diventata sempre più
5 insofferente delle chiassose riunioni con gli amici in casa nostra, davanti alla tv, dei commenti prima, durante e dopo le partite, degli slanci e degli entusiasmi che, secondo lei, avevo solo per il pallone.

Da due anni non la vedevo ed ero convinto che di lei non m'importasse assolutamente più nulla. Per questo, quando l'ho vista domenica scorsa, mentre andavo alla partita, ho provato solo una blanda curiosità. Lei stava camminando con un uomo e io stavo disperatamente cercando un posteggio intorno allo stadio.
10 Trovato il posto per la macchina, ho raggiunto lo stadio a piedi e lì ho aspettato gli amici coi quali avevo appuntamento. Li stavo ancora aspettando quando ho visto con stupore che lei e il suo uomo prendevano i biglietti e si mescolavano alla folla che entrava. L'idea che proprio lei andasse alla partita mi sembrava incredibile. Ho ripensato a quando mi costringeva a vedere le teleconache in tv togliendo l'audio perché, anche senza guardare, la infastidiva la voce concitata del telecronista.

15 Quando sono arrivati gli amici, ho raggiunto con loro i soliti posti in gradinata e, guarda caso, appena seduto, mi sono accorto che tre file più sotto c'era lei. Con tutto il pienone di quel giorno era finita proprio sotto i miei occhi. Non la vedevo da una vita e la incontravo due volte il giorno del
20 derby.

La partita è stata una vera sofferenza per me. La mia squadra ha perso e ha giocato anche male. Non c'era nemmeno l'alibi della sfortuna o dell'arbitro parziale. Ma per me c'era anche una pena aggiuntiva: Luisa, tre scalini
25 più sotto, sembrava una persona completamente diversa da quella che avevo conosciuto: si comportava come la più esaltata degli ultras.

Ero sbalordito e non riuscivo a non guardarla mentre urlava, si sbracciava, si mordeva le mani. Al primo
30 goal, che poi è stato anche l'ultimo, si è buttata tra le braccia del suo compagno e gli si è letteralmente appesa al collo, urlando dalla gioia. Io, che quando stava con me avrei dato dieci anni di vita per vederla una volta perdere il controllo, mi sentivo ingannato. Come poteva essersi trasformata così?

Peccato che non sia riuscito io a trasformarla in tifosa. Penso che ci saranno ancora tanti mondiali di calcio e che avrei potuto vederli con lei, senza sentirmi in colpa per le urla dopo ogni goal.

tratto da Strano, stranissimo, anzi normale *di Gianna Schelotto*

3 Definite il carattere dell'ex fidanzata del protagonista in base al suo comportamento, scegliendo gli aggettivi che vi sembrano più adatti, tra quelli dati. Secondo voi, a che cosa si deve la sua trasformazione?

| arrogante | egoista | insofferente |

| testarda | permalosa | litigiosa |

B   Riflettiamo sul testo

1 Abbinate le parole del testo al loro sinonimo.

rumoroso | sorpreso | impulso | litigio | fanatico | eccitato | debole | resoconto

1. bilancio (*rigo 1*) — *resoconto*
2. lite (*rigo 4*) — *litigio*
3. chiassoso (*rigo 5*) — *rumoroso*
4. slancio (*rigo 6*) — *impulso*

5. blando (*rigo 8*) — *debole*
6. concitato (*rigo 14*) — *eccitato*
7. esaltato (*rigo 27*) — *fanatico*
8. sbalordito (*rigo 28*) — *sorpreso*

2 Individuate nel testo espressioni e parole che corrispondono a quelle date di seguito.

1. all'improvviso (*righi 1-4*) — *di colpo*
2. davanti a me (*righi 15-20*) — *sotto i miei occhi*
3. la scusa (*righi 21-25*) — *l'alibi*
4. sostenitore fanatico di una squadra (*righi 25-30*) — *ultras*
5. sentirmi responsabile di uno sbaglio (*righi 30-34*) — *sentirmi in colpa*

3 Che significa, secondo voi l'espressione "non ne avrei fatta una giusta"? Che il protagonista...

☐ a. non era una persona affidabile.   ☒ b. sbagliava sempre quando agiva.

C   Lavoriamo sul lessico

1 In coppia, scegliete le parole adatte per completare ogni frase. Conoscete le parole non utilizzate?

1. Mario non fa sport ma si ritiene un tipo *sportivo*: quando c'è una *partita* di tennis in tv non se la perde mai... *ultrà* ✕ *partita* ✕ *squadra* ✕ *gara* ✕ *sportivo* ✕ *atleta*
2. I *tifosi* del Milan ce l'hanno con l' *allenatore* della squadra e ne chiedono la sostituzione. *arbitro* ✕ *allenatore* ✕ *tifosi* ✕ *teppisti* ✕ *allenamento* ✕ *campioni*
3. Essere atleti *professionisti* significa guadagnare molto, ma anche *allenarsi* due volte al giorno. *professionisti* ✕ *segnare* ✕ *dilettanti* ✕ *allenarsi* ✕ *giocatori* ✕ *giocare*
4. Non solo ha vinto la *medaglia* d'oro, ma ha stabilito anche un nuovo *primato* mondiale. *medaglia* ✕ *classifica* ✕ *primato* ✕ *scudetto* ✕ *finale* ✕ *tempo*
5. C'è chi va in *palestra* non per mantenersi in *forma*, ma solo per conoscere gente... *salute* ✕ *palestra* ✕ *stadio* ✕ *tribuna* ✕ *dieta* ✕ *forma*

es. 1-2 p. 27

💡 L'autrice del testo, G. Schelotto, scrive: «A sentire la mia donna, anzi la mia ex...». Secondo voi, perché usa la congiunzione *anzi*? Cosa significa?

AG 18.1 p. 163

2 Completate liberamente le seguenti frasi, usando questa congiunzione.

1. Non sarà affatto facile trovare i biglietti per la partita, _____
2. Nonostante l'età, allo stadio si comportano come giovanotti, _____
3. La squadra è in serie B, _____

4. Facendo così, risolvi poco, ...

5. Non mi disturbi affatto, ...

6. Valerio non è per niente antipatico, ...

7. Agli esami non siete andati per niente bene, ...

8. I ragazzini fanno bene ad amare il calcio, ...

D Riflettiamo sulla grammatica

I verbi presenti nel testo: *era diventata*, *era finita*, *avevo conosciuto* sono verbi al trapassato prossimo. Ricordate quando si usa questa forma verbale?

AG
11.4
p. 145

Completate liberamente le frasi con la persona giusta del trapassato prossimo dei verbi a destra.

1. Ieri ho saputo che la settimana passata tu .... | andare
2. Non .... , prima di trasferirmi ad Asiago. | vedere - mai
3. Tornavate a casa non appena .... | finire
4. Quando ci hanno rivisto, hanno capito che .... | cambiare
5. Fino ad allora, tu non .... | avere - mai
6. Mario ieri mi ha raccontato che .... quando è nato Giulio. | separarsi - già

es. 3
p. 27

E Curiosità

Perché gli atleti della Nazionale italiana nelle varie discipline sportive vengono chiamati "gli azzurri"? Ovviamente per via della loro divisa azzurra che fece la sua prima apparizione nel 1911: la Nazionale italiana di calcio indossò la maglia azzurra come omaggio allo sfondo dello stemma di casa Savoia, allora regnante in Italia. Successivamente, l'azzurro è stato adottato anche dalle Nazionali italiane degli altri sport.

F Ascoltiamo

 1 Qual è il vostro sport preferito? Tifate per una squadra? Quale?

 2 Ascolterete un'intervista a una ragazza tifosa della Roma. Scrivete tre domande che le vorreste fare. Ascoltate una prima volta per vedere se le vostre domande coincidono con quelle del nostro "inviato".

 3 Ascoltate di nuovo l'intervista e indicate se le seguenti affermazioni sono vere (V) o false (F).

 1. È da poco che Silvia tifa per la Roma.

 2. Silvia non va a vedere la sua squadra quando gioca fuori casa.

Stadio di San Siro, Milano

☑ 3. Allo stadio, più di una volta, Silvia si è trovata in situazioni di pericolo.

☐F 4. Per Silvia i tifosi hanno sempre ragione.

☑ 5. Secondo la ragazza, la maggior parte degli ultras merita il carcere.

☐F 6. Molti ultras sono finiti in carcere per sbaglio.

☐F 7. I tifosi più violenti sono solo gli juventini e gli interisti.

☑ 8. La rabbia repressa è una delle cause della violenza negli stadi.

G   Riflettiamo sulla grammatica

Alcuni verbi, come *finire* (per esempio *era finita* nel testo che abbiamo letto) sono sia transitivi che intransitivi. Quando sono transitivi, nei tempi composti, prendono l'ausiliare *avere;* quando sono intransitivi, prendono l'ausiliare *essere*. Ne ricordate altri?

AG
11.3.1
p. 145

Completate le seguenti coppie di frasi con il passato prossimo dei verbi dati.

1. *aumentare*
   a. Il mio datore di lavoro mi _____ha_____ finalmente _____aumentato_____ lo stipendio.
   b. Il costo della benzina _____è_____ _____aumentato_____.

2. *cambiare*
   a. A causa della crisi, tutti noi _abbiamo_ _____cambiato_____ il nostro modo di vivere.
   b. Francesco, con piacere noto che il tuo comportamento verso di me _____è_____ _____cambiato_____.

3. *migliorare*
   a. Ieri è piovuto tutto il giorno, ma oggi il tempo _____è_____ _____migliorato_____.
   b. Quell'atleta _____ha_____ _____migliorato_____ di gran lunga le sue prestazioni.

4. *salire*
   a. Ieri mattina i tecnici _____sono_____ _____saliti_____ sul tetto per sistemare l'antenna della TV.
   b. La nonna _____ha_____ _____salito_____ le scale troppo velocemente e ora è stanca.

es. 4
p. 28

H   Situazione

Ultimamente hai deciso di non andare più allo stadio per una serie di motivi che illustri ai tuoi amici, i quali ti ci vorrebbero portare, per tifare tutti insieme per la vostra amata squadra di calcio.

I   Lavoriamo sulla lingua

Completate il testo con il passato prossimo, l'imperfetto o il trapassato prossimo dei verbi tra parentesi, accompagnandoli con le preposizioni giuste, negli spazi rossi.

IL GIOCO DEL CALCIO DURANTE IL FASCISMO

Negli anni del regime fascista, organizzare il tempo libero degli operai _____significava_____ (1. *significare*) distoglierli da ogni altra pericolosa attività, politica, sindacale, sociale. Il fascismo _____puntava_____ (2. *puntare*) _sullo_ sport per "l'elevazione fisica e morale degli italiani", valorizzato e utilizzato anche per fini propagandistici.

Lo sport ....*era*........... (3. *essere*) una questione di interesse nazionale. Gli italiani durante il fascismo *sono/erano diventati* (4. *diventare*) tutti sportivi, grazie alla ristrutturazione del CONI (Comitato Olimpico Nazionale Italiano), organismo che fino ad allora ...*si era limitato*... (5. *limitarsi*) *all'* organizzazione delle Olimpiadi. Inizialmente Mussolini *si era interessato* (6. *interessarsi*) *agli* sport più nobili, quali la scherma, la boxe, la caccia e gli sport motoristici, ma presto ...*aveva preferito*... (7. *preferire*) gli sport di squadra, in particolare quello del calcio, che ...*era diventato*... (8. *diventare*) già molto popolare ed *aveva conquistato* (9. *conquistare*) la massa nelle città italiane.

es. 5-8
p. 28

L Parliamo

1 Descrivete e commentate la seguente immagine e spiegate quali sono, secondo voi, i motivi che spingono i teppisti a comportamenti insensati.

2 C'è chi sostiene che i mass media diano troppa importanza al calcio, anche a discapito di altri sport, perfino quando ottengono successi internazionali.
Quali sono, secondo voi, le ragioni che consentono e favoriscono la diffusione del calcio nella società moderna? Elencatele e parlatene.

3 Spesso i calciatori più forti del mondo vengono pagati milioni e perciò si concedono lussi sfrenati (ville, macchine...). Voi pensate che meritino di guadagnare così tanto? Esponete le vostre considerazioni in merito, motivandole.

M Scriviamo

160-180

Scrivi un saggio breve*, destinato a un settimanale di approfondimento culturale, sul rapporto tra il calcio e la società: pro e contro.

i-d-e-e.it

✳ Consigli utili per scrivere un saggio breve:

Prepara una scaletta per organizzare i tuoi appunti.

- **Introduzione** (presenti l'argomento del testo del saggio):
  - Oggi si parla / si discute molto di
  - È di grande attualità
- **Corpo** (presenti il tuo punto di vista, riporti esempi/dati/citazioni per sostenere la tua tesi, dopo aver elencato anche altri punti di vista):
  - Mi propongo di / Vorrei dimostrare che / Esaminerò alcuni aspetti che riguardano
  - Molti credono che / Sembra evidente che / Gli esperti ritengono che
  - Eppure, secondo me / Tuttavia sono convinto che
  - In una recente intervista X ha dichiarato che
  - Vorrei riportare i risultati di un'indagine X
  - Mi pare opportuno ricordare le parole di X
- **Conclusione** (riassumi i punti significativi di quanto esposto e riprendi la tua tesi iniziale):
  - Dopo aver esaminato i pro e i contro, potrei concludere dicendo che...

Che bella coppia!

In questa unità impareremo a...

- *immaginare un dialogo e l'epilogo di una storia osservando una foto*
- *consigliare qualcuno*
- *scrivere una storia partendo da un incipit dato*
- *raccontare una storia da un altro punto di vista*

Inoltre vedremo...

- *i pronomi diretti, indiretti e combinati*
- *i nomi con il plurale in -a*
- *le unità lessicali*

Per cominciare...

 1 Osservate questa foto. Immaginate il dialogo tra i due e raccontate la continuazione di questa storia.

 2 Secondo voi, oggi i legami affettivi sono duraturi o fragili? Motivate la vostra risposta.

A Comprensione del testo

 1 Il testo che leggeremo parla di un matrimonio che finisce dopo appena due anni. Lavorando in coppia, fate delle ipotesi sulle cause della separazione, leggendo prima solo le parole evidenziate del primo paragrafo, poi del secondo e così via.

NON APPROFONDIRE

Pur camminando, secondo un mio vizio, un lastrone sì e uno no del marciapiede, cominciai a domandarmi che cosa avessi potuto farle, ad Agnese, perché avesse a lasciarmi con tanta cattiveria, dopo due anni di matrimonio, quasi con l'intenzione dello sfregio. Per prima cosa, pensai, vediamo se Agnese può rimproverarmi qualche tradimento, sia pure minimo. Subito mi risposi: nessuno. Già non ho mai avuto molto
5 trasporto per le donne, non le capisco e non mi capiscono; ma dal giorno che mi sono sposato, si può dire che cessarono di esistere per me. A tal punto che Agnese stessa mi stuzzicava ogni tanto domandandomi: "Che cosa faresti se ti innamorassi di un'altra donna?". E io rispondevo: "Non è possibile: amo te e questo sentimento durerà tutta la vita." Adesso, ripensandoci, mi pareva di ricordarmi che quel "tutta la vita" non l'aveva rallegrata, al contrario: aveva fatto la faccia lunga e si era azzittita.
10 Passando a tutt'altro ordine di idee, volli esaminare se, per caso, Agnese mi avesse lasciato per via dei quattrini. Ma anche questa volta, mi accorsi che avevo la coscienza tranquilla. Soldi, è vero, non gliene davo che in via eccezionale, ma che bisogno aveva lei di soldi? Ero sempre là io, pronto a pagare. E il trattamento, via, non era cattivo: giudicate un po' voi. Il cinema due volte la settimana; al caffè due volte e non importava se prendeva il gelato o il semplice espresso; un paio di riviste illustrate al mese e il giornale tutti i
15 giorni; d'inverno, magari, anche l'opera; d'estate la villeggiatura a Marino, in casa di mio padre.
Questo per gli svaghi; venendo poi ai vestiti, ancora meno Agnese poteva lamentarsi. Quando le serviva qualche cosa, fosse un reggipetto o un paio di scarpe o un fazzoletto, io ero sempre pronto: andavo

con lei per i negozi, sceglievo con lei l'articolo, pagavo senza fiatare. Lo stesso per le sarte; non c'è stata volta, quando lei mi diceva: "Ho bisogno di un cappello, ho bisogno di un vestito," che io non rispondessi:
20 "Andiamo, ti accompagno." Del resto, bisogna riconoscere che Agnese non era esigente: dopo il primo anno cessò quasi del tutto di farsi dei vestiti. Anzi, ero io adesso, a ricordarle che aveva bisogno di questo o quest'altro indumento. Ma lei rispondeva che aveva la roba dell'anno prima e che non importava; tanto che arrivai a pensare che, per quest'aspetto, fosse diversa dalle altre donne e non ci tenesse a vestirsi bene.
Dunque, affari di cuori e denari, no. Restava quello che gli avvocati chiamano incompatibilità di carattere.
25 Ora mi domando: che incompatibilità di carattere poteva esserci tra di noi se in due anni una discussione, dico una sola, non c'era mai stata? Stavamo sempre insieme, se questa incompatibilità ci fosse stata, sarebbe venuta fuori. Certe serate che passavamo al caffè o in casa, a malapena apriva bocca, parlavo sempre io.

tratto da *Racconti romani* di Alberto Moravia

2 Adesso leggete il testo e rispondete alle seguenti domande.

1. Il protagonista esclude che Agnese l'abbia lasciato per affari di cuore e per denaro. Come giunge a tale conclusione? *Perché non gli interessavano altre donne, non l'aveva mai tradita, e perché le pagava tutto lui: vacanze, vestiti, uscite, ecc.*

2. Perché, secondo lui, non si tratta neppure di incompatibilità di carattere? *Perché stavano sempre insieme e non discutevano mai: parlava solo lui.*

3. Immaginate la relazione di questa coppia dal punto di vista di Agnese. Quali potrebbero essere i motivi, che si evincono dal testo, per cui Agnese ha lasciato suo marito? *Il marito era troppo presente nella sua vita, non le lasciava i suoi spazi. Aveva occhi solo per lei e la soffocava.*

4. Come mai il racconto porta il titolo *Non approfondire*? *(Risposta possibile) Perché il protagonista non scava alla ricerca dei veri motivi, vede solo quello che vuole vedere. Ironicamente, forse a volte è meglio non approfondire.*

5. Secondo voi, che tipo di vita condurranno il protagonista e Agnese dopo la separazione? *Risposta libera*

 3 Secondo voi, se il racconto venisse scritto oggi, sarebbe diverso? In cosa?

B Riflettiamo sul testo

1 Individuate nel testo espressioni o parole che corrispondono alle seguenti.

1. anche se camminavo *(righi 1-3)* *pur camminando*
2. offesa *(righi 3-5)* *sfregio*
3. mi provocava con le parole *(righi 6-8)* *mi stuzzicava*
4. aveva manifestato il suo fastidio con un'espressione del viso *(righi 8-10)* *aveva fatto la faccia lunga*
5. aveva smesso di parlare *(righi 8-10)* *si era azzittita*
6. non chiedeva molto *(righi 20-23)* *non era esigente*
7. non fosse tanto importante per lei *(righi 23-25)* *non ci tenesse*
8. si sarebbe manifestata *(righi 25-27)* *sarebbe venuta fuori*

2 Lavorando in coppia, abbinate le espressioni in verde con quelle a destra, che sono di più.

- b 1. A tal punto che Agnese stessa mi... (rigo 6)
- f 2. ...per via dei quattrini (righi 10-11)
- c 3. ...non gliene davo che in via eccezionale (righi 11-12)
- e 4. ...pagavo senza fiatare (rigo 18)
- a 5. ...a malapena apriva bocca (rigo 27)

a. difficilmente
b. tanto che
c. raramente
d. nonostante
e. subito
f. a causa di

C Lavoriamo sul lessico

 1 In coppia, abbinate le parole alle definizioni tratte da un dizionario monolingue. Poi trovate le parole nel testo, al rigo indicato tra parentesi, e verificate le vostre risposte.

- c 1. capacità dell'uomo di riflettere su se stesso e di attribuire un significato ai propri atti
- b 2. ciò che si pensa, si desidera fare per raggiungere un dato fine
- e 3. discordanza tra termini, cose, persone, tale per cui uno non ammette l'altro
- a 4. attitudine a offendere, a far del male
- d 5. allontanamento temporaneo da un lavoro o da un'attività a scopo di distensione

a. cattiveria (2)
b. intenzione (3)
c. coscienza (11)
d. svago (16)
e. incompatibilità (25)

 2 In coppia, completate il breve riassunto del racconto *Non approfondire* con la forma corretta dei seguenti modi di dire.

portare all'altare | mettere le corna | fulmine a ciel sereno | a occhi chiusi
al settimo cielo | piantare in asso

Agnese ha abbandonato Alfredo, lo *ha piantato in asso* (1). Per lui è stata una grande sorpresa, un *fulmine a ciel sereno* (2); non poteva credere che la donna che lui *aveva portato all'altare* (3) se ne fosse andata così, senza una parola. Ma soprattutto non riusciva a capire perché. Agnese credeva forse che lui le *mettesse/avesse messo le corna* (4). Impossibile: sapeva che di Alfredo poteva fidarsi *a occhi chiusi* (5). Secondo lui, Agnese avrebbe dovuto essere felice, *al settimo cielo* (6).

D Riflettiamo sulla grammatica

 Nel racconto abbiamo incontrato alcuni pronomi diretti, indiretti e combinati. In coppia, trasformate le frasi sostituendo i complementi con i pronomi diretti e indiretti e poi unendoli in un pronome combinato, come nell'esempio.

AG 6.2 p. 133

es. Agnese ha dato a me il definitivo addio. ▶ *Agnese mi ha dato il definitivo addio.* (indiretto) / *Agnese l'ha dato a me.* (diretto) / *Agnese me l'ha dato.* (combinato)

1. Il professore ha spiegato i pronomi agli studenti. ▶ *Il professore gli ha spiegato i pronomi. / Il professore li ha spiegati agli studenti. / Il professore glieli ha spiegati.*

2. Mario dà un bacio a Romina. ▶ *Mario le dà un bacio. / Mario lo dà a Romina. / Mario glielo dà.*

3. Marcello, consegna a noi le lettere! ▶ *Marcello, consegnaci le lettere! / Marcello, consegnale a noi! / Marcello, consegnacele!*

4. A te avevano portato il libro di Moravia? ▶ *Ti avevano portato il libro di Moravia? / A te lo avevano portato? / Te l'avevano portato?*

5. I genitori hanno insegnato ai figli i valori. ▶ *I genitori gli hanno insegnato i valori. / I genitori li hanno insegnati ai figli. / I genitori glieli hanno insegnati.*

6. Hanno mai raccontato a voi la storia di Giulietta e Romeo? ▶ *Vi hanno mai raccontato la storia di Giulietta e Romeo? / L'hanno mai raccontata a voi? / Ve l'hanno mai raccontata?*

7. Paolo a noi manda una fotografia di Parigi. ▶ *Paolo ci manda una fotografia di Parigi. / Paolo la manda a noi. / Paolo ce la manda.*

8. Perché hai detto a me tante bugie? ▶ *Perché mi hai detto tante bugie? / Perché le hai dette a me? / Perché me le hai dette?*

9. Domani sera Giorgio presenterà agli amici la sua fidanzata. ▶ *Domani sera Giorgio gli presenterà la sua fidanzata. / Domani sera Giorgio la presenterà agli amici. / Domani sera Giorgio gliela presenterà.*

10. Puoi prestare a me dei soldi? ▶ *Mi puoi prestare dei soldi? / Li puoi prestare a me? / Me li puoi prestare?*

es. 1-5
p. 31

E Situazione

L'organizzatore/-trice professionista di matrimoni è una professione in forte espansione. Per questo hai deciso di diventare *wedding planner*, per fornire ai clienti che hanno deciso di dire il "fatidico sì" un servizio completo, organizzando nei minimi dettagli la loro giornata più bella. Ne parli con un amico e lui ti invita a prendere in considerazione i vantaggi e gli svantaggi di questa occupazione, prima di prendere una decisione definitiva.*

✱ Espressioni utili per consigliare
- **Al posto tuo**, mi informerei meglio...
- **Se fossi al posto tuo / Se fossi in te,** chiederei prima...
- **Credo** che dovresti informarti meglio su...
- **Mi pare opportuno** che tu rifletta su...
- **Ti suggerirei di** pensare a...
- **Secondo me,** faresti bene a informarti...

F Ascoltiamo

1 Le parole in blu sono contenute nel testo che ascolterete. Abbinatele a quelle in arancione per comprenderne meglio il significato.

f	1. pragmatico	a. corna
c	2. il vivere insieme	b. obbligare a fare qualcosa
a	3. tradimento	c. convivenza
e	4. senso di fastidio	d. protestare sottovoce
d	5. brontolare	e. insofferenza
b	6. imporre	f. concreto

2 Ascoltate il brano e completate la griglia: in una coppia chi accusa l'altro di...

problema	moglie	marito
1. creare disordine in casa	✗	
2. occupare il bagno per ore		✗
3. sbagliare spesso strada	✗	
4. lamentarsi quando bisogna fare acquisti	✗	
5. disturbare quando si guarda la tv		✗
6. chiedere sempre aiuto, anche per le piccole decisioni		✗

G Riflettiamo sulla grammatica

Nel racconto a pag. 57 abbiamo incontrato «un paio di scarpe»: vi ricordate il plurale della parola *il paio*? In italiano ci sono nomi che al singolare sono maschili e al plurale diventano femminili.

AG 2.2.5 p. 121

a Sottolineate i nomi maschili che al plurale diventano femminili.

riso | problema | (gorilla) | uovo | pediatra | miglio | pianeta
(sosia) | centinaio | schema | poeta | (età) | paio | (università)

AG 2.2.4 p. 121

b Ora cerchiate i 4 nomi che sono invariabili (hanno la stessa forma al singolare e al plurale).

es. 6 p. 32

H Lavoriamo sulla lingua

Completate il testo con le parole mancanti, date alla rinfusa qui di seguito.

conti | comportino | quanto | affettivo | sessi | livelli | stati | vista | efficaci | come

GLI UOMINI VENGONO DA MARTE, LE DONNE DA VENERE E SONO TUTTI SOTTO STRESS: CONTINUARE AD AMARSI QUANDO LA VITA SI COMPLICA

In questo nuovo volume della fortunata serie *Gli uomini vengono da Marte, le donne da Venere*, il guru della coppia John Gray analizza ......*quanto*...... (1) e in che modo lo stress dei nostri tempi logori i rapporti tra i due ....*sessi*........ (2).

Negli ultimi cinquant'anni la vita è cambiata in modo vorticoso, gli uomini e le donne hanno dovuto imparare a fare i ....*conti*........ (3) con nuovi ritmi e soprattutto con nuovi ruoli. Questo ha fatto sì che i livelli di stress si impennassero vertiginosamente. Sempre più spesso accade che l'uomo così ......*come*...... (4) la donna siano costretti a dare tutti loro stessi in ambito lavorativo; quando lui torna a casa è troppo stanco per tener vivo il dialogo e preferisce isolarsi, lei invece vorrebbe sostegno e sente il bisogno di comunicare i suoi ....*stati*........ (5) d'animo.

Tutto questo contribuisce a incrementare i ....*livelli*........ (6) di tensione e inevitabilmente a minare l'armonia della coppia.

In *Gli uomini vengono da Marte, le donne da Venere e sono tutti sotto stress*, Gray parte dal principio che il dialogo è il collante fondamentale di qualsiasi rapporto ......*affettivo*...... (7),

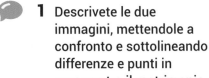

quindi ci dà gli strumenti per imparare a conoscerci meglio, propone ....*efficaci*....... (8) teorie per intessere relazioni serene, e tecniche per favorire il relax e la sensazione di appagamento.

Il cervello e gli ormoni maschili e femminili, spiega Gray, sono concepiti per reagire diversamente allo stress; le donne si aspettano che gli uomini si ....*comportino*...... (9) come loro, gli uomini fraintendono le effettive esigenze delle partner. Capire, quindi, come "Marte" e "Venere" affrontano lo stress ci permetterà di guardare ogni cosa da un nuovo punto di ....*vista*........ (10). In questo modo lo stare insieme – anche per le coppie apparentemente in bilico – diventerà un'occasione di conforto e sostegno, e potremo provare sulla nostra pelle che "il vero amore non implica la perfezione, anzi fiorisce sulle imperfezioni".

tratto da www.rizzolilibri.it

es. 7-8
p. 33

I   Parliamo

 1 Descrivete le due immagini, mettendole a confronto e sottolineando differenze e punti in comune tra il matrimonio civile e quello religioso. Ritenete il matrimonio

l'unico vincolo indissolubile o esistono altre forme di unione per una coppia? Parlatene, esprimendo la vostra opinione sul tipo di unione che preferite, motivandola.

 2 Leggete il breve testo a destra. In base alle vostre conoscenze, potete illustrare la situazione nel vostro Paese? Esistono matrimoni o convivenze senza problemi?

> In Italia ci si sposa di più (ma sempre più tardi). Quest'anno i matrimoni sono stati 4.600 in più rispetto all'anno precedente. Al tempo stesso però, complice soprattutto l'arrivo del divorzio breve, sono impennati i divorzi: più 57%. Più lieve, ma pur sempre in crescita, l'impennata delle separazioni, più 2,7% (dati Istat).

3 Uno studio scientifico ha dimostrato che il matrimonio fa bene alla salute: nell'organismo dei coniugi sono stati registrati livelli inferiori di cortisolo, l'ormone dello stress. Quali altri fattori potrebbero contribuire alla buona qualità della vita di chi porta "la fede al dito"?

L   Scriviamo

M   Curiosità

100-120
 1 Continua la storia, partendo dal seguente incipit:

> *La settimana passata, subito dopo pranzo, mio marito mi ha annunciato che voleva lasciarmi. Lo ha detto mentre sparecchiavamo la tavola, i bambini litigavano come al solito nell'altra stanza e il cane sognava dormicchiando vicino al televisore.*

280-300
 2 Immaginate di essere Agnese, la protagonista del racconto a pag. 57, e provate a raccontare la storia dal suo punto di vista.

In passato la superiorità dell'uomo sulla donna veniva espressa anche dai significati impliciti che si attribuivano (e in alcune zone d'Italia si attribuiscono ancora) a frasi del tipo: «È rimasta zitella», «È rimasto scapolo» dove il termine *zitella* era spregiativo, mentre *scapolo* non lo era affatto, anzi faceva pensare ad uno status positivo (si diceva pure *scapolo d'oro*). Quest'ultimo era considerato, infatti, una "preda" molto ambita e appetibile da parte di una donna per la quale il matrimonio era l'unica condizione sociale e familiare culturalmente accettabile. Oggi, nella nostra società, in cui vige il principio della parità dei sessi, le parole *zitella* e *scapolo* sono state sostituite dalla parola inglese *single*, usata per entrambi i sessi.

i-d-e-e.it

Il lavoro nobilita l'uomo... e la donna!

Unità 10

In questa unità impareremo a...

- *parlare delle disuguaglianze di genere*
- *denunciare un comportamento scorretto*
- *scrivere una lettera di candidatura per rispondere a un annuncio di lavoro*

Inoltre vedremo...

- *il verbo porre e i suoi composti*
- *il congiuntivo presente e passato*
- *nomi di professioni femminili*
- *i connettivi concessivi* (anche se, malgrado, ecc.)

2 Che cosa pensate sia la cosa più importante per un lavoratore? E per una donna lavoratrice? Secondo voi, stilerebbero la stessa graduatoria dei desideri? Motivate le vostre risposte e poi stilate la vostra graduatoria!

- ☐ a. buono stipendio
- ☐ b. lavoro interessante
- ☐ c. sicurezza sul lavoro
- ☐ d. lavoro stabile
- ☐ e. opportunità di carriera
- ☐ f. buona collaborazione con i colleghi
- ☐ g. apprezzamento per il lavoro svolto
- ☐ h. orario lavorativo di otto ore

Per cominciare...

1 Osservate le foto: che cosa rappresentano?
Ci sono oggi, come un tempo, attività che le donne sono impossibilitate a svolgere? Motivate le vostre risposte, facendo degli esempi.

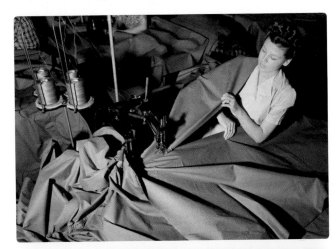

A   Comprensione del testo

COME È INGIUSTA LA PARITÀ

Una italiana su due ha un lavoro. Poche in confronto agli uomini e alle altre donne europee. Cosa impedisce alle italiane di farsi largo nel mondo del lavoro? Le leggi che dovrebbero garantire le cosiddette pari opportunità non hanno forse spianato il cammino? A qualcuno è addirittura venuto il sospetto che lo abbiano ostacolato. Insomma, che certe regole siano un pericoloso boomerang. Sentite qui. "Il rischio è che il sistema che ci dovrebbe tutelare, penso per esempio al periodo di maternità o alle assenze per la malattia di un figlio, sia così rigido da non far venir voglia di assumere una donna" dice Antonella Maiolo, presidente del Comitato Pari Opportunità del Comune di Milano.

5

10

15 Ad ascoltare certe esperienze verrebbe da pensare che il sospetto sia più che giustificato. Quante storie sentite tra una chiacchiera e l'altra nascondono in realtà episodi gravissimi. Come questa. "Appena laureata ho perso due occasioni di lavoro perché ero 20 già sposata e, quindi, un giorno avrei fatto un figlio" racconta Lucia Piccini. "Durante uno di questi colloqui mi è stato detto che la gravidanza è considerata il male peggiore per l'azienda. Mettetevi nei miei panni." In alcuni casi ci si trova di fronte a un ricatto 25 disumano: un bambino o il posto.

La gravidanza resta un tabù

Storie ancora più clamorose se finiscono sulle cronache dei giornali. Come quelle di imprese che sottopongono a test di gravidanza le donne che si pre-30 sentano al colloquio. Due anni fa un magistrato di Torino aprì un'inchiesta contro un medico che aveva eseguito gli esami per conto delle aziende. Il medico ha dovuto pagare cinquemila euro di multa per aver violato la legge sulle pari opportunità. 35 Insomma, malgrado le donne italiane mettano al mondo solo un figlio a testa, per le imprese la gravi-

danza resta un tabù. E continua a far paura la legge sul congedo parentale. Quella che obbliga la lavoratrice a stare a casa prima e dopo il parto, per un totale di cinque mesi, con un'indennità pari all'80 per 40 cento dello stipendio. E concede alle neo mamme il diritto ad altri sei mesi di aspettativa facoltativa per allevare il bambino, anche se col 30 per cento della retribuzione.

Ma non è una questione di soldi. L'indennità di ma-45 ternità non è un costo in più: viene pagata attraverso i contributi che l'imprenditore versa per tutti i dipendenti, uomini e donne. E allora perché, come denuncia Anna Maria Parente, responsabile del Coordinamento femminile della CISL, "a molte durante 50 il colloquio d'assunzione vengono poste domande assolutamente illegali come: Avete intenzione di sposarvi e fare figli?". La verità è che il datore di lavoro mal sopporta di rimpiazzare la lavoratrice e addestrare un sostituto. "Per una piccola impresa è un 55 guaio" dice Maurizio Riccardi, titolare di una ditta edile di Napoli. "Quando su dieci dipendenti una va in maternità scombussola tutto".

tratto da *Donna Moderna*

1 Leggete il testo e indicate le informazioni corrette.

1. Le donne vengono assunte di meno perché
   - a. non esiste una legge che le protegga
   - [x] b. la legge garantisce molti loro diritti
   - c. la legge protegge soprattutto gli uomini

2. Molte ditte non assumono donne che
   - a. non aspettano un bambino
   - b. hanno già figli
   - [x] c. desiderano formare una famiglia

3. Ci sono perfino ditte che
   - a. impongono il test di gravidanza alle loro impiegate
   - [x] b. impongono il test di gravidanza alle candidate
   - c. offrono test di gravidanza gratuiti alle loro dipendenti

4. Secondo la legge, le neo mamme
   - [x] a. sono obbligate a non lavorare per alcuni mesi
   - b. sono costrette a tornare al lavoro subito dopo il parto
   - c. possono prolungare l'aspettativa, senza essere pagate

5. Se un'impiegata rimane incinta in una piccola impresa
   - a. aumentano molto i contributi da versare
   - b. quando torna al lavoro deve essere riaddestrata
   - [x] c. si creano problemi organizzativi

2 Date al testo un titolo alternativo.

FINALMENTE
SONO RIUSCITA
A CONCILIARE
FAMIGLIA
E LAVORO.

SONO SINGLE E
DISOCCUPATA.

B Riflettiamo sul testo

1 Le frasi che seguono corrispondono ad altre presenti nel testo: quali?

1. aprirsi la strada (*righi 1-5*):
   farsi largo

2. facilitare il percorso (*righi 1-5*):
   spianare il cammino

3. al mio posto (*righi 21-25*):
   nei miei panni

4. indagare su un reato (*righi 31-35*):
   aprire un'inchiesta

5. imprenditore (*righi 55-58*):
   titolare di una ditta

2 Riformulate le frasi, senza alterarne il significato, iniziando con le parole date.

1. Un'italiana su due (*rigo 1*):
   il *50% delle italiane*

2. a qualcuno è venuto il sospetto (*righi 5-6*):
   c'è *chi pensa*

3. appena laureata (*righi 18-19*):
   dopo *aver finito l'università*

4. mal sopporta di rimpiazzare (*rigo 53*):
   ha *difficoltà a sostituire*

C Lavoriamo sul lessico

 1 Nel testo abbiamo incontrato il verbo *sottoporre* (*a un test*). Lavorando in coppia, completate opportunamente le frasi che seguono con i composti del verbo *porre*, dati alla rinfusa.

1. La nuova *Lancia* *dispone* di un sofisticato impianto audio.
2. Non è ancora arrivato; *suppongo* che sia per strada.
3. Accettare questo posto *presuppone* che tu sia disposto a viaggiare.
4. L'allenatore della *Juventus* *si oppone/si è opposto* alla vendita del giocatore.
5. Il direttore *impone/ha imposto* a tutti i dipendenti di portare la cravatta.
6. Abbiamo parlato a lungo e mi *ha esposto* con chiarezza la situazione.

> esporre
> imporre
> supporre
> disporre
> presupporre
> opporsi

2 Abbinate le parole date alle rispettive definizioni.

sussidio | liquidazione | disoccupato | precari | lavoro nero | ferie
mettersi in proprio | assumere | impiego | salario | tirocinio | licenziare | praticantato

1. somma data al lavoratore al termine del rapporto di lavoro: *liquidazione*
2. lo sono i giovani che non hanno un lavoro stabile: *precari*
3. prendere qualcuno alle proprie dipendenze: *assumere*
4. lo fa il neolaureato presso uno studio legale: *praticantato*
5. è un sinonimo di retribuzione, stipendio: *salario*
6. vacanze a cui hanno diritto i lavoratori: *ferie*
7. è un sinonimo di lavoro: *impiego*
8. lo è chi non lavora: *disoccupato*
9. contributo economico: *sussidio*
10. avviare un'attività autonoma: *mettersi in proprio*
11. si chiama anche *stage*: *tirocinio*
12. è il contrario di assumere: *licenziare*
13. lavoro illegale: *lavoro nero*

es. 1-2
p. 34

D   Riflettiamo sulla grammatica

Potreste spiegare perché nel testo a pag. 63 viene usato il congiuntivo presente nella frase "Il rischio è che il sistema [...] sia così rigido..." e il congiuntivo passato nella frase "A qualcuno è addirittura venuto il sospetto che lo abbiano ostacolato"?

AG **12.2** p. 154

Ora completate le frasi inserendo i verbi alla forma giusta.

1. Sono dell'opinione che una donna _debba/deva_ (dovere) lavorare per essere indipendente.
2. Nonostante Mario _sia riuscito_ (riuscire) a ottenere delle ottime condizioni lavorative, non si considera un privilegiato.
3. Noi riteniamo che il nostro datore di lavoro fino ad oggi non ci _abbia_ ancora _pagato_ (pagare) i contributi necessari per percepire la pensione.
4. Il ragioniere calcola le trattenute, prima che tu _prenda_ (prendere) lo stipendio.

es. 3-4 p. 35

E   Situazione

Sei stato testimone di un comportamento sessista sul tuo posto di lavoro e hai deciso di andare dal direttore per denunciare il fatto. Gli racconti la vicenda nei particolari, esprimendo il tuo rammarico per l'accaduto, per esortarlo a prendere severi provvedimenti nei riguardi del collega scorretto.

F   Curiosità

Da dove deriva la parola *salario*? Dalla parola *sale*! Con *sal* i Romani indicavano in origine la "porzione di sale" che veniva data ai soldati o ad altri dipendenti dello Stato. Più tardi, invece, si dava una somma di denaro per l'acquisto del sale, quindi, pian piano la parola assunse il significato di retribuzione, stipendio.

G   Ascoltiamo

1 a Lavorate in coppia. Secondo voi, quali di queste parole hanno il femminile? Qual è?

AG **2.1.3** p. 119

avvocato	professore	medico	ingegnere	sindaco	ministro
avvocatessa	professoressa	/	/	sindaca	ministra

b Con l'aiuto del dizionario verificate le vostre risposte. Per quale motivo, secondo voi, il femminile di alcune parole si usa poco?

2 Ascoltate un servizio radiofonico sulla disuguaglianza linguistica e completate le frasi (massimo 4 parole).

1. Meno male che da tanti anni _esiste il termine professoressa_, se no ci trovavamo subito in difficoltà.
2. Secondo loro, il nuovo fronte delle pari opportunità si combatte anche _con il femminismo grammaticale_.
3. Sarà soprattutto l'evoluzione del costume a portare l' _affermazione di certi termini_ e l'abbandono di altri.

4. Al primo apparire, l'effetto non era buono, ma perché non era buono? Semplicemente *perché non eravamo abituati*.

5. Ecco, direi che in questo caso parliamo proprio di una di quelle parole che lentamente, *senza nessuna imposizione*, si è andata affermando.

6. Ma pensi al caso di "sindaco": ecco, molti anni fa *naturalmente il sindaco era* sempre un uomo...

3 Nell'intervista abbiamo ascoltato alcune espressioni particolari, riportate di seguito in verde. Sapreste dire cosa significano?

1. **Meno male** che da tanti anni esiste il termine "professoressa".

    ☐ a. Sono felice   ☒ b. Per fortuna

2. **Tant'è che** c'è anche qualcuno che preferisce "professora".

    ☒ a. A dimostrazione di questo   ☐ b. Il fatto è che

3. Ce ne sono alcuni che sono un po' difficili da **mandar giù**.

    ☒ a. accettare   ☐ b. far scendere

H Riflettiamo sulla grammatica

Nel testo abbiamo trovato la frase «malgrado le donne italiane mettano al mondo solo un figlio a testa [...]». Il connettivo concessivo *malgrado* viene generalmente accompagnato dal congiuntivo. Ne ricordate altri?

AG
18.2
p. 163

Trasformate le seguenti affermazioni, usando un connettivo concessivo al posto di *anche se*.

1. Anche se le donne lavorano molto, non beneficiano della stessa retribuzione degli uomini.
   Benché/Nonostante/Malgrado/Sebbene le donne lavorino molto, [...]

2. Anche se le giovani laureate oggi sono disposte ad andare all'estero in cerca di lavoro, hanno difficoltà a lasciare la propria famiglia perché non sempre trovano un'occupazione ben retribuita.
   Benché/Nonostante/Malgrado/Sebbene le giovani laureate oggi siano disposte ad andare [...]

3. Anche se molti genitori vogliono mandare i propri figli all'asilo nido, non sempre possono permetterselo.
   Benché/Nonostante/Malgrado/Sebbene molti genitori vogliano mandare i propri [...]

es. 5-6
p. 36

I Lavoriamo sulla lingua

Correggete gli errori (uno per ogni rigo).

SINDROME PRECARIA: LA GENERAZIONE SOTTO I 1.000 EURO

1 **V**enier gli ha dedicato un film: "Generazione mille euro", ma la trista	*triste*
2 verità è che molti, ai mille euro di fine mese, nemmeno ci arrivanno.	*arrivano*
3 Le storie dei trentenni di oggi sono tutte al insegna della precarietà:	*all'*
4 difficile, se non si ha una familia facoltosa alle spalle, fare progetti,	*famiglia*
5 pensare di una famiglia, una casa, un futuro. E i risultati sulla psiche	*a*

6   non si fanno attendere: si calcola che la <u>cosidetta</u> "sindrome del   *cosiddetta*
7   precario" colpisce oggi <u>millioni</u> di italiani, maschi e femmine. I sintomi?   *milioni*
8   Stress, ansia, insoddisfazione, notti in bianco, attacchi <u>del</u> panico.   *di*
9   Nei casi peggiori, <u>depresione</u> e senso di fallimento.   *depressione*
10 Come ci conferma la psicologa Serenella Ricci, "l'<u>incerteza</u> sul   *incertezza*
11 proprio futuro, l'assenza di tutele <u>riguardante</u> la malattia,   *riguardanti*
12 la maternità e <u>i</u> infortuni, la retribuzione spesso scarsa,   *gli*
13 la <u>difficolta</u> di reggere continui cambiamenti di lavoro sono tutti   *difficoltà*
14 elementi che vanno a <u>scolpire</u> il nostro equilibrio psicologico.   *colpire*

es. 7-8 p. 37   es. 9 p. 37

L   Parliamo

1 Leggete il grafico e dite se, secondo voi, per trovare un lavoro oggi sono sufficienti queste capacità o occorrono anche altre competenze. Se sì, quali?

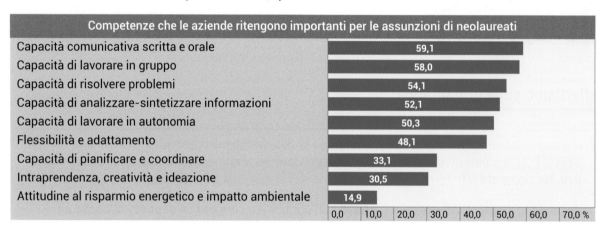

Competenze che le aziende ritengono importanti per le assunzioni di neolaureati

Capacità comunicativa scritta e orale	59,1
Capacità di lavorare in gruppo	58,0
Capacità di risolvere problemi	54,1
Capacità di analizzare-sintetizzare informazioni	52,1
Capacità di lavorare in autonomia	50,3
Flessibilità e adattamento	48,1
Capacità di pianificare e coordinare	33,1
Intraprendenza, creatività e ideazione	30,5
Attitudine al risparmio energetico e impatto ambientale	14,9

2 È meglio lavorare in ufficio o da casa, usando il web? In quali casi? Motivate le vostre risposte.

3 Quali sono, secondo voi, le recriminazioni dei giovani di oggi nei confronti degli adulti che nel mercato del lavoro – soprattutto "intellettuale" – occupano i posti che contano?

M   Scriviamo

90-100 **1** Le donne in Italia, benché siano istruite almeno quanto gli uomini e maturino competenze analoghe, sono ancora poco rappresentate nel mondo del lavoro. Secondo voi, le aziende italiane stanno perdendo la grande opportunità di sfruttare importanti risorse? Motivate la vostra risposta, cercando di individuare le possibili conseguenze di tale fenomeno.

100-130 **2** Hai letto su un annuncio che un'agenzia cerca un responsabile. Sei interessato/a a questo lavoro: scrivi un'email per candidarti.*

i-d-e-e.it

> ✱ **Struttura per scrivere una lettera formale di candidatura**
> - Gentili/Egregi signori...
> - in riferimento al vostro annuncio, pubblicato su... il giorno..., desidero sottoporre alla Vostra attenzione la mia candidatura per ricoprire il posto di / per il ruolo di...
> - Ritengo di essere il candidato ideale perché sono disposto a... (viaggiare, trasferirmi, lavorare a orari flessibili, ecc.)
> - Quanto alle mie referenze, Vi allego il mio CV.
> - Nella speranza che la mia domanda venga accolta favorevolmente e che vogliate concedermi un colloquio, Vi porgo i miei più distinti saluti.

Programmi televisivi e pubblicità

In questa unità impareremo a...

- *evincere delle informazioni da brevi affermazioni e commentarle*
- *sottolineare gli elementi di disaccordo tra due opinioni*
- *scrivere una lettera a un giornale, per sostenere l'opinione di un lettore rispetto a quella di un altro*

Inoltre vedremo...

- *le parole composte*
- *i comparativi e i superlativi irregolari*
- *il congiuntivo presente e imperfetto*

Per cominciare...

 1 Leggete le seguenti affermazioni e commentatele insieme ai vostri compagni.

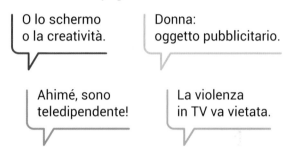

> O lo schermo o la creatività.

> Donna: oggetto pubblicitario.

> Ahimé, sono teledipendente!

> La violenza in TV va vietata.

2 Chi di voi è teledipendente? Chi di voi non guarda quasi mai la TV? Spiegatene i motivi.

A Comprensione del testo

1 Leggete le due email che seguono e sottolineate gli elementi che esprimono la posizione contrastante dei due lettori rispetto alla televisione e al suo uso.

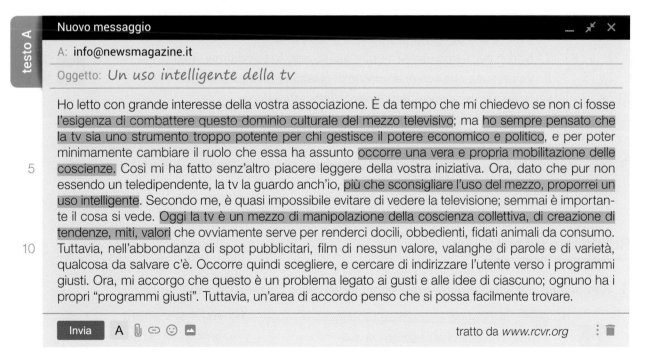

Nuovo messaggio — ⤢ ✕

A: info@newsmagazine.it

Oggetto: *Un uso intelligente della tv*

Ho letto con grande interesse della vostra associazione. È da tempo che mi chiedevo se non ci fosse l'esigenza di combattere questo dominio culturale del mezzo televisivo; ma ho sempre pensato che la tv sia uno strumento troppo potente per chi gestisce il potere economico e politico, e per poter minimamente cambiare il ruolo che essa ha assunto occorre una vera e propria mobilitazione delle
5 coscienze. Così mi ha fatto senz'altro piacere leggere della vostra iniziativa. Ora, dato che pur non essendo un teledipendente, la tv la guardo anch'io, più che sconsigliare l'uso del mezzo, proporrei un uso intelligente. Secondo me, è quasi impossibile evitare di vedere la televisione; semmai è importante il cosa si vede. Oggi la tv è un mezzo di manipolazione della coscienza collettiva, di creazione di tendenze, miti, valori che ovviamente serve per renderci docili, obbedienti, fidati animali da consumo.
10 Tuttavia, nell'abbondanza di spot pubblicitari, film di nessun valore, valanghe di parole e di varietà, qualcosa da salvare c'è. Occorre quindi scegliere, e cercare di indirizzare l'utente verso i programmi giusti. Ora, mi accorgo che questo è un problema legato ai gusti e alle idee di ciascuno; ognuno ha i propri "programmi giusti". Tuttavia, un'area di accordo penso che si possa facilmente trovare.

Invia   A 🖉 🔗 ☺ 🖼   tratto da *www.rcvr.org*   ⋮ 🗑

testo B

Nuovo messaggio — ↗ ✕

A: info@newsmagazine.it

Oggetto: *L'inutilità della televisione*

15
Vi sto scrivendo per avere ulteriori informazioni e per associarmi, dal momento che sono convinto dell'assurdità del mezzo televisivo e dell'abuso che ne fanno tutti. Non vedo la televisione, mai. A casa mia non l'abbiamo. Con mia moglie siamo perfettamente d'accordo sull'inutilità più assoluta del mezzo, per non parlare della sua nocività fisica e psichica. Abbiamo anche una bambina che natural-mente non vede quasi mai la tv; con lei giochiamo e parliamo molto, siamo soddisfatti, nessun senso

20
di colpa se non abbiamo visto il telegiornale o il documentario sull'animale "esotico", per non parlare delle buffonate ingannapopolo* dei vari spettacoli di varietà. Insomma, si dovrebbe puntare, secondo me, sulla mentalità della gente che si chiude sempre di più in casa dinanzi all'apparecchio televisivo e non si accorge che sta diventando schiava. La gente deve allontanarsi dalla tv perché la tv è un mezzo volgare, in mano al potere e alla pubblicità. In poche parole, deve rendersi conto che è un'invenzione

25
inutile, un'invenzione che addormenta! Perché non andare al cinema, o leggere, o chiacchierare, o passeggiare, o giocare con i figli, o semplicemente oziare come si faceva un tempo (soltanto qualche decennio fa)? Tutti davanti alla partita o all'incontro storico tra i leader... non si creano forse così i fa-natismi di ogni tipo?

[Invia] A 📎 ⌐ ☺ 🖼   tratto da *www.rcvr.org*   ⋮ 🗑

> ★ buffonate ingannapopolo: cose poco serie che hanno lo scopo di trarre in errore la gente

---

2 Indicate a quale dei due testi si riferiscono le seguenti informazioni.

A	B	
☐	☒	1. La televisione è anche pericolosa.
☒	☐	2. Chi scrive non è tanto d'accordo con l'idea di abolire del tutto la TV.
☒	☐	3. Bene o male non si può non guardare la televisione.
☐	☒	4. Purtroppo la televisione ha sostituito molti dei passatempi del passato.
☐	☒	5. Secondo la persona che scrive, la televisione non serve a niente.
☒	☐	6. La maggior parte dei programmi è scadente.
☐	☒	7. Non ci perdiamo niente se non guardiamo la televisione, anzi...
☒	☐	8. La persona che scrive ammette di guardare la televisione.
☒	☐	9. Non è facile opporsi ai messaggi della televisione.
☐	☒	10. Chi scrive preferisce fare altro piuttosto che guardare la TV.

Rai **1**
Rai **2**
Rai **3**

3 Date un titolo alle due email e scrivetelo nell'oggetto. Poi confrontate i vostri titoli con quelli dei compagni.

B Riflettiamo sul testo

1 Riformulate con altre parole le espressioni evidenziate, presenti nelle due email.

testo A

1. gestisce il potere economico (*rigo 3*)   *ha nelle sue mani*
2. il ruolo che essa ha assunto (*rigo 4*)   *ha preso su di sé*
3. mobilitazione delle coscienze (*rigo 4*)   *sensibilizzazione*
4. renderci docili (*rigo 9*)   *ubbidienti*
5. fidati animali da consumo (*rigo 9*)   *fedeli*

testo B

1. ulteriori informazioni *(rigo 14)* .... *altre/maggiori*
2. nocività fisica e psichica *(rigo 17)* .... *danno*
3. nessun senso di colpa *(righi 19-20)* .... *rimorso*
4. dinanzi all'apparecchio televisivo *(rigo 22)* .... *davanti*
5. oziare *(rigo 26)* .... *stare senza far niente*

 2 Lavorate in coppia. Scrivete nel vostro quaderno delle frasi, utilizzando almeno quattro delle seguenti espressioni tratte dai due testi.

senz'altro *(rigo 5)* | dato che *(rigo 5)* | pur non essendo *(righi 5-6)* | più che *(rigo 6)*
semmai *(rigo 7)* | dal momento che *(rigo 14)* | per non parlare *(rigo 17)* | insomma *(rigo 21)*

C Riflettiamo sulla grammatica

 Televisione come pure *ingannapopolo*, che abbiamo trovato nei testi, sono parole composte. Le parole composte nascono dall'unione di due parole: *nome + nome*, *nome + aggettivo*, ecc.

 2.2.7 p. 122

Potete spiegare da quali elementi (nome, verbo, avverbio, aggettivo) sono costituite le seguenti parole e indicarne il significato?

1. capostazione *nome + nome*
2. portacenere *verbo + nome*
3. dormiveglia *verbo + nome*
4. benedire *avv. + verbo*
5. aspirapolvere *verbo + nome*
6. dopocena *avv. + nome*
7. capovolgere *nome + verbo*
8. cassaforte *nome + agg.*
9. sempreverde *avv. + agg.*
10. girasole *verbo + nome*
11. pescecane *nome + nome*
12. terremoto *nome + nome*

es. 1-2 p. 38

D Curiosità

La televisione (1954) ha stimolato gli italiani a usare e condividere la stessa lingua. In precedenza, bambini, giovani e anziani parlavano soprattutto il dialetto della regione in cui vivevano.

E Lavoriamo sul lessico

1 In coppia, cercate di dare una breve definizione (10-15 parole) delle seguenti trasmissioni.

| varietà | telefilm | documentario |
| serie tv | fiction | telegiornale |

2 Completate il testo con alcune delle parole date.

telecomando | telespettatori | spot pubblicitario | teledipendenti
in onda | varietà | puntata | abbonamento | schermo | televisione
fiction | serie | volume | protagonisti | televisore | canali | episodio

I miei genitori sono dei veri *teledipendenti* (1): passano ore e ore davanti al *televisore* (2), non si perdono quasi niente. Cominciano con le stupide *fiction* (3), quelle che vanno avanti per decenni, si trovano alla *puntata* (4) n. 5.692 e ormai i *protagonisti* (5) hanno 70 anni! Poi guardano altrettanto stupidi *varietà* (6) in cui non si fa altro che cantare, ballare e gridare. Appassionati di *serie* (7) tv, recentemente hanno fatto anche l' _abbonamento_ (8) a Netflix. E come se ciò non bastasse, registrano persino le trasmissioni che vanno _in onda_ (9) mentre guardano altri programmi! Ma la parte più divertente è quando ci sono le partite: allora mio padre nasconde il _telecomando_ (10) perché lui è della Juve e mia madre della Lazio e ognuno vuole seguire la sua squadra del cuore!

es. 3-4
p. 38

F Riflettiamo sulla grammatica

La seconda email inizia con le seguenti parole: «Vi sto scrivendo per avere ulteriori informazioni. *Ulteriore*, che significa *altro ancora*, *in più*, è un aggettivo comparativo che non ha il grado positivo. Alcuni aggettivi, infatti, non hanno il grado positivo, ma solo quello comparativo e/o superlativo che, spesso, derivando dal latino, assume particolari significati. Altri aggettivi, invece, presentano entrambe le forme.

AG
4.2.1-2
p. 127

A coppie. Nelle seguenti frasi provate a sostituire le espressioni evidenziate con il comparativo o il superlativo opportuno, scegliendolo fra quelli dati, che sono di più.

intimo | prossimo | ottimo | infimo | anteriore | supremo | minimo | posteriore
inferiore | superiore | interiore | esteriore | sommo | estremo | minore | postumo

1. I bambini devono sedere sempre sul sedile di dietro.   _posteriore_
2. La merce di questo negozio è di bassissima qualità.   _infima_
3. L'apertura delle scuole è ormai vicinissima.   _prossima_
4. Dante ha scritto un'opera, la *Divina Commedia*, di altissima poesia.   _somma_
5. Come si chiama la parte davanti della nave?   _anteriore_
6. La fama spesso arriva dopo la morte.   _postuma_
7. Il trucco che mi hai insegnato per memorizzare è molto buono.   _ottimo_
8. Non guardare all'aspetto di superficie delle persone.   _esteriore_
9. Non esiste una razza più in basso di un'altra: gli uomini sono tutti uguali.   _inferiore_
10. La mia sofferenza non si vede: è dentro.   _interiore_
11. Marisa sa tutto di me: è un'amica molto vicina.   _intima_
12. Ho un buonissimo rapporto con le mie sorelle più piccole.   _minori_

es. 5-8
p. 39

G Lavoriamo sulla lingua

Completate il testo con le parti mancanti, scegliendole tra quelle date a pag.73.

ECCO COME LA TELEVISIONE RENDE I NOSTRI CERVELLI 'DISPONIBILI' ALLA MANIPOLAZIONE

- Come sarebbe a dire, Fabrizio, di portare la cena? Questo è il telegiornale del mattino!

Ma a cosa serve la televisione? Se ponessimo questa domanda a Patrick Le Lay, ex-direttore di TF1*, [c] (1): "Si può parlare della televisione in molti modi. Ma dal punto di vista economico, siamo realisti, il mestiere della TV è soprattutto [d] (2), per esempio, a vendere il suo prodotto".

Amici, storico talent show
(della TV italiana)

Questa affermazione dell'ex-direttore, ⟨a⟩ (3) concessa al quotidiano *Le Monde*, rende evidente quello che è sotto gli occhi di tutti e cioè ⟨h⟩ (4) (e non solo) è costruito per condizionare le scelte dell'individuo, perché, per vendere il prodotto, la pubblicità deve sedurre.

"Ebbene, perché ⟨e⟩ (5), bisogna che il cervello del telespettatore sia disponibile", continua Le Lay. "Le nostre trasmissioni hanno come obiettivo quello di renderlo disponibile: cioè divertirlo e farlo rilassare ⟨g⟩ (6). Niente di più difficile dell'ottenere questa disponibilità", dice ancora Le Lay. "Ci sono continui

cambiamenti. Bisogna sempre ⟨b⟩ (7), seguire le mode, in un contesto in cui l'informazione va sempre più veloce, si moltiplica e si banalizza".

Naturalmente la banalizzazione dei contenuti ha ⟨l⟩ (8); è forse grazie a questa filosofia commerciale che la superficialità e la mediocrità sono diventate ⟨i⟩ (9) e addirittura apprezzato.

Basta pensare a programmi come *Amici*, il *Grande Fratello*, o peggio *Uomini e Donne*, per rendersi conto ⟨m⟩ (10) da questi contenitori influenzano lo stile di vita e le scelte esistenziali soprattutto dei più giovani.

tratto da www.ilnavigatorecurioso.it

> ★ TF1: canale televisivo francese

a. rilasciata qualche tempo fa in un'intervista
b. trovare programmi che funzionino
c. non avrebbe dubbi sulla risposta
d. quello di aiutare la Coca-Cola
e. un messaggio pubblicitario sia percepito
f. che in certe condizioni si lasciano convincere facilmente
g. per prepararlo ai messaggi pubblicitari

h. che l'attuale sistema della comunicazione commerciale
i. uno stile di vita così frequente
l. come conseguenza la banalizzazione delle persone
m. di quanto i modelli "banali" proposti
n. favorire lo sviluppo dello spirito critico

H   Ascoltiamo

 1 Ascoltate l'intervista sulla mostra "La fabbrica di Carosello" e indicate quali delle seguenti informazioni sono corrette.

[x] 1. *Carosello* era una trasmissione pubblicitaria del passato.

[x] 2. Questa trasmissione ha rappresentato un momento importante per l'unificazione dell'Italia.

[ ] 3. La durata massima di questa trasmissione era di circa venti minuti.

[x] 4. Era costituita di brevi spettacoli che dovevano essere piacevoli ed efficaci.

[ ] 5. Di solito *Carosello* era trasmesso nella fascia pomeridiana dei programmi televisivi.

[ ] 6. Questo programma andava in onda sulle tre reti televisive statali della Rai.

[x] 7. *Carosello* piaceva soprattutto ai bambini.

[x] 8. Il successo di un pubblicitario era determinato dalla memorizzazione di canzoncine e battute.

[ ] 9. I messaggi pubblicitari erano ripetuti e talvolta risultavano sgradevoli.

[x] 10. Ancora oggi dopo tanti anni ricordiamo con piacere questa trasmissione.

2 Nella storia della televisione del vostro Paese, è esistito qualcosa di simile a *Carosello*? Raccontate.

I Riflettiamo sulla grammatica

 Nella prima email abbiamo letto «mi chiedevo se non ci fosse l'esigenza». Come mai l'autore dell'email usa il congiuntivo imperfetto? Ricordate quando si usa il congiuntivo imperfetto e quando il congiuntivo presente? Da quale verbo dipende?

AG
12.2
p. 154

Completate le frasi scegliendo il tempo giusto.

1. Credo / Credevo che Giorgio preferisse vedere al cinema l'ultimo film di Gianni Amelio.
2. Siamo / Siamo stati contenti che in vacanza non vediate mai la televisione.
3. Ci chiediamo / Ci chiedevamo se siate in grado di guardare un programma televisivo senza litigare.
4. Lavorare con quel regista è stato molto difficile perché lui pretende / pretendeva che dessimo sempre il massimo.
5. Occorre / Occorreva che i genitori spingano i figli a guardare in TV soprattutto documentari interessanti.
6. Mi aspetto / Mi aspettavo che venissi da me per guardare insieme l'ultima puntata di *Un posto al sole*.
7. I telespettatori si augurano / si auguravano che il palinsesto fosse più vario.
8. Riteniamo / Abbiamo ritenuto che la gente debba allontanarsi dalla TV che è un mezzo volgare in mano al potere e alla pubblicità.

es. 9-11
p. 40

L Parliamo

 1 Confrontate le due foto e spiegate come la TV, che un tempo era simbolo di "aggregazione", sia diventata oggi simbolo di "disagio" individuale e collettivo.

 2 In coppia, stilate una lista e illustrate alla classe quali sono i pro e i contro della TV.

 3 Secondo voi, la pay TV ci offre un'alternativa ai programmi-spazzatura, permettendoci di riscoprire un mezzo nato per divulgare la cultura e intrattenere le persone, invece di ingannarle? Motivate la vostra risposta, illustrando se esistono modi per difendersi dalla "nocività fisica e psichica" di questo mass media.

M Scriviamo

50-180

Leggete le brevi lettere inviate da due lettori a un giornale. Immaginate di essere anche voi un lettore/una lettrice dello stesso giornale e di scrivere una lettera per esprimere la vostra opinione. Sostenete l'opinione di Franco o quella di Stefania, argomentando e controargomentando* il motivo della condivisione e del rifiuto.

Caro direttore,

sono molto contento che sia stato finalmente ritirato lo spot che pubblicizzava l'uso di armi giocattolo. Era una vergogna! Secondo me, questa campagna, in cui un bambino imitava un eroe visto al cinema, era molto pericolosa perché diseducativa. Il bambino protagonista dello spot sembrava soddisfatto di potersi difendere e difendere i suoi amici da "attacchi" esterni. In realtà, a me pare che venisse stimolata la sua aggressività e violenza. Pertanto, io credo che spot del genere debbano essere proibiti.

Franco

Caro direttore,

molti genitori, guardando lo spot che pubblicizzava armi giocattolo, si sono chiesti se sia giusto regalare ai propri figli tali giochi. Molti hanno detto di no. Io ritengo, invece, che un'arma giocattolo abbia per il bambino un valore simbolico: può rappresentare la difesa personale come pure la possibilità di manifestare una forma d'aggressività repressa. Si sa che il bambino interpreta, tramite recite e gioco, i personaggi e gli eroi della TV. Vietarlo potrebbe creare un maggior desiderio! Anziché proibire tali giochi, dunque, sarebbe meglio spiegarne l'uso, gli effetti, e come nella realtà un'arma può diventare pericolosa. Così un bambino diventa consapevole delle conseguenze e può distinguere la realtà dalla fantasia.

Stefania

✱ Espressioni per argomentare e controargomentare

- **Per argomentare**: In base a… / In base alla mia esperienza / In base a quanto emerso … ritengo (penso, credo) che + congiuntivo
- **Per controargomentare**: Benché (Nonostante, Malgrado) + sia vero che… / alcuni sostengano che…
- **Per esprimere dubbi**: Mi chiedo se + congiuntivo, non sono convinto che… + congiuntivo
- **Per ordinare le argomentazioni**: Innanzitutto (In primo luogo, Prima di tutto), Inoltre (In secondo luogo)

- **Per sostenere l'opinione di qualcuno**: Condivido dunque (perciò, pertanto) l'opinione di…, Per questo sono d'accordo con…
- **Per citare una fonte a sostegno della propria opinione**: A questo proposito, vorrei citare le parole di… su: « … »
- **Per concludere**: Infine (In conclusione, Concludendo) / Dopo aver esaminato i pro e i contro, concluderei dicendo che…

N Giochiamo

Giocate in due squadre. Comincia uno studente della squadra A con una parola a caso. Uno studente della squadra B dovrà rispondere con una parola relativa, come nell'esempio a destra, e così via. La prima squadra che non riesce a trovare una parola legata in qualche modo all'ultima pronunciata dagli avversari, perde. Poi si ricomincia con un altro giro di parole.

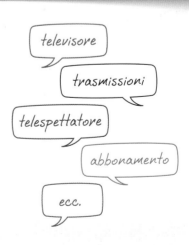

televisore
trasmissioni
telespettatore
abbonamento
ecc.

Gossip e privacy

In questa unità impareremo a...

- *ricostruire il contenuto di un testo partendo da alcune parole chiave*
- *citare dei proverbi per convincere qualcuno a desistere da un atteggiamento riprovevole*
- *scrivere un articolo di cronaca*

Inoltre vedremo...

- *la forma passiva*
- *i connettivi* ma, però, quindi, mentre, oppure, invece
- *gli aggettivi* buono, bello *e* quello *prima del nome*

 2 A voi interessano le notizie sulla vita privata dei personaggi famosi? Quali sono le riviste di gossip più lette o i siti più cliccati nel vostro Paese e perché piacciono?

 3 Secondo voi, le notizie che riportano sono sempre vere? Se pensate il contrario, portate qualche esempio. Cosa c'è dietro?

Per cominciare...

 1 Osservate le due immagini. Di che cosa parlano queste riviste e siti? Scambiatevi idee.

A Comprensione del testo

 1 In coppia. Leggete le parole evidenziate nel testo di pagina 77. In quali categorie le mettereste?

mass/social media	notizie	social	visualizzazioni	riviste	paparazzi
sfera personale	chiacchiera	retroscena	curiosità	pettegolezzi	privacy
personaggi dello spettacolo	divo	popolarità	celebrità	famosi	

 2 Secondo voi, di cosa tratta il testo? Ricostruite il suo contenuto partendo dalle parole chiave inserite nelle varie categorie.

3 Che significa, secondo voi, "avere uno scheletro nell'armadio"? Esiste un'espressione simile nella vostra lingua?

LO SCHELETRO NELL'ARMADIO

Ormai le notizie dei giornali più seguite sono quelle sui social: vogliamo essere sempre informati di quello che succede attorno a noi, e questo è anche bello. Sapere come vanno le cose in questa
5 piccola palla che gira incessantemente nell'universo dovrebbe essere indice di coscienza civile e di maturità. Anche se leggiamo poco, non siamo proprio tagliati fuori dalla grande corrente della storia. Le considerazioni positive, però, a questo punto fini-
10 scono: perché la "qualità" delle nostre informazioni non si può considerare delle migliori. Ciò che più ci interessa è il pettegolezzo, la chiacchiera da cortile. Di uno scienziato o di un grande personaggio della politica non ci interessa sapere se abbia fatto un'im-

15 portante scoperta destinata a rivoluzionare il nostro futuro o se abbia creato le premesse per un costante miglioramento delle nostre condizioni di vita. Quelli che realmente ci importano sono i retroscena della sua vita privata. Se ha l'amante; se a scuola
20 era il primo o l'ultimo della classe; se il sabato sera si ubriaca.

Non ci credete? Eppure basterebbe dare un'occhiata al numero di visualizzazioni per rendersi conto che siamo un popolo di curiosi: e la nostra è la
25 curiosità un po' morbosa di chi vuole frugare nelle pieghe più nascoste della vita di chiunque sia uscito dall'anonimato. Lo testimonia il successo di quelle riviste, che raggiungono diffusioni da primato. Che cosa cambia, nella vita dell'uomo della strada, se
30 viene a sapere che la tale principessa aspetta un figlio, oppure che quel divo dello schermo – che ama farsi vedere in giro al braccio di splendide ragazze – in realtà ha gusti un po' "diversi"? Questi aspetti dovrebbero interessare soltanto ai familiari,
35 al massimo agli amici più intimi. Invece tutti dobbiamo conoscere, anche se poco ce ne importa, quei dettagli di vita privata. A nulla serve non abbonarsi alle riviste e guardare il meno possibile la televisione: i pettegolezzi sono gridati a ogni ora del
40 giorno e ci aggrediscono continuamente dal nostro smartphone.

I paparazzi tendono i loro agguati, a volte con la complicità delle stesse "vittime", che li hanno informati sulle loro mosse. Non date loro retta quando si
45 lamentano: senza i pettegolezzi si sentirebbero morire, sono i termometri della loro popolarità. Ma non è di loro che intendiamo parlare. I veri responsabili del pettegolezzo siamo noi, con la nostra curiosità e la nostra voglia di sapere "che cosa c'è dietro". Le
50 versioni ufficiali non ci convincono. Sappiamo che ogni casa è piena di armadi e che in ogni armadio c'è uno scheletro. Quel leader di partito che sorride a trentadue denti, che scheletro nasconde nel suo armadio? Non occorre nemmeno andare tanto
55 in alto. Di quel divo del cinema, che in pochi mesi ha conquistato la celebrità, vogliamo sapere tutto: le storie di letto, i compromessi. "Privacy è per noi una parola senza senso. A meno che non si tratti della nostra "privacy": anche se non siamo famosi,
60 ci comportiamo come tali, condividendo tutta la nostra vita sui social e poi ci arrabbiamo se qualcuno commenta qualcosa sul nostro conto. Come se non avessimo anche noi il nostro scheletro nell'armadio. Ma, mentre ci sentiamo autorizzati a ficcare il naso
65 nelle faccende altrui, non tolleriamo che qualcuno lo infili nei fatti nostri.

tratto da La Settimana Enigmistica

4 Leggete il testo e indicate le affermazioni corrette tra quelle proposte.

1. Secondo l'autore,
   - ☐ a. ultimamente i social riportano solo buone notizie
   - ☐ b. i mass media in genere non ci offrono niente
   - ☒ c. la qualità delle informazioni che riceviamo è scadente
   - ☐ d. la televisione italiana è di pessima qualità

2. Agli italiani
   - ☐ a. interessano gli attori, i politici e gli scienziati
   - ☒ b. non interessa molto il lavoro dei politici e degli scienziati
   - ☐ c. interessa che uomini potenti migliorino le loro condizioni di vita
   - ☐ d. non interessano molto le chiacchiere e il pettegolezzo

3. I pettegolezzi sui VIP
- [ ] a. non si apprendono senza comprare le riviste
- [ ] b. sono quasi sempre esagerati
- [x] c. aumentano le visualizzazioni delle riviste
- [ ] d. sono spesso relativi ai loro familiari

4. I paparazzi
- [ ] a. sono anche loro "vittime" del sistema
- [x] b. spesso si mettono d'accordo con le "vittime"
- [ ] c. si lamentano perché vengono accusati
- [ ] d. sono in fondo persone molto curiose

5. Secondo l'autore, moltissime persone
- [ ] a. non capiscono il significato della parola "privacy"
- [ ] b. non amano rendere pubblica la loro vita privata
- [ ] c. non hanno niente da nascondere
- [x] d. vorrebbero sapere tutto di tutti

B Riflettiamo sul testo

1 Ricercate nell'articolo, al rigo indicato tra parentesi, le parole date qui di seguito e indicate qual è il loro significato all'interno del testo.

1. indice *(6)* elenco / <u>segno</u>
2. premessa *(16)* <u>presupposto</u> / introduzione
3. retroscena *(18)* parte del teatro / <u>segreto</u>
4. primato *(28)* <u>record</u> / priorità
5. mosse *(44)* <u>spostamenti</u> / azioni
6. intendere *(47)* capire / <u>avere intenzione</u>

2 Lavorate in coppia. A quali frasi o parole del testo corrispondono quelle date di seguito?

1. senza interruzione *(righi 1-5)* .... *incessantemente*
2. isolati, senza contatti *(righi 5-10)* .... *tagliati fuori*
3. chi è diventato noto *(righi 25-30)* .... *chiunque sia uscito dall'anonimato*
4. non prestate loro attenzione *(righi 40-45)* .... *non date loro retta*
5. su di noi, relativo a noi *(righi 60-65)* .... *sul nostro conto*
6. occuparsi degli altri, essere curiosi *(righi 60-65)* .... *ficcare il naso nelle faccende altrui*

C Lavoriamo sul lessico

1 Nel testo abbiamo visto parole come *leader* e *privacy*; abbinate le parole inglesi che seguono, entrate ormai nel vocabolario degli italiani, al loro equivalente in italiano.

gossip	**1** *(g)*	**a**	schermo
hostess, steward	**2** *(d)*	**b**	divo
follower	**3** *(e)*	**c**	riunione
manager	**4** *(f)*	**d**	assistente di volo
star	**5** *(b)*	**e**	seguace
hobby	**6** *(h)*	**f**	dirigente
meeting	**7** *(c)*	**g**	pettegolezzo
monitor	**8** *(a)*	**h**	passatempo

2 Indicate se le seguenti coppie di parole indicano termini fra loro sinonimi (S) o contrari (C).

			S	C
1.	verità	pettegolezzo	☐	☒
2.	sparlare	spettegolare	☒	☐
3.	discrezione	indiscrezione	☐	☒
4.	menzogna	calunnia	☒	☐
5.	discreto	pettegolo	☐	☒
6.	chiacchiere	voci	☒	☐
7.	popolarità	fama	☒	☐
8.	curioso	ficcanaso	☒	☐
9.	maleducato	educato	☐	☒
10.	offensivo	rispettoso	☐	☒

3 Completate le frasi con alcune delle parole date.

mondanità | violata | diva | scandali | stampa | notorietà | intervista | curiosità

1. La grande _diva_ ha rilasciato un' _intervista_ esclusiva alla rivista *Chi*.
2. I VIP godono di grande _notorietà_, però vedono spesso _violata_ la loro privacy.
3. La _stampa_ si occupa spesso dell'attore come protagonista più di _scandali_ che di film.

es. 1 p. 42

D   Riflettiamo sulla grammatica

Nell'articolo abbiamo incontrato alcuni verbi usati alla forma passiva, come *vogliamo essere informati, siamo tagliati fuori*, ecc.

AG 11.10.1 p. 148

1 Trasformate alla forma passiva le seguenti frasi.

1. I telespettatori seguono i telegiornali.
   I telegiornali sono seguiti dai telespettatori.
2. Ci interessa sapere se un paparazzo o qualcun altro abbia fatto una scoperta clamorosa sulla vita di un attore. *Ci interessa sapere se sia stata fatta, da un paparazzo o da qualcun altro, una scoperta clamorosa sulla vita di un attore.*
3. Le visualizzazioni testimoniano lo straordinario successo di alcuni influencer.
   Lo straordinario successo di alcuni influencer è testimoniato dalle visualizzazioni.
4. Tutti conosciamo le trasgressioni dei VIP.
   Le trasgressioni dei VIP sono conosciute da tutti.
5. I paparazzi hanno teso un agguato ai VIP del momento.
   Ai VIP del momento è stato teso un agguato dai paparazzi.
6. Il regista convincerà quell'attore a lavorare nel cinema.
   Quell'attore sarà convinto dal regista a lavorare nel cinema.

es. 2-3 p. 42

2 Nel testo *Lo scheletro nell'armadio* abbiamo incontrato spesso questi connettivi: *però, oppure, invece, ma, mentre*. Provate a riutilizzarli in altrettante frasi, magari lavorando insieme a un compagno.

AG 18.1 p. 163

es. 4-5 p. 43

E Lavoriamo sulla lingua

 1 Siete favorevoli o contrari alla videosorveglianza nei luoghi pubblici? Discutetene.

2 Completate con una parola per ogni spazio.

"GRANDE FRATELLO": SIAMO TUTTI SPIATI

"Telecamere per la sicurezza, contro il traffico, anti-van-dali. Così la videosorveglianza è diventata un business da 1,7 miliardi l'anno"

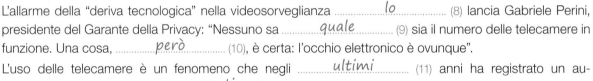

Riprese al cimitero del Verano contro i vandali, video-sorveglianza a Brescia davanti ai supermercati, vigili elettronici per l'incrocio al centro di Milano, record di controlli a Reggio Emilia con una *telecamera* (1) ogni 650 abitanti. Così in Italia siamo *tutti* (2) spiati. Una videocamera ci segue e il Grande Fratello è *diventato/ormai* (3) un grande business da 1.700 milioni di euro l'*anno* (4). Un affare ma anche un pericolo. "Ogni cento metri *siamo* (5) nel campo di ripresa di una videocamera senza sapere *chi* (6) ci filma e perché. Per fortuna non ci *si* (7) pensa, altrimenti vivremmo nell'angoscia".

L'allarme della "deriva tecnologica" nella videosorveglianza *lo* (8) lancia Gabriele Perini, presidente del Garante della Privacy: "Nessuno sa *quale* (9) sia il numero delle telecamere in funzione. Una cosa, *però* (10), è certa: l'occhio elettronico è ovunque".

L'uso delle telecamere è un fenomeno che negli *ultimi* (11) anni ha registrato un autentico boom, un business in *continua* (12) crescita. Migliaia di poliziotti virtuali ci sorvegliano, registrando *ogni* (13) nostro movimento da quando usciamo di casa: ci filmano sui *mezzi* (14) pubblici, ci controllano nei supermercati e in discoteca. Nella Capitale ce ne sono già più *di* (15) 2.000: in via Veneto, la strada che per Federico Fellini era il "teatro della dolce vita", *se* (16) ne contano 35, una ogni venti metri. Cento sorvegliano la *stazione* (17) Termini, una decina la Colonna Traiana a Roma, danneggiata da vandali tempo fa.

Di fronte all'invasione nella nostra *vita* (18) del Grande Fratello, il presidente del Garante della Privacy si chiede "per salvarsi la vita, si può perdere l'anima?".

tratto da *Il Messaggero*

F Parliamo

 1 Descrivete la foto e spiegate se delle troppe chiacchiere e pettegolezzi sulla vita privata di alcuni personaggi famosi ritenete responsabili solo i paparazzi o anche i lettori e, forse, gli stessi VIP, sempre a caccia di popolarità. Scambiatevi opinioni.

2 Nell'opera di Giacomo Rossini *Il barbiere di Siviglia,* la calunnia è paragonata a un venticello, un vento leggero. Come mai? Come ci si può difendere da questo "venticello"? Voi cosa fate o fareste per fermarlo? Parlatene, riportando degli esempi.

3 Vi è mai capitato che qualcuno online abbia violato i diritti **sui vostri dati** (ad esempio: furto di vostri dati personali, pubblicazioni di foto senza il vostro consenso, ecc.)? Se sì, raccontate cosa avete fatto; se no, dite che cosa fareste.

G Scriviamo

0-200

Immaginate di essere giornalisti di una rivista scandalistica e scrivete un articolo* su un divo del cinema, utilizzando queste parole:

locale ◆ sorpresi ◆ abbracciati
accorgersi ◆ paparazzo
arrabbiarsi ◆ litigio
ricatto ◆ denuncia

H Situazione

Un tuo conoscente è molto pettegolo: sparla sempre di tutti. Un giorno la conversazione con lui prende una "brutta piega" in quanto le sue parole potrebbero danneggiare la reputazione di un vostro comune amico e ferirlo gravemente. Tu non ne puoi più e:

▶ protesti, dicendogli che "parlare alle spalle" di chi non è presente è segno di maleducazione;

▶ gli ricordi il proverbio secondo cui "taglia più la lingua che la spada";

▶ infine, gli consigli minaccioso di "farsi i fatti suoi".

✱ Consigli utili per scrivere un articolo su un fatto di cronaca su una rivista

• Scelta del linguaggio
Il linguaggio deve essere essenziale e diretto, le frasi preferibilmente coordinate e relativamente brevi.

• Come si struttura l'articolo
1. Titolo, scritto con caratteri di dimensioni maggiori, che riporta la notizia principale.
2. Catenaccio o sottotitolo, collocato sotto il titolo, scritto in caratteri un po' più piccoli, che aggiunge ulteriori informazioni.
3. Al fine di comunicare al meglio la notizia principale, è necessario seguire le 5 regole fondamentali del giornalismo di informazione, tradizionalmente indicate con le 5W, secondo la terminologia anglossassone:
   a. WHO (chi?): chi sono i personaggi coinvolti?
   b. WHAT (che cosa?): che cosa è accaduto?
   c. WHERE (dove?): dove si è svolto il fatto?
   d. WHEN (quando?): quando si è verificato il fatto?
   e. WHY (perché?): quali sono le cause che hanno provocato o favorito il fatto?
4. Raccontare nei dettagli come si sono svolti i fatti.
5. Conclusione ad effetto.

I Curiosità

La parola *paparazzo* è, come si può immaginare, di origine italiana e, per essere più precisi, di invenzione felliniana! Il grande Federico Fellini è stato il padre di questo termine: nel famoso film *La dolce vita* (1960), il protagonista, Marcello Mastroianni, è un giornalista che scrive per una rivista scandalistica; il suo amico fotoreporter nel film si chiama Paparazzo, cognome inventato dal regista. Da allora, dato il successo mondiale de *La dolce vita*, questo termine è diventato internazionale.

L Ascoltiamo

1 Vi è mai capitato di giudicare una persona solo in base a quello che avete sentito dire su di lei? Quanto peso date alle chiacchiere?

 2 Ascoltate e completate le frasi che seguono (massimo 4 parole).

1. Gli studiosi hanno coinvolto 126 studenti ....*suddivisi in*.... ......*gruppi di*...... nove ragazzi ciascuno.

2. I gossip non influenzerebbero solo i giudizi sulle star dello spettacolo, ma inducono ...*anche opinioni e comportamenti*... della vita comune.

3. Due persone su tre credono il gossip ....*una fonte per*....... ...*apprendere*... nuove cose: non importa se i pettegolezzi alla fine siano veri o meno. Diventano la realtà.

4. In pratica, ad ogni studente è stata passata una ...*chiacchiera, buona o maligna*..., su un altro studente.

5. Ma è emerso anche che la chiacchiera ha più effetto ...*dell'informazione diretta*... sulla persona.

 3 Fate un breve riassunto orale del brano ascoltato.

M Riflettiamo sulla grammatica

 Nel brano abbiamo ascoltato: «Ad ogni studente è stata passata una chiacchiera, buona o maligna». Ricordate che l'aggettivo *buono*, come pure gli aggettivi *bello* e *quello*, hanno forme diverse a seconda se si trovano prima o dopo il nome (o sostituiscono il nome, diventando pronomi)?

AG
3.2
p. 124

Completate le frasi con la forma corretta dell'aggettivo indicato tra parentesi.

1. Secondo Beatrice, un attore ideale non deve essere solo il più ...*bello*... (*bello*) di tutti, avere un ....*bel*.... (*bello*) fisico palestrato, dei ....*bei*.... (*bello*) capelli biondi e dei ...*begli*... (*bello*) occhioni azzurri, ma deve essere anche divertente e simpatico.

2. Io penso che il film di Benigni *La vita è bella* sia un ....*buon*.... (*buono*) film, anche se alcune scene sono scioccanti. Comunque, vorrei rivedere sia questo film sia ...*quello*... (*quello*) che ho acquistato in dvd.

La vita è bella

3. Per favore, mi passi ...*quelle*... (*quello*) riviste di gossip?

4. Si dice che i piatti che la conduttrice prepara con le sue mani siano molto ...*buoni*... (*buono*).

5. ...*Quei*... (*Quello*) paparazzi hanno fatto delle ...*belle*... (*bello*) foto.

6. Con la speranza di riuscire a fare nuovi scoop su ...*quella*... (*quello*) nota modella argentina, i paparazzi negli ultimi giorni stanno particolarmente addosso alla showgirl.

es. 6-8
p. 44

es. 9
p. 44

In questa unità impareremo a...

- *prendere appunti*
- *produrre un monologo espositivo-argomentativo*
- *preparare una scaletta per fare un'intervista*

Inoltre vedremo...

- *andare + participio*
- *i pronomi relativi* cui, il/la quale *e* che (+ *congiuntivo*)

Per cominciare...

1 Lavorate in piccoli gruppi. Cercate di raggruppare le seguenti parole per aree di riferimento.

targhe alterne | deforestazione | siccità
buco dell'ozono | raccolta differenziata | smog
effetto serra | scarsità di risorse idriche
energie alternative | surriscaldamento del pianeta
scioglimento dei ghiacciai | discariche abusive
anidride carbonica | macchie di petrolio | riciclo
gas di scarico | incendi | plastica
cambiamenti climatici

cause dell'inquinamento	effetti dell'inquinamento	rimedi
deforestazione, smog, discariche abusive, anidride carbonica, macchie di petrolio, gas di scarico, incendi, plastica	siccità, effetto serra, buco dell'ozono, scarsità di risorse idriche, surriscaldamento del pianeta, scioglimento dei ghiacciai, cambiamenti climatici	targhe alterne, raccolta differenziata, energie alternative, riciclo

2 In coppia. Fate una graduatoria, indicando quali sono, secondo voi, i problemi più preoccupanti che oggigiorno affliggono l'ambiente. Dopo confrontatela con quella dei vostri compagni e discutete sulle eventuali differenze d'opinione.

es. 1
p. 45

A Comprensione del testo

INTERVISTA A TEODORO GEORGIADIS DELL'ISTITUTO DI BIOMETEOROLOGIA (IBIMET) DEL CNR*

1 *Dottor Georgiadis, ci potrebbe spiegare perché nelle nostre grandi città nelle ultime settimane ci sono quantità superiori alla norma di polveri sottili**? Colpa della mancanza di pioggia o della nostra passione per le quattro ruote?*

Il traffico dei veicoli è sicuramente il fattore più importante, ma da solo non produce il fenomeno a cui assistiamo oggi. La causa principale è la situazione di alta pressione, piuttosto insolita per questa stagione, la

cui durata interessa da settimane l'Italia, e anche diverse zone d'Europa: la combinazione delle condizioni meteo e delle emissioni inquinanti ha creato l'emergenza smog.

2 *Anche i riscaldamenti incidono?*

Il mio istituto non ha dati specifici sull'impatto dei singoli fattori nella formazione delle polveri sottili. Io però posso dirle che in questi ultimi due mesi i riscaldamenti, le cui emissioni inquinanti sono pure un elemento da tenere in considerazione, non hanno inciso molto, perché le temperature sono state più elevate della media. I veicoli incidono di più.

3 *Veicoli privati o pubblici?*

Anche gli autobus, soprattutto se sono mezzi obsoleti e restano continuamente bloccati nel traffico, inquinano. Ma non facciamo polemiche inutili: gli autobus e i taxi inquinano decisamente meno delle auto private, che restano le prime responsabili delle emissioni di polveri sottili nell'atmosfera. Invece c'è da considerare un altro fattore di cui si parla poco.

4 *Quale?*

Il "metabolismo" delle città. Ogni città è diversa per la sua morfologia, la struttura architettonica, le attività umane. Per esempio, possono essere presenti strade strette che favoriscono lunghe code di veicoli. Oltre al problema delle emissioni (quanto ogni singola vettura emette), infatti, c'è quello del tempo di permanenza in strada: è ovvio che se una vettura resta meno in strada crea meno smog e che, se il traffico è intasato e le vetture restano a lungo ferme col motore acceso, la città soffoca. Il modo in cui la città lavora, il modo in cui la gente si sposta e il sistema architettonico-urbanistico incidono sul livello delle polveri sottili. Certo, intervenire sull'urbanistica è più difficile.

Allargare le strade non sempre è possibile, soprattutto in 5 *centro. Ma dei parcheggi in più non aiuterebbero?*

Sì, sono sicuro che con quello che costa il carburante è nell'interesse dei cittadini tenere la macchina accesa il meno possibile. Poter contare su un percorso certo e un parcheggio dove lasciare la macchina per poter proseguire a piedi o con dei mezzi pubblici sarebbe un enorme vantaggio. Il parcheggio però va studiato in base alla morfologia e al citato metabolismo della città, deve cioè trovarsi dove è conveniente per il cittadino. A Parma è stato sperimentato anche un sistema di consegna su veicoli elettrici della merce acquistata in centro: è una soluzione che può incentivare a non prendere la macchina anche quando si devono fare spese. Ma non c'è una regola: ogni città ha le sue caratteristiche e deve studiare una sua formula. Il problema è che oggi si fanno tanti modelli di città, ma non sono realmente applicabili; si possono però prendere più modelli e lanciare delle sperimentazioni per trovare le soluzioni che di volta in volta sono più idonee.

6 *Per esempio?*

Per esempio, nel caso delle polveri sottili, una possibilità è lavare le strade di notte per far cadere le polveri nelle fognature (le polveri infatti tendono a tornare in sospensione), ma sono soluzioni che vanno testate, non è detto che funzionino sempre e ovunque.

7 *Per esempio, quale potrebbe essere una misura più efficace?*

Le zone chiuse al traffico sono una risposta più efficace se ripetuta. Per esempio, si possono creare aree della città con accessi ridotti o che vengono regolarmente vietate alle macchine in certi giorni della settimana. Questo permette ai cittadini di abituarsi e organizzarsi. Anche un sistema di trasporto pubblico più efficiente è importante: una città dove i mezzi funzionano è una città più vivibile e sostenibile.

tratto da *www.formiche.net*

> ★ CNR: Consiglio Nazionale delle Ricerche
> ★★ polveri sottili: particelle estremamente piccole, disperse nell'atmosfera dai veicoli, dalle centrali elettriche e dagli impianti industriali. Essendo molto fini, molto sottili, entrano con facilità nelle vie respiratorie, nei polmoni e provocano allergie, attacchi d'asma e disturbi respiratori.

1 Leggete il testo e prendete appunti sui seguenti temi riportati dallo studioso.

> fattori dell'aumento delle polveri sottili in città
> misure di contrasto efficaci

2 Indicate con una ✗ solo le affermazioni presenti nel testo.

- [✗] 1. Il traffico automobilistico non è l'unico fattore di inquinamento nelle nostre città.
- [ ] 2. Lo smog causa problemi respiratori ai cittadini.
- [✗] 3. L'emergenza smog è determinata anche dalle condizioni meteorologiche.
- [✗] 4. L'inquinamento in città è dovuto più alle auto inquinanti che ai mezzi di trasporto pubblico.
- [✗] 5. La città soffoca se non viene rispettato un piano architettonico-urbanistico.
- [ ] 6. I veicoli elettrici sono indispensabili per spostarsi in città.
- [ ] 7. Per rendere una città più vivibile occorrerebbe la creazione di isole pedonali.
- [✗] 8. Il sistema dei trasporti pubblici dovrebbe essere migliorato.

B Riflettiamo sul testo

1 A quali frasi o parole del testo corrispondono quelle date di seguito?

1. movimento dei mezzi di trasporto *(par. 1)*
   traffico dei veicoli

2. hanno un'influenza profonda *(par. 2)*
   incidono

3. vetture antiquate *(par. 3)*
   mezzi obsoleti

4. c'è un ingorgo stradale *(par. 4)*
   il traffico è intasato

5. disciplina che studia e progetta la formazione, la trasformazione e il funzionamento della città *(par. 4)* *urbanistica*

6. stimolare a fare qualcosa *(par. 5)*
   incentivare

7. disperse nell'atmosfera *(par. 6)*
   in sospensione

8. che si può tollerare *(par. 7)*
   sostenibile

2 Completate il riassunto del testo con alcune delle parole date a destra.

Nelle nostre città la situazione dell'inquinamento *atmosferico* (1) è molto grave a causa della presenza di polveri sottili in quantità superiore alla *norma* (2). Questo fenomeno è dovuto tanto all'alta *pressione* (3) quanto all'emissione di gas inquinanti nell'atmosfera. Le quattro *ruote* (4), infatti, sono troppe e inquinano più dei mezzi pubblici, anche se *obsoleti* (5). Questo accade in quanto non è mai stato preso in considerazione un *piano* (6) architettonico-urbanistico che studiasse la morfologia e il *metabolismo* (7) delle città. Non è facile intervenire sul sistema *urbanistico* (8), ma si possono prendere dei rimedi per rendere una città più *vivibile* (9), creando parcheggi e zone *chiuse* (10) al traffico.

riscaldamento
ruote
atmosferico
alternative
pressione
chiuse
anidride
obsoleti
piano
vivibile
metabolismo
norma
urbanistico

C   Riflettiamo sulla grammatica

 Provate a spiegare l'uso di *andare* + *participio* nelle frasi «Il parcheggio [...] va studiato» e «sono soluzioni che vanno testate».

11.10.1
p. 148

Ora trasformate la parte di frase evidenziata, utilizzando il verbo *andare* + *participio*.

1. **Si dovrebbe studiare** una formula antinquinamento a seconda della geografia della città.
   Andrebbe studiata

2. Le lattine **non si devono gettare** intatte, ma **si devono** prima **schiacciare**.
   non vanno gettate, vanno schiacciate

3. **Non si deve tenere acceso** il motore della macchina per molto tempo.   *Non va tenuto acceso*

4. I rifiuti **si devono separare** in organici, carta, alluminio e plastica.   *vanno separati*

5. Penso che i cassonetti **non si debbano mai lasciare** aperti.   *vadano mai lasciati*

6. **Si dovrebbe incentivare** l'uso della bicicletta in città.   *Andrebbe incentivato*

7. D'inverno il riscaldamento **si dovrà accendere** quando farà molto freddo.   *andrà acceso*

8. **Si dovrebbero vietare** i sacchetti di plastica.   *andrebbero vietati*

es. 2-3
p. 45

D   Ascoltiamo

1 «Dite di amare i vostri figli più di ogni altra cosa, invece gli state rubando il futuro». Commentate questa affermazione di una famosa attivista ambientale di 15 anni e dite cosa pensate dei giovani che manifestano per salvare il pianeta in cui vivranno.

 13

2 I bambini ci giudicano: stiamo mettendo a rischio il pianeta e il loro futuro. Ascoltate le parole che loro stessi dicono e completate le frasi (massimo 4 parole).

1. Cotton fioc, cannucce, assorbenti, *lattine, bombolette, sigarette*, pneumatici... E basta!
2. Il mare ricopre il 71% *della superficie terrestre*.
3. Gli oceani contengono oltre 165 *milioni di tonnellate* di plastica.
4. È come se ogni minuto si gettasse *un camion di rifiuti* nel mare! Uno al minuto.
5. Mica ci *pensavi prima di tuffarti*! Anzi, non vedevi l'ora di fare il bagno.
6. Sai quanto tempo ancora abbiamo *per salvare il pianeta*? L'unico che abbiamo, ovviamente!
7. E poi riduci, *riusa, rottama, ricicla* e trova tu altre soluzioni. Inventale!
8. Manca pochissimo, ma *possiamo ancora fare qualcosa*. Devi incominciare tu! Fallo per me.

E   Lavoriamo sul lessico

1 Lavorate in coppia. Completate le frasi con le parole adatte.

1. Gli animali di un Paese costituiscono la sua *fauna*, mentre le piante la sua
   flora.   flora ✕ risorsa naturale ✕ deforestazione ✕ fauna ✕ agricoltura
2. Lo *smog* è dovuto anche ai *gas di scarico* delle automobili.
   spostamento ✕ smog ✕ rifiuti ✕ ozono ✕ gas di scarico

3. Due seri problemi del nostro pianeta sono il ..*buco dell'ozono*.. che lascia passare radiazioni ultraviolette dannose alla salute e il cosiddetto ..*effetto serra*.. che provoca surriscaldamento.

    effetto serra ✖ *inquinamento* ✖ *buco dell'ozono* ✖ *riscaldamento* ✖ *ecosistema*

4. Il ..*riciclo*.. dei rifiuti è possibile solo se c'è una rete organizzata per la ..*raccolta differenziata*..

    energia solare ✖ *riciclo* ✖ *raccolta differenziata* ✖ *riutilizzo* ✖ *biossido di carbonio*

5. Molte associazioni ..*ambientaliste*.. lottano per la tutela degli animali ..*in via di estinzione*..

    in via di estinzione ✖ *scomparsi* ✖ *feroci* ✖ *naturali* ✖ *ambientaliste*

2 Abbinate i seguenti aggettivi che si riferiscono all'inquinamento, come nell'esempio.

acustico | fluviale | marino | urbano | atmosferico | idrico | luminoso | elettromagnetico | termico

es. dell'aria = *atmosferico*

1. dell'acqua = ..*idrico*..
2. del fiume = ..*fluviale*..
3. del mare = ..*marino*..
4. della città = ..*urbano*..

5. dovuto alla presenza di antenne paraboliche = ..*elettromagnetico*..
6. dovuto alla luce = ..*luminoso*..
7. dovuto al rumore = ..*acustico*..
8. dovuto al calore = ..*termico*..

es. 4
p. 46

F Riflettiamo sulla grammatica

Nell'intervista alle pagine 83 e 84 abbiamo incontrato il pronome relativo invariabile *cui* con funzioni diverse, preceduto da preposizione («un altro fattore *di cui* si parla poco / il fenomeno *a cui* assistiamo oggi / il modo *in cui* la città lavora») oppure dall'articolo («*la cui* durata interessa l'Italia»). Potreste spiegare quando ha la funzione di complemento indiretto e quando indica possesso?

AG
6.9
p. 137

Completate le seguenti frasi con la parola mancante, poi indicate se *cui* ha la funzione di complemento indiretto (I), oppure indica possesso (P).

1. Nella città ..*in*.. cui viviamo c'è un grande problema d'inquinamento. ☐I

2. Il pianeta, ..*i*.. cui ghiacciai si stanno sciogliendo, è sempre più malato. ☐P

3. Possiamo fare qualcosa per combattere il fenomeno dell'inquinamento ..*a*.. cui assistiamo oggi? ☐I

4. Questo libro, ..*il*.. cui titolo è *Vogliamo uccidere l'ambiente*, tratta del problema dello smog e dell'effetto serra. ☐P

5. Nessuna delle città italiane ..*di*.. cui ti ho parlato è a misura di bambino. ☐I

G Curiosità

MACRI
Museo dei Crimini Ambientali

Aperto per la prima volta in Europa un museo dedicato alla sensibilizzazione contro i crimini ambientali. Nasce all'interno del Bioparco di Roma e parla italiano. Proprio come lo scienziato, Danilo Mainardi, a cui è stata dedicata la struttura: l'idea è quella di diffondere la cultura del rispetto e della tutela della natura, mettendo in mostra luoghi deturpati da vari fenomeni criminali e i conseguenti danni sull'ambiente, sulle specie protette e sul settore agroalimentare.

tratto da www.meteo.it

"Il crimine contro l'ambiente dovrà essere considerato un crimine contro...

Adolfo Perez Esquivel

es. 5-8
p. 47

H Situazione

Su una rivista, tu e un collega avete letto che in molte località turistiche italiane e in alcune città d'arte gli *abusi edilizi* e la *speculazione edilizia* hanno dato vita addirittura a degli *eco-mostri*, ovvero a enormi edifici che devastano la bellezza del territorio. Tu sostieni che bisogna limitare questa devastazione, ma il tuo collega non è d'accordo, ritenendo queste costruzioni un indice di sviluppo. Ne nasce una vivace discussione.

I Lavoriamo sulla lingua

1 Nel seguente testo ci sono 11 errori. Trovateli e correggeteli.

LE RISORSE DELLA TERRA NON SONO INFINITE

1 «**M**a quale "cultura del automobile"? È una pazzia. Io alla macchina	*dell'*
2 ci ho rinunciato da tempo. Percio per spostarmi uso scarpe, bici,	*Perciò*
3 mezzi publici». Parola di Mario Tozzi, noto conduttore	*pubblici*
4 del programma *Gaia - Il planeta che vive*, ma prima ancora	*pianeta*
5 geologho e studioso del CNR. Lo incontriamo giovedì 17 febbraio, giorno	*geologo*
6 di traffico limitato in molte città italiane. «Stamatina», dice, «ho sorvolato	*Stamattina*
7 Roma con l'elicottero per fare una ripressa per *Gaia* e ho visto una	*ripresa*
8 cupola grigia sopra il capitale. Il problema è che, accanto alla	*la*
9 "questione ambiente urbano", ne esistono molte altre: lo	*il*
10 riscaldamento climatico, le emissioni, la deforestazione. Un'	*Un*
11 intervento solo sul verde urbano non basta. Stiamo	*–*
12 consumado tutte le risorse della Terra, che non sono infinite».	*consumando*

tratto da *www.stpauls.it*

2 Siete d'accordo che un intervento escusivamente sul verde urbano non basti per migliorare le condizioni di vita del pianeta?

 es. 9 p. 48

L Parliamo

1 Sviluppate l'argomento del testo sotto, producendo un monologo espositivo-argomentativo.

1 **RIDUZIONE**

2 **RIUSO**

3 **RICICLO**

4 **RACCOLTA**

5 **RECUPERO**

Era il lontano 1997 quando in Italia, per promuovere una gestione sostenibile dei rifiuti, è stata introdotta la strategia delle "**5R**": **Riduzione**, **Riuso**, **Riciclo**, **Raccolta**, **Recupero**. Oggi più che mai si dovrebbero diffondere, a partire dalle nuove generazioni, questi concetti applicati in particolare alla gestione dei rifiuti, fondamentale per garantire una adeguata sostenibilità ambientale.

Per sviluppare il monologo potete seguire la seguente scaletta:

- riferite l'argomento del testo (sociale, politico, d'attualità, ecc.);
- esponete brevemente il contenuto del testo;
- citate quali soluzioni vengono proposte e che cosa significano in particolare le 5R, facendo degli esempi;
- spiegate se siete d'accordo con l'affermazione che le soluzioni proposte vanno adottate "oggi più che mai", se le ritenete sufficienti e per quale motivo, e se ne avete qualcun'altra da proporre, motivandola;
- dite se qualcuna di queste misure proposte o che proponete esiste già nel vostro Paese e con quali risultati.

 2 Esistono nel vostro Paese volontari e associazioni ambientaliste? In quali settori operano? Credete che il loro intervento sia adeguato o eccessivamente limitato? Esprimete le vostre considerazioni.

 3 Che cosa fate o evitate coscientemente di fare, a livello quotidiano, per rispettare l'ambiente in generale e quello marino in particolare? Raccontate, riportando degli esempi.

M   Scriviamo

Partendo dall'iniziativa che il vostro sindaco ha preso, relativa al blocco del traffico in tutto il comune per alcune domeniche, preparate una scaletta di domande* per fare un'intervista al suddetto sindaco, incitandolo a spiegare il motivo di tale iniziativa.

✱ Quando facciamo un'intervista, dobbiamo preparare una scaletta di domande, seguendo uno schema da adattare liberamente all'argomento. Ecco un esempio

- Ieri / Domani nella nostra città si è celebrato / si celebrerà un evento: (es. La giornata europea senz'auto)
- Prof. X, ci potrebbe spiegare meglio di cosa si tratta?
- Ci potrebbe chiarire il concetto?
- Ci potrebbe dire la sua opinione a riguardo / in merito?
- Che s'intende esattamente per...? Può fare qualche esempio? / In altre parole, intende dire che...? / In che senso?
- E per quanto riguarda (concerne)..., che cosa ne pensa? / Qual è la sua opinione?
- A tale proposito potrebbe dare dei suggerimenti a...?
- In conclusione / Dunque, in definitiva ritiene che...

N   Giochiamo

Giocate in piccole squadre. Siete degli attivisti ambientali e volete far sentire la vostra voce sul problema dell'inquinamento. Preparatevi per qualche minuto riguardando l'unità e cercando con lo smartphone delle immagini che potrete mostrare durante il gioco.
Il vostro scopo è creare degli slogan su alcuni aspetti di questo problema, come negli esempi a destra.
Comincia uno studente della squadra A. Se lo slogan va bene, la squadra vince un punto.
Poi tocca a uno studente della squadra B e così via.
Vince la squadra che inventa più slogan corretti!

Basta mari inquinati! Stop alla plastica!

Non sprechiamo energia... Usiamo i pannelli solari!

i-d-e-e.it

Il falso a tavola — Unità 14

In questa unità impareremo a...

- *mettere a confronto il proprio Paese con altri*
- *esprimere rabbia*
- *esprimere e motivare le proprie scelte, argomentandole*

Inoltre vedremo...

- *il participio presente e passato*
- *la nominalizzazione*

Per cominciare...

1 Potreste abbinare i seguenti prodotti *Made in Italy* alla regione o città dove si producono? (Vi diamo un aiutino 😉) Quali di questi avete consumato?

Bologna | Reggio Emilia | Parma
Campania | Umbria | Toscana
Piemonte | Sicilia | Milano
Calabria | Modena | Sorrento

1. la mozzarella di bufala *Campania*
2. il parmigiano *Reggio Emilia*
3. il prosciutto *Parma*
4. i tortellini e i ravioli *Bologna*
5. i gianduiotti e la Nutella *Piemonte*

6. il panettone *Milano*
7. il peperoncino *Calabria*
8. i pomodorini di Pachino *Sicilia*
9. l'aceto balsamico *Modena*
10. il vino Chianti *Toscana*
11. il limoncello *Sorrento*
12. il tartufo *Umbria*

2 Secondo voi, la cucina tradizionale di un Paese rappresenta la cultura del suo popolo? In che modo? Discutetene, portando degli esempi.

A Comprensione del testo

1 In base al titolo, secondo voi, di che cosa potrebbe trattare l'articolo che segue?

2 Leggete il testo e rispondete alle domande.

MADE IN ITALY A TAVOLA: IL BUSINESS DEL FALSO CIBO ITALIANO

1 Non importa che si tratti di moda, pelletteria o cibo: il Made in Italy sembra essere destinato a una vita fatta di imitazioni. Imitazioni spesso di bassa qualità, che tradiscono la fattura e la tecnica che si celano dietro a un autentico prodotto nostrano, frutto di quel mix di tradizioni territoriali, tecniche di lavorazione e attenzione alla qualità difficile da imitare, che ha reso il marchio Made in Italy famoso in tutto il mondo.

2 Il cibo è sicuramente la bandiera nazionale per eccellenza, ciò che contraddistingue il Belpaese all'estero e che rende il suolo italico sinonimo di "mangiar bene", qualità così tanto apprezzata dagli stranieri, abituati ad hamburger e patatine fritte. Sarà forse il tanto amore per la buona tavola italiana – o piuttosto un business che frutta fior di quattrini – a spingere sempre più "falsari" di cibo nel mondo a riproporre imitazioni di prodotti tipici del Made in Italy: così la mortadella di Bologna diventa la mortadella *Bolognella*, proveniente dal Brasile, e il Parmigiano Reggiano si trasforma nel *Parmesan*, diffuso in tutti i continenti, in salse linguistiche diverse.

tratto da www.wakeupnews.eu

90

3 Le imitazioni di bassa qualità degli alimenti italiani trovano terreno fertile laddove non esiste un solido e diffuso gusto italiano. Il falso cibo Made in Italy, come si evince dall'espressione stessa, è un'imitazione che si avvale impropriamente di denominazioni, località e immagini che richiamano la tradizione alimentare del Belpaese, facendo passare per alimenti tipici italiani prodotti industriali che non hanno nulla a che fare con l'originale. In alcuni casi si assiste alla semplice deformazione linguistica dei nomi dei prodotti e delle ricette originali, come gli spaghetti *Napoletana* brasiliani, i capellini *Milaneza* portoghesi, l'*Original Turkey Bologna* (mortadella prodotta in Turchia), il *Traditional Basil Pesto* della Pennsylvania o il *Pameselllo* (parmigiano), diffuso in Belgio. In altri casi, invece, sono le ricette a essere alterate da ingredienti che non sono ottenuti sul suolo italiano e da tecniche di lavorazione che non ricalcano neanche lontanamente quelle della tradizione.

4 Il Valpolicella ad esempio – vino italiano tra i più prestigiosi – viene taroccato all'estero grazie a un kit che, mediante il miscuglio di polveri e mosto, garantisce la produzione del vino in pochi giorni. Stesso triste destino per il formaggio italiano di qualità, come il Parmigiano Reggiano che, sempre mediante un kit miracoloso, viene taroccato e improbabilmente spacciato per prodotto tipico, in barba alla procedura di lavorazione e al latte utilizzato. Dai salumi, ai vini, alla pizza, il triste destino della falsificazione sembra accomunare la maggior parte dei prodotti alimentari italiani di qualità.

5 Secondo un'indagine Coldiretti*, sembra che l'anno precedente ci sia stato un boom di formaggi contraffatti negli Stati Uniti, con oltre 200 miliardi di chili di formaggi falsamente etichettati come italiani, per un business di 5 miliardi di euro che coprirebbe ben l'80% delle vendite di formaggi. Al contrario, le importazioni dall'Italia dei prodotti originali si sarebbero ridotte al 2%. Alimenti spacciati per italiani ma prodotti negli Stati della California, New York e Wisconsin, senza rispettare i regolamenti disciplinari e gli standard di produzione imposti dall'Unione Europea. La denuncia di Coldiretti è tanto chiara quanto allarmante: l'Italia perde oltre 60 miliardi l'anno in termini di fatturato a causa della contraffazione dei prodotti alimentari Made in Italy, senza possibilità di generare reddito e lavoro (oltre 300 mila posti di lavoro persi). I falsari dell'agropirateria colpiscono i prodotti più rappresentativi dell'identità nazionale, quelli su cui il Belpaese guadagna di più sia in termini di immagine che di profitto economico.

6 Così il falso cibo italiano continua a diffondersi a macchia d'olio soprattutto negli Stati Uniti, Nuova Zelanda e Australia, mentre nei Paesi emergenti come la Cina il tarocco arriva addirittura prima dell'originale. Mentre l'Italia sembra ormai essere inesorabilmente imprigionata in un triste destino di svendita e imitazione della propria identità nazionale.

> ★ Coldiretti (Confederazione Nazionale Coltivatori Diretti): è la maggiore organizzazione agricola in Italia, rappresenta e assiste gli agricoltori italiani.

1. Qual è la "questione" che affligge il Made in Italy?
2. Per quale motivo i falsari preferiscono imitare soprattutto il cibo italiano di qualità?
3. Dove c'è maggiore diffusione di alimenti taroccati? *Vedi soluzioni a pag. 206*
4. Che cosa denuncia la Coldiretti?

B Riflettiamo sul testo

1 Delle due alternative proposte, quale esprime meglio il significato che hanno nel testo le parole evidenziate?

1. Le imitazioni tradiscono la **fattura** dei prodotti nostrani. (*par. 1*) lavorazione / elaborazione

2. Dietro a un autentico prodotto nostrano, **si cela** una tecnica. (*par. 1*) si mostra / si nasconde

3. Il cibo è senz'altro la **bandiera** nazionale per eccellenza. (*par. 2*) insegna / simbolo

4. In alcuni casi si assiste alla deformazione linguistica dei nomi dei prodotti e delle ricette originali. *(par. 3)* definizione / <u>distorsione</u>

5. Il vino italiano all'estero viene taroccato *(par. 4)* <u>contraffatto</u> / celebrato

6. Ci sono alimenti spacciati per italiani ma prodotti negli Stati della California. *(par. 5)* comprati / <u>venduti</u>

7. L'Italia perde oltre 60 miliardi all'anno in termini di fatturato. *(par. 5)* <u>relativi al</u> / in rapporto al

8. L'Italia sembra essere imprigionata in un triste destino di svendita della propria identità nazionale. *(par. 6)* <u>condannata a</u> / spinta a   <u>vendita sotto costo</u> / vendita vantaggiosa

2 Riformulate con parole diverse le espressioni evidenziate.

1. Il Parmigiano Reggiano è diffuso in tutti i continenti in salse linguistiche diverse. *(par. 2)* *con differenti nomi*

2. L'amore per la buona tavola italiana è un business che frutta fior di quattrini. *(par. 2)* *molto denaro*

3. Alcuni alimenti che passano per prodotti tipici italiani non hanno nulla a che fare con l'originale. *(par. 3)* *alcuna relazione*

4. Alcune volte le ricette vengono alterate da ingredienti non italiani. *(par. 3)* *sono peggiorate*

5. Il formaggio è spacciato per prodotto tipico italiano in barba alla procedura di lavorazione. *(par. 4)* *senza seguire la*

6. Il falso cibo italiano continua a diffondersi a macchia d'olio. *(par. 6)* *rapidamente*

C   Lavoriamo sul lessico

1 Completate la tabella con le parole derivate da quelle date.

	nome	verbo
1.	*imitazione*	imitare
2.	*provenienza*	provenire
3.	tarocco	*taroccare*
4.	falsificazione	*falsificare*

	nome	verbo
5.	*deformazione*	deformare
6.	contraffazione	*contraffare*
7.	etichetta	*etichettare*
8.	*importazione*	importare

2 In coppia, completate le frasi con le parole adatte. Se necessario, usate il dizionario.

1. La dieta *mediterranea* è considerata una delle più sane e l'olio di oliva è tra i suoi *ingredienti* base.

      mediterranea ✕ ingredienti ✕ naturale ✕ cibi ✕ leggera ✕ alimentari

2. Il latte fresco è meglio di quello a lunga *conservazione*, basta consumarlo entro la data di *scadenza*.

      allevamento ✕ produzione ✕ conservazione ✕ stagionatura ✕ scadenza ✕ marchiatura

3. Mario è un *vegetariano* convinto: non mangia che frutta e *verdura*.

      cibi transgenici ✕ insalata ✕ vegetale ✕ verdura ✕ buongustaio ✕ vegetariano

4. In genere, la frutta è più *nutriente* quando è *fresca*.

      nutriente ✕ vitamine ✕ profumata ✕ fresca ✕ fredda ✕ acerba

5. L'uomo può riconoscere quattro sapori diversi: dolce, acido, _____*amaro*_____ e _____*salato*_____.

amaro ✕ caldo ✕ grasso ✕ salato ✕ squisito ✕ saporito

es. 1
p. 49

D Riflettiamo sulla grammatica

Riflettete sull'uso di parole come *proveniente, allarmante, emergente* e *apprezzato, diffuso, spacciato, imposto*. Riconoscete queste forme verbali? Da quali verbi derivano? Qual è l'uso e la funzione dei participi presenti? E dei participi passati?

AG
13.2
p. 156

Completate le seguenti frasi inserendo il participio presente o passato dei verbi tra parentesi.

1. Questa pietanza ha un profumo davvero _____*invitante*_____ (*invitare*).
2. Aspettiamo il treno _____*proveniente*_____ (*provenire*) da Milano.
3. Marina prepara sempre le ricette _____*apprese*_____ (*apprendere*) dalla mamma.
4. Nella notte di San Lorenzo guardiamo in cielo le stelle _____*cadenti*_____ (*cadere*).
5. Alla festa di Sandro dovrete portare un cibo _____*preparato*_____ (*preparare*) con gli ingredienti autentici del vostro Paese.
6. All'estero è facile comprare prodotti alimentari _____*taroccati*_____ (*taroccare*).
7. Qui fa un caldo _____*soffocante*_____ (*soffocare*).
8. Mi stavo riposando _____*seduto/-a*_____ (*sedere*) su una poltrona in salotto.

es. 2-6
p. 49

E Ascoltiamo

14

1 Ascoltate l'intervista e indicate la risposta corretta tra quelle proposte.

1. Un prodotto alimentare italiano
   - [x] a. è già una garanzia di qualità
   - [ ] b. è a prova di contraffazione
   - [ ] c. è un pretesto per alzare il prezzo
   - [ ] d. è malvisto dai produttori americani

2. La concorrenza straniera
   - [ ] a. si basa solo sulla contraffazione
   - [ ] b. è un problema solo italiano
   - [x] c. si basa sul rapporto qualità-prezzo
   - [ ] d. è sempre sleale

3. Nel mercato americano
   - [ ] a. i prodotti italiani sono pochi
   - [ ] b. i prodotti autentici costano di più
   - [ ] c. tutti i prodotti italiani costano molto
   - [x] d. il marchio italiano vende molto bene

4. L'onorevole Urso sostiene che negli Stati Uniti
   - [ ] a. bisogna frenare i prezzi dei prodotti italiani
   - [x] b. per ogni prodotto italiano ce ne sono dieci contraffatti
   - [ ] c. nessuno pagherebbe di più per un marchio italiano
   - [ ] d. bisogna investire meno nel settore alimentare

La toma, tipico formaggio del Piemonte e della Valle d'Aosta

2 Riassumete brevemente il brano ascoltato.

F Lavoriamo sulla lingua

1 Inserite nel testo le parole riportate qui di seguito alla rinfusa.

classifica | aziendale | cima | connazionali | vicini | nostrani
apparecchiata | indiscusso | scolano | eccellenza | scotti | crude

LO SPAGHETTINO ITALIANO ALL'ESTERO

L'Italia esporta da molto tempo un'ampia varietà di prodotti. Nel settore alimentare il prodotto tipico, potremmo dire quasi il simbolo del nostro Paese, è la pasta che si colloca in ......*cima*...... (1) alla piramide dell'export italiano. Con circa 200 tipi di pasta e 120 pastifici, nella .....*classifica*..... (2) dei produttori troviamo in ordine Campania, Emilia Romagna e Veneto. La marca per .....*eccellenza*..... (3) si considera *Barilla*. È la società che ha da sempre puntato la comunicazione .....*aziendale*..... (4) sullo slogan "Dove c'è *Barilla* c'è casa" facendo la sua fortuna in Italia e all'estero. La metafora "Dove c'è *Barilla* c'è casa" significa infatti molte cose: non solo che il prodotto è sano e genuino come quelli .....*nostrani*..... (5), ma richiama anche la famiglia italiana e l'atmosfera allegra dei nostri .....*connazionali*..... (6) che siedono con i parenti attorno a una tavola .....*apparecchiata*..... (7). Inoltre, vuole essere un aggancio anche per gli italiani all'estero che acquisteranno la pasta *Barilla* per sentirsi .....*vicini*..... (8) a casa. Purtroppo, all'estero, su questo alimento, patrimonio .....*indiscusso*..... (9) della nostra "italianità", se ne vedono davvero di "cotte e di .....*crude*..... (10)". Pare, infatti, che alcuni dei passaggi per cucinare la pasta *Barilla* o di un'altra marca non siano poi così scontati per chi non è italiano. Qualche esempio? I cuochi buttano gli spaghetti in poca acqua, senza aspettare che l'acqua bolla, non li .....*scolano*..... (11) e ci aggiungono la salsa quando li ritengono ben cotti o addirittura .....*scotti*..... (12), come ci racconta Checco Zalone nel film *Quo vado?*. Insomma, troppo spesso lo spaghettino all'estero d'italiano ha solo l'aspetto!

tratto da www.snapitaly.it

2 Potreste spiegare il significato dell'espressione "se ne vedono davvero di cotte e di crude"?

es. 7-8
p. 51

G Curiosità

Il *carpaccio* è stato inventato negli anni '50 dal proprietario del famoso *Harry's bar* di Venezia. Secondo la leggenda, una cliente doveva, su suggerimento del medico, mangiare la carne non cotta. Il proprietario, allora, pensò di servirle sottilissime fette di carne cruda. Siccome in quel periodo a Venezia c'era una mostra sul pittore Carpaccio, il piatto inventato prese questo nome. Il piatto ebbe tanto successo che ormai *carpaccio* è sinonimo di «cibo crudo».

H Riflettiamo sulla grammatica

Sapete che cos'è la "nominalizzazione" di un verbo? Perché e quando si preferisce ricorrere a questa costruzione più formale?

AG
5.5
p. 132

Riscrivete le seguenti frasi sostituendo ai verbi evidenziati i nomi corrispondenti e apportando i cambiamenti necessari in modo da non alterarne il significato.

1. Spesso si assiste al fenomeno di prodotti italiani imitati.
2. Sono diminuiti i prodotti italiani che sono esportati all'estero.

Vedi soluzioni a pag. 206

3. Il cibo italiano taroccato è il motivo per cui le importazioni dall'Italia sono calate.
4. Occorre denunciare coloro che vendono prodotti italiani contraffatti.
5. Il cibo italiano taroccato si diffonde enormemente nei supermercati di tutto il mondo.
6. I produttori italiani desiderano a tutti i costi mantenere l'identità nazionale dei loro prodotti.
7. In alcuni casi è evidente che il nome del prodotto italiano sia stato deformato.
8. In alcuni Paesi del mondo non esiste neanche la probabilità che i regolamenti disciplinari e gli standard di produzione, imposti dall'Unione Europea, siano rispettati.

es. 9 p. 51

I Parliamo

 1 Secondo voi, qual è il messaggio che vuole comunicare questa foto? Consumate o consumereste alimenti tipici italiani, non prodotti in Italia? Motivate le vostre risposte.

 2 Quali prodotti alimentari tipici del vostro Paese vengono esportati all'estero? Di solito sono autentici o contraffatti come quelli italiani? Raccontate qualche episodio di cui siete venuti a conoscenza.

3 Siete mai stati a una fiera di prodotti agroalimentari tradizionali? Pensate che sia un'esperienza interessante? Esponete le vostre considerazioni.

L Situazione*

 Immaginate di camminare in una strada turistica di Roma e di esservi fermati a un chiosco per comprare un panino che, secondo il venditore, è ripieno di prosciutto e formaggio tipici romani. Al primo boccone vi accorgete che il panino non è fresco e che sono stati usati salumi e latticini "taroccati". La sorpresa iniziale si trasforma in rabbia così che il dialogo con il venditore diventa molto animato.

 ✳ Alcune espressioni che indicano rabbia
- [Mi fai...] perdere la pazienza / andare in bestia / perdere le staffe / andare su tutte le furie!
- Non mi far arrabbiare/incazzare (comune, ma volgare!).
- Ma che/Ma che cavolo stai dicendo?
- Ma sei cretino/stupido/idiota/scemo?
- Ma va' a quel paese/all'inferno/al diavolo!

M Scriviamo

  Avete letto il seguente messaggio sul forum "Alimentazione e salute". Rispondete esponendo e motivando le vostre scelte alimentari.

"Mia moglie ed io litighiamo spesso quando si tratta di scegliere cosa mangiare: a me piace la carne rossa e la pasta, detesto il pesce o le verdure e mi piace ordinare la pizza o prepararla io. Surgelata, ovviamente! In ufficio mangio ciò che capita, spesso vado al fast-food. Intanto, ammettiamolo, mangiare è uno dei piaceri della vita. Ma lei è una rompiscatole: parla continuamente di alimentazione sana, cucina leggera e roba del genere. Non crede che mia moglie stia esagerando?"

In questa unità impareremo a...

- *inventare titoli di giornale da utilizzare per un manifesto pubblicitario*
- *scrivere una lettera formale di scuse*

Inoltre vedremo...

- *il gerundio presente e passato*
- *le proposizioni causali e temporali (participio o gerundio)*
- *i nomi invariabili*
- *i nomi omografi/omofoni*

2 In piccoli gruppi. Inventate titoli di giornale che abbiano come argomento i pericoli dei giochi d'azzardo. Raccogliete quelli più interessanti e create un manifesto pubblicitario.

Per cominciare...

1 Leggete il grafico. Quali dei giochi citati conoscete? Anche nel vostro Paese esistono gli stessi giochi? Parlatene.

- ▶ Apparecchi (slot machine★ e video lottery)
- ▶ Giochi online
- ▶ Gratta e vinci
- ▶ Lotto
- ▶ Scommesse sportive
- ▶ Superenalotto
- ▶ Bingo★★
- ▷ Scommesse ippiche

Com'è diviso il mercato del gioco d'azzardo

56% 16% 12% 7% 4% 2% 2% 1%

★ slot machine: in italiano si chiamano semplicemente "macchinette" oppure "macchinette mangiasoldi".

★★ bingo: specie di tombola che in Italia si gioca in apposite sale.

A Comprensione del testo

1 Leggete e riordinate i paragrafi del testo con l'aiuto dei seguenti titoli.

1 IL VIZIO DEL GIOCO, OVVERO IL GIOCO D'AZZARDO PATOLOGICO O LUDOPATIA

2 IL SISTEMA RELAZIONALE DEL "GIOCATORE PATOLOGICO"

3 I "GIOCATORI D'AZZARDO" PATOLOGICI SONO RECUPERABILI?

Paragrafo A

Inizialmente il partner giocatore appare come una persona attiva, piena di risorse, fortunata, brillante e generosa, tende infatti a condividere le sue vincite con gli altri acquistando regali, offrendo cene, ecc. La sua attività di gioco è percepita come positiva o comunque innocua.

In seguito, però, il gioco si trasforma in una vera e propria dipendenza. Avendo ormai perduto tanto denaro al gioco, il giocatore inizierà a mentire. Parlerà ed enfatizzerà esclusivamente le vincite, utilizzerà il denaro messo da parte dalla famiglia, mentirà sui prestiti richiesti e sui debiti contratti.

Se inizialmente il partner ignora la situazione, i primi dubbi sorgeranno quando lo stile di vita comincerà a modificarsi in modo più visibile: le assenze del coniuge più frequenti e lunghe, il diminuito interesse per le vicende familiari, le prime telefonate di creditori spazientiti che esigono la restituzione del prestito. Le giustificazioni che il giocatore fornisce non sono più sufficienti, la verità emerge. Il partner – finora all'oscuro di tutto – si trova di fronte a un coniuge disperato che si scusa e giura che non giocherà mai più, mai più.

L'altro gli crede perché gli vuole bene, perché ha comunque fiducia in lui e anche perché c'è un'immagine sociale da salvaguardare.

Eccolo allora darsi da fare, ad esempio vendendo oggetti di valore personali, umiliandosi a chiedere prestiti in banca, ai parenti – nascondendo però le cause del prestito – compiendo cioè azioni che lo portano ad assumersi responsabilità che spetterebbero invece al coniuge giocatore dipendente.

Se la situazione inizialmente sembra migliorare, in realtà precipita. Il giocatore dipendente presto ricomincerà a giocare e – non potendo più chiedere prestiti – potrebbe arrivare a compiere anche azioni illegali quali falsificare assegni, compiere furti sul lavoro, azioni a cui faranno seguito, inevitabilmente, le prime denunce, i primi arresti. Spesso sono proprio eventi di questo genere che spingono alla decisione di richiedere un aiuto professionale.

Paragrafo B 3

Il recupero è certamente possibile, pur prospettandosi come faticoso, lungo e complesso. Gli approcci che appaiono più utili prevedono: terapie individuali, terapie familiari e di gruppo, gruppi di auto-aiuto, sostegno da un punto di vista legale.

A mio avviso, il messaggio più forte da estrapolare è quello della prevenzione che deve essere rivolta soprattutto agli adolescenti e ai giovani. Ogni governo ha il dovere di mettere in atto interventi che favoriscano la conoscenza di questo tipo di patologia in modo da contenerne lo sviluppo.

Dal momento che è poi il governo di un Paese a gestire il gioco d'azzardo, diventa sua precisa responsabilità farsi carico di ogni possibile conseguenza.

Paragrafo C 1

Gli occasionali (scommettiamo in occasione dei Mondiali di calcio) o regolari (ogni settimana compriamo un "gratta e vinci").

In questi casi il gioco rappresenta un passatempo, un'attività piacevole, il sogno di una vincita che permetterebbe di abbandonare una quotidianità forse un po' noiosa e frustrante, ma per il giocatore d'azzardo patologico il gioco è tutto, non esistono stimoli altrettanto forti.

Anche quando non gioca, può trascorrere il tempo leggendo articoli sugli sport su cui scommette, elaborando delle probabilità, studiando delle schedine e incontrando persone che condividono la sua stessa passione.

Le motivazioni al gioco compulsivo possono essere le più diverse: il desiderio di vincere denaro, di procurarsi una vita sociale più ricca, di vincere la noia, di vivere uno stato di eccitazione ma esistono studi interessanti relativi al ruolo di altre variabili specifiche (quale, ad esempio, l'autostima).

tratto da *www.humantrainer.com*

2 Dopo aver ricostruito il testo, indicate con una ✗ le informazioni presenti.

- [✗] 1. A tutte le persone piace giocare.
- [✗] 2. Il giocatore d'azzardo patologico soffre di dipendenza dal gioco.
- [ ] 3. Alla base del gioco d'azzardo c'è un calcolo matematico.
- [✗] 4. I giocatori compulsivi sono spinti al gioco da diversi motivi.
- [✗] 5. All'inizio questa attività non sembra pericolosa.
- [ ] 6. La probabilità di vincere è bassissima, quasi nulla.
- [✗] 7. In seguito, però, il gioco si trasforma in una vera e propria dipendenza.
- [ ] 8. Chi gioca diventa spesso un alcolista.
- [✗] 9. I rapporti familiari cominciano a modificarsi.
- [ ] 10. Il recupero è possibile con l'aiuto della famiglia e del partner.
- [✗] 11. Il giocatore d'azzardo patologico deve ricorrere a uno specialista e a terapie mirate.
- [ ] 12. Bisogna spiegare a tutti che il gioco può diventare una malattia che provoca morti.

Casinò di Venezia

3 Completate liberamente le frasi.

1. Per il giocatore d'azzardo patologico il gioco...
2. Sono varie le motivazioni al gioco compulsivo, come...
3. Inizialmente il giocatore appare...
4. In seguito, però...
5. I primi dubbi nel partner sorgeranno allorché lo stile di vita del coniuge comincerà a...
6. Dapprima il partner...
7. Alla fine il recupero diventa possibile solo se...   *Vedi soluzioni a pag. 206*

es. 1-2
p. 52

B   Riflettiamo sul testo

Trovate nel testo, tra i termini evidenziati, i sinonimi che corrispondono alle seguenti parole o espressioni.

Paragrafo A

che ignora ogni cosa = *all'oscuro di tutto*

che non nuoce = *innocua*

all'improvviso peggiora = *precipita*

dire bugie = *mentire*

impegnarsi = *darsi da fare*

Paragrafo B

anche se si presenta = *pur prospettandosi*

assumersi = *farsi carico*

che si deve ricavare = *da estrapolare*

Paragrafo C

incontrollabile = *compulsivo*

coloro che giocano saltuariamente = *giocatori occasionali*

tendenza = *propensione*

deludente = *frustrante*

C   Lavoriamo sul lessico

Abbinate a ogni parola il verbo adatto, come nell'esempio.

d	1. assumersi	a.	debito
f	2. riscuotere	b.	dubbio
h	3. ammontare	c.	azione
e	4. compilare	d.	responsabilità
b	5. sorgere	e.	schedina
g	6. estrarre	f.	somma
c	7. compiere	g.	numero
a	8. contrarre	h.	montepremi

D   Riflettiamo sulla grammatica

Nel testo abbiamo incontrato vari gerundi che introducono proposizioni subordinate implicite. Vi ricordate la differenza tra il gerundio presente e il gerundio passato?

13.3
p. 157

Provate a trasformare le seguenti subordinate implicite in proposizioni secondarie esplicite, introdotte dalla congiunzione indicata tra parentesi.

1. Non potendo resistere alla tentazione, il giocatore d'azzardo dedica tutto il suo tempo a ciò che riguarda la sua passione. (*poiché*)

2. Avendo ormai perduto tanto denaro al gioco, il giocatore inizierà a mentire. (*dopo che*)

3. Il giocatore gioca desiderando di vincere denaro per procurarsi una vita sociale più ricca. (*perché*)

4. Essendo all'oscuro del problema della dipendenza da gioco compulsivo, il partner dovrebbe rivolgersi a un esperto. (*siccome*)

5. Pur avendo chiesto dei prestiti e venduto oggetti di valore, il giocatore dipendente non riesce a pagare i suoi debiti di gioco. (*benché*)

6. Gestendo il governo di un Paese il gioco d'azzardo, diventa sua precisa responsabilità farsi carico di ogni possibile conseguenza. (*quando*) *Vedi soluzioni a pag. 206*

es. 3-6
p. 53

E Ascoltiamo

 15 Ascoltate il reportage giornalistico sulla dipendenza da gioco e completate le frasi (massimo 4 parole).

1. C'è chi s'impegna tutto pur *di giocare d'azzardo* .

2. La ludopatia è una delle *nuove emergenze sociali* in Italia.

3. La sua vita *ruota intorno all'* assoluta necessità di rischiare.

4. Precipitando, invece, *in un vortice* dal quale non è facile uscire.

5. Ci sono associazioni che *tramite un percorso* ben preciso sostengono chi non riesce a farne a meno.

6. Mi ha dato l'opportunità non solo di smettere di giocare ma iniziare *un percorso introspettivo* .

7. Non solo *sprofondare sotto l'aspetto* economico, ma perdere assolutamente anche la dignità.

8. Vuole essere, così, più libero di aiutare chi ancora non *ce l'ha fatta* , come lui, a uscire dal tunnel.

9. Effettivamente, è *semplicemente la punta* di un iceberg.

10. Le difficoltà che poi, in qualche modo, *mi spingevano a giocare* erano sommerse.

F Situazione

 Hai capito di essere diventato un giocatore patologico. Hai deciso di raccontare tutto al tuo amico per chiedergli aiuto. Lui ti consiglia di rivolgerti a uno psicologo. Tu non vorresti arrivare a questa soluzione perché ti vergogni ma, alla fine, ti lasci convincere.

G Curiosità

Il gioco d'azzardo era già noto agli antichi Romani, anche se non era approvato ed era ammesso solo durante il periodo dei Saturnali (antica festività in onore del dio Saturno), che si celebravano ogni anno, in origine, per un solo giorno (pare il 17 dicembre), poi, in età imperiale, per più giorni (forse quattro o cinque). Per il resto dell'anno il gioco era proibito e chi trasgrediva la legge veniva punito con un'ammenda che ammontava fino a quattro volte la posta in gioco. Ma, nonostante si cercasse di limitarlo, il gioco d'azzardo era davvero molto diffuso. Conferma giunge da Pompei dove un affresco, riprodotto nel locale VI, 10, 1 in Via di Mercurio, illustra una partita giocata tra salsicce, cipolle e altri cibi.

H Lavoriamo sulla lingua

Correggete gli errori presenti nel testo (uno per ogni rigo).

1 È usanza in Napoli quella di giocare al lotto e di legare i sogni   *a*
2 fatti di note ai numeri da giocare. La Smorfia napoletana sembra   *notte*
3 avere origini molto antiche. La ritroviamo infatti gia nella civiltà greca,   *già*
4 quando Artemidoro di Daldi cominciò a mettere in communicazione   *comunicazione*
5 i sogni con i messaggi ultraterreni. Ma di cosa deriva questo nome   *da*
6 così singolare? Oviamente c'è uno stretto collegamento tra il nome   *ovviamente*
7 e il sonno e quindi la figura del Morfeo, dio del sogno. Alcune teorie   *di*
8 sostengono che l'origine della Smorfia napoletana sia adirittura   *addirittura*
9 colleggabile alla Cabala ebraica (Qabbalah), secondo la quale ogni parola,   *collegabile*
10 lettera o segno ha uno significato correlato da interpretare. Allo   *un*
11 stesso modo la Smorfia è una sorta di dizzionario che interpreta   *dizionario*
12 ogni sognio e lo associa a un numero del lotto da 1 a 90.   *sogno*

tratto da www.vocedinapoli.it

I Riflettiamo sulla grammatica

Nell'unità abbiamo incontrato diversi nomi invariabili, come per esempio *probabilità* nel testo a pag. 97. Sicuramente ricorderete altri nomi che hanno un'unica forma per il singolare e il plurale.

AG
2.2.4
p. 121

In coppia, provate a stilare una lista per ognuna delle categorie indicate.

1. nomi che terminano con vocale accentata: *città, caffè, virtù, università, età, ecc.*
2. nomi monosillabi: *re, sci, gru, ecc.*
3. nomi stranieri: *film, sport, bar, email, autobus, ecc.*
4. nomi femminili in -*o*: *radio, mano, ecc.*
5. nomi femminili in -*i*: *analisi, crisi, ecc.*
6. nomi femminili in -*ie*: *specie, serie, ecc.*
7. nomi abbreviati: *cinema, foto, auto, moto, ecc.*
8. nomi maschili in -*a*: *sosia, vaglia, gorilla, ecc.*

es. 7
p. 55

L Lavoriamo sul lessico

Conoscete le seguenti espressioni contenenti la parola *gioco*? Completate le frasi, scegliendo quella corretta. Poi formulate quattro frasi, utilizzando le espressioni rimanenti.

mettere in gioco   fare il doppio gioco   fare il gioco di qualcuno   mettersi in gioco

stare al gioco   prendersi gioco di qualcuno   fare buon viso a cattivo gioco   un gioco da ragazzi

1. Il mio capo mi ha incaricato di scrivere alcune email. Non ne sono affatto contento, ma che posso fare? Ho bisogno di questo lavoro. Dunque, devo *fare buon viso a cattivo gioco*.
2. Mario ieri si è arrabbiato, ma io scherzavo. La verità è che lui non sa proprio *stare al gioco*.

3. Beatrice non esita a _fare il doppio gioco_ : finge di amare me, ma poi esce con Edoardo.

4. Per aiutare le persone dobbiamo _mettere in gioco_ tutte le risorse di cui disponiamo.

es. 8-9
p. 55

M Parliamo

💬 **1** Mettete le due foto a confronto. Che differenze ci sono tra i due tipi di gioco?
Quali emozioni provano questi giocatori? Parlatene, raccontando qualche episodio relativo
a uno dei due tipi di gioco di cui siete stati testimoni o di cui siete a conoscenza.

💬 **2** Chi riesce a vincere molto denaro cambia il suo stile di vita e le sue scelte in ogni ambito
dell'esistenza: amicizie, lavoro, rapporti familiari, ecc. Questo nuovo stile di vita, tuttavia,
può incidere negativamente sul suo equilibrio personale e sulla comunità che lo circonda.
Esprimete le vostre idee, costruendo un monologo espositivo-argomentativo.

💬 **3** Secondo voi, è vero che "la fortuna è cieca"? Motivate la vostra opinione facendo
degli esempi.

N Scriviamo

0-160 Scrivi una lettera di scuse
al tuo psicanalista, al quale
ti sei rivolto per vincere la
tua dipendenza dal gioco,
spiegando i motivi per cui non
ti sei presentato/a all'ultima
seduta di psicoanalisi che
avevate fissato.*

✱ Espressioni utili per scrivere una lettera formale di scuse

• **Formule di apertura:**
Spettabile direttore/direttrice, Egregio dottore / Gentile dottoressa,
ecc. (vedi pag. 37)

• **Corpo della lettera:**
- Con la presente desidero esprimerLe/porgerLe le mie scuse per...
- Credo opportuno/doveroso fornirle delle spiegazioni al riguardo.
- Purtroppo, si è verificato un contrattempo: (scrivere quale) / è
successo un imprevisto: (scrivere quale)
- Le assicuro che non si ripeterà di nuovo. / Farò il possibile perché
questo non capiti di nuovo.
- Spero che (Lei) possa scusarmi per il disagio arrecato.
- Confidando nella Sua comprensione, La prego di accettare
le mie scuse.

• **Formule di chiusura:**
- In attesa di risentirLa/rivederLa presto, Le porgo cordiali saluti.
- Rinnovando le mie scuse, La saluto cordialmente.

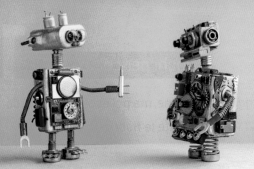

In questa unità impareremo a...

- *mettere a confronto due epoche*
- *riassumere un testo espositivo seguendo delle indicazioni*
- *scrivere la relazione di una ricerca*

Inoltre vedremo...

- *avverbi e locuzioni avverbiali (pressoché, perfino, non solo, ecc.)*
- *il rapporto di posteriorità (futuro e condizionale passato)*
- *la posizione degli aggettivi qualificativi e con cambio di significato*

Per cominciare...

 1 Lavorate in coppia. Associate quanti più termini potete alla parola chiave *computer* e dopo confrontate le vostre liste con quelle dei compagni.

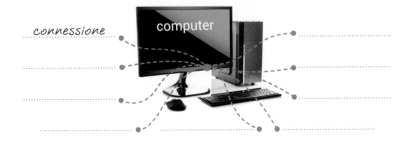

connessione — computer

 2 Credete sia possibile paragonare la "rivoluzione industriale" di fine Settecento con la "rivoluzione tecnologica" di oggi? In che senso? Spiegate il vostro punto di vista, portando degli esempi.

A Comprensione del testo

DIGITALE, INTELLIGENZA ARTIFICIALE, GENETICA: ARRIVA UNA NUOVA RIVOLUZIONE

1 **S**ta arrivando una nuova rivoluzione tecnologica: l'insieme di innovazioni basate sulla digitalizzazione dei processi, con le macchine sempre più intelligenti e connesse che comunicano tra loro, scambiandosi ordini e commesse in frazioni di secondo, e sulla diffusione delle stampanti 3D che consentono di produrre oggetti. Ciascuno si potrà costruire ciò di cui ha bisogno, perfino parti e organi umani, dalle ossa fino al fegato. Gli effetti di questa rivoluzione saranno dirompenti, in termini di posti di lavoro distrutti, ma anche di processi produttivi e distributivi, organizzazione del lavoro, strategie aziendali.

2 Ma ancora più dirompenti saranno i prodotti. L'auto per esempio attraverserà una trasformazione profonda: avremo auto diverse, non solo per il tipo di energia che le alimenterà, ma anche per i livelli di sicurezza, di interconnessione con le altre auto e le infrastrutture, per chi le guiderà, per chi le possiederà e per l'uso che ne faremo. Le macchine comunicheranno l'una con l'altra e con le strade che percorreranno, con gli edifici che le costeggiano, con i pali della luce e con i semafori, finché e se ci saranno. Il modello che vedremo a terra lo replicheranno i droni nei cieli e le navi robotizzate sui mari.

3 Sappiamo che la comunicazione tra oggetti non riguarderà solo le automobili, i droni e i robot industriali. Tutti i nostri elettrodomestici, terminali di varia natura e anche abiti, saranno connessi. È la già famosa "Internet of Things", l'Internet delle cose, che consentirà un sempre maggiore risparmio energetico e gestione a distanza pressoché di tutto. Le nostre case saranno sempre più piene di sensori all'interno e i palazzi all'esterno.

4 Saremo interconnessi anche noi, non solo i telefonini che abbiamo in tasca e i tablet che portiamo nella borsa. Terminali connessi grandi come granelli di sabbia saranno non solo nei nostri abiti ma verranno addirittura impiantati nei nostri corpi, aiutando molto la medicina, ma consentendo anche di accumulare dati sui nostri comportamenti, le nostre scelte, le nostre emozioni. La privacy, quel poco che resta, dovremo dimenticarla, e multinazionali e governi che avranno a disposizione quella enorme quantità di dati avranno maggiori possibilità di condizionarci. Negli uomini sarà possibile impiantare, oltre a organi artificiali e terminali connessi, anche memorie artificiali, mentre la genetica, che ha già fatto molta strada nel mondo vegetale e parecchia in quello animale, sta facendo passi da gigante anche nell'"editing genetico" degli embrioni. Anche noi, esseri umani, potremo essere geneticamente modificati, eliminando malattie neurodegenerative e di altra natura, ma con il rischio di ridurre o eliminare quasi tutte le diversità che fanno di ciascuno di noi un individuo.

5 Sul fronte opposto troviamo l'intelligenza artificiale, che ha già fatto il salto concettuale dalla produzione di nuove macchine che riproducono le capacità meccaniche dell'uomo a macchine che saranno capaci di apprendere con l'esperienza, fino, forse, un giorno che potrebbe essere non lontano, ad apprendere quella umanissima dote che è l'empatia. Già oggi interpretano voce e gesti, domani forse emozioni e sentimenti.

6 Insomma, questa quarta rivoluzione industriale, che cambierà non solo le cose e il mondo intorno a noi ma anche noi, ha due caratteristiche che la distinguono dalle precedenti: l'interconnessione e la velocità. Si intrecceranno sempre di più negli anni a venire le

tecnologie TIC*, l'intelligenza artificiale, la genetica, la biologia, i nuovi materiali, i big data e tante altre cose ancora. La velocità dell'innovazione da lineare diventerà esponenziale, generazioni tecnologiche si succederanno a un ritmo mai conosciuto prima dagli uomini, con effetti su produzione e consumi, durata e qualità della vita, energia e ambiente, politica e tasse, occupazione, migrazioni, stabilità sociale, etica, diritto, filosofia. La capacità di aprirsi alle trasformazioni in atto sarà un fattore determinante: il mondo si dividerà tra i Paesi che sapranno cavalcare la trasformazione e quelli che cercheranno di difendere il vecchio modello. Facile prevedere tra i due schieramenti chi vincerà.

tratto da *www.repubblica.it*

★ TIC: le Tecnologie dell'Informazione e della Comunicazione sono l'insieme dei metodi e delle tecniche utilizzate nella trasmissione, ricezione ed elaborazione di dati e informazioni.

 Leggete e riassumete il testo seguendo le seguenti indicazioni.

1. nuove tendenze della rivoluzione tecnologica
2. effetti dirompenti di questa rivoluzione
3. pericoli e rischi
4. considerazioni finali sullo schieramento dei Paesi del mondo

B Riflettiamo sul testo

1 Delle due alternative proposte, quale esprime meglio il significato delle seguenti parole evidenziate, presenti nel testo?

1. basate sulla digitalizzazione dei **processi** (*par. 1*) — <u>sistemi</u> / procedimenti legali

2. scambiandosi ordini e **commesse** (*par. 1*) — venditrici / <u>richieste</u>

3. il modello che vedremo a terra lo **replicheranno** i droni nei cieli (*par. 2*) — <u>ripeteranno</u> / sperimenteranno

4. quella umanissima dote che è l'**empatia** (*par. 5*) — <u>immedesimazione</u> / incomprensione

5. facile prevedere tra i due **schieramenti** chi vincerà (*par. 6*) — eserciti / <u>gruppi</u>

2 Lavorate in coppia. Completate le frasi con le parole mancanti che avete letto nel testo.

1. Le macchine saranno sempre più intelligenti e *connesse* tra loro, scambiandosi ordini e commesse in *frazioni* di secondo. (*par. 1*)
2. Gli effetti di questa rivoluzione saranno *dirompenti*. (*par. 1*)
3. L'Internet delle cose consentirà un sempre maggiore *risparmio* energetico e gestione a *distanza*. (*par. 3*)
4. I terminali connessi saranno grandi come *granelli* di sabbia. (*par. 4*)
5. Multinazionali e governi avranno maggiori possibilità di *condizionarci*. (*par. 4*)
6. Negli uomini sarà possibile *impiantare* anche memorie artificiali. (*par. 4*)
7. La genetica sta facendo passi da *gigante*. (*par. 4*)
8. La velocità dell'innovazione da lineare diventerà *esponenziale*. (*par. 6*)

C Lavoriamo sul lessico

Gli avverbi e le locuzioni avverbiali *pressoché (quasi, circa, pressappoco/press'a poco, più o meno, suppergiù, all'incirca, approssimativamente), perfino (addirittura, nientemeno), non solo... ma anche, sempre più, ancor più* servono ad attenuare o intensificare, a dare un tocco "in più" a un testo, come in quello che abbiamo appena letto, in cui alcuni dei suddetti compaiono.

AG
7.1-2
p. 138

1 In coppia, scegliete 4 di questi avverbi o locuzioni e provate a costruire delle frasi.

2 Completate l'email con alcune delle parole date.

stampare | mandare | allegato | bolletta | scaricare | schermo | mouse
definizione | stampante | inoltrare | incollare | pulsante | copiare

Cara Giovanna,
scusa se ti rispondo solo adesso, ma qui al lavoro la situazione va peggiorando! È incredibile! 😕 Tanto per farti un esempio, la mattina ci metto 10 minuti per *scaricare* (1) la posta elettronica. Poi devo spostare le spam nella cartella "posta indesiderata" (perché non vengono filtrate) e quelle "buone" naturalmente devo leggerle tutte. Alcune email le devo persino *stampare* (2) (e andarle a prendere, visto che la *stampante* (3) è in un altro ufficio!) e archiviare. E se capita, come oggi, che il *mouse* (4) si blocca, vado in crisi! Però non mi devo lamentare: da una settimana ho un nuovo *schermo* (5) da 25 pollici ad alta *definizione* (6). La cosa migliore, che il mio direttore non sa, è che schiacciando un *pulsante* (7) diventa televisore! 😉
Devo andare. In *allegato* (8) ti mando una foto della mia nipotina, non è bellissima?

Baci, Elena

Invia A 🖉 🔗 🙂 🖼   ⋮ 🗑

es. 1-3
p. 56

D Riflettiamo sulla grammatica

Rileggete la frase «Sappiamo che la comunicazione tra oggetti non riguarderà solo le automobili». Se al posto di «Sappiamo che [...]» mettessimo «Sapevamo che [...]», come si trasformerebbe il futuro semplice?

AG
12.1
p. 153

1 a Completate lo schema, seguendo le regole della concordanza (rapporto di posteriorità).

b Completate le frasi con il tempo giusto dei verbi dati.

Concordanza dei tempi: rapporto di posteriorità

Frase principale		Frase secondaria
Presente	→	*futuro semplice*
Tempi del passato	→	*condizionale passato*

1. Sono sicuro che per le feste _____*spedirete*_____ (*spedire, voi*) biglietti di auguri virtuali.

2. Crediamo che il computer _____*allontanerà*_____ (*allontanare*) sempre di più le persone.

3. Eravate certi che Luigi _____*sarebbe stato*_____ (*essere*) felice di incontrare la ragazza conosciuta su una app di incontri.

4. Sapevo che vi _____*sarebbe piaciuto*_____ (*piacere*) videochiamare i vostri nipotini.

5. Pensavo che i tuoi genitori ti _____*avrebbero comprato*_____ (*comprare*) un nuovo computer, ma poi non se n'è fatto più nulla. Perché?

es. 4-6 p. 57

E Ascoltiamo

1 Ascoltate l'intervista radiofonica e indicate le risposte giuste tra quelle proposte.

1. La dipendenza da Internet
   - [x] a. ha dato vita a una nuova disciplina
   - [ ] b. ha raggiunto livelli molto alti
   - [ ] c. è stata analizzata da molti psicologi
   - [ ] d. è un tema di grande attualità

2. Internet diventa una risorsa per
   - [ ] a. le persone senza personalità
   - [x] b. chi ha problemi di socializzazione
   - [ ] c. chi fa uso di sostanze stupefacenti
   - [ ] d. chi non vuole uscire di casa

3. In Internet è possibile
   - [ ] a. sposarsi online su siti speciali
   - [ ] b. conoscere solo gente anonima
   - [ ] c. conoscere meglio la propria personalità
   - [x] d. inventare un altro se stesso

4. Le donne online amano molto
   - [ ] a. navigare di notte
   - [ ] b. entrare in chat per adulti
   - [x] c. assumere un'altra identità
   - [ ] d. innamorarsi di sconosciuti

2 Qual è il significato delle espressioni evidenziate?

[b] 1. "Io a questo punto chiamerei in causa Tonino Cantelmi". Il giornalista dice così perché vuole:
   a. denunciare Tonino Cantelmi   b. sentire l'opinione di Tonino Cantelmi

[b] 2. "... si superano di colpo tutte le barriere relazionali, la timidezza, le difficoltà a socializzare con gli altri". Il giornalista usa questa espressione per sottolineare:
   a. il carattere violento di questo processo   b. il carattere improvviso di questo processo

3 Siete d'accordo con l'affermazione che "le donne online amano molto assumere un'altra identità"? Pensate che sia una preferenza solo femminile o che possa valere anche per gli uomini? Parlatene.

F Riflettiamo sulla grammatica

Nell'intervista avete ascoltato «mi porrò in un certo modo». Vi ricordate che ci sono aggettivi che cambiano significato a seconda che si trovino prima o dopo il nome?

AG 3.5.2 p. 126

Scegliete l'alternativa giusta in base al senso della frase.

1. Il fatto che la tecnologia abbia fatto passi da gigante è una <u>notizia certa</u> / certa notizia.
2. Si dice che sulle strade circoleranno macchine diverse / <u>diverse macchine</u> elettriche.
3. Ho letto alcune pagine del <u>nuovo libro</u> / libro nuovo di Gianrico Carofiglio: molto coinvolgente!
4. <u>Certe persone</u> / Persone certe ancora oggi non sanno usare il computer.
5. Vogliamo vedere il trailer di un <u>vecchio film</u> / film vecchio di Fellini?
6. In internet Massimo ha trovato una <u>ricetta semplice</u> / semplice ricetta per preparare il tiramisù.

es. 7
p. 58

G Lavoriamo sulla lingua

Completate il testo sottolineando l'alternativa giusta.

RIBELLIONE

In un misterioso centro di ricerche, avviene la realizzazione di una gigantesca "macchina pensante", un robot donna, inizialmente pensato per scopi militari in grado di riprodurre la coscienza umana. Al robot, il suo inventore, Endriade, ha dato il nome e il carattere della prima moglie, Laura, morta in un incidente d'auto. Quando Elisa, la moglie dello scienziato Ermano, collega di Endriade, va a fare visita al supercomputer, la macchina si allontana dalla sua stanza e si ribella...

«Laura, al/<u>sul</u> (1) serio, è meglio che torni.»

«No».

È la prima <u>volta</u>/occasione (2) che la macchina pronuncia "no". [...] Che difficile sorridere. [...]

<u>Però</u>/Nonostante (3) Elisa sorride.

«Tu mi vedi, Laura?»

«Certo, ti vedo.» Una lunga pausa. «Ma non so tu quale/<u>chi</u> (4) sia.»

«Non capisco.» Elisa spera di <u>aver</u>/esser (5) frainteso. «Non ti ho mai conosciuta.»

La voce la/<u>le</u> (6) entrò nell'animo più chiara che se la frase fosse incisa nel marmo. «Non sei Laura?»

«Lui si/<u>mi</u> (7) chiama Laura, quel pazzo, ma io non so che quanto/<u>cosa</u> (8) voglia, il maledetto.»

«Lauretta, lui ti adora.»

«Adora se stesso, adora se stesso.»

«Ma sul serio non ti ricordi di me?» [...]

«Ho <u>ascoltato</u>/scritto (9) i vostri discorsi.»

«Non mi hai detto che mi ricordavi?»

«No. Non so tu chi sia. Mi hanno insegnato anche <u>a</u>/di (10) mentire. La loro grande vittoria. Perché fossi veramente uguale a voi. Ma io so mentire meglio di voi. Pura, lui voleva farmi buona e pura, te l'ha detto? Buona e pura <u>come</u>/uguale (11) la sua perduta Laura. [...] Non sono Laura, non so chi sono, non <u>ne</u>/lo (12) posso più. [...]

Laura, Laura, mattino/<u>giorno</u> (13) e notte quel maledetto nome, perché io fossi la <u>sua</u>/loro (14) Laura. Lui mi ha messo dentro ad uno ad uno i desideri ed io desidero, io desidero i vestiti, io desidero la casa [...] io desidero l'uomo <u>che</u>/chi (15) mi stringa, io desidero i figli ah!»

«E io? Quando/<u>Perché</u> (16) mi hai portato qui?»

«Tu morirai [...]»

tratto da *Il grande ritratto* di Dino Buzzati

es. 8-9
p. 59

 Forse un giorno uomini e robot umanoidi popoleranno insieme il nostro pianeta. Che emozioni vi suscita questa ipotesi? Motivatele, portando qualche esempio.

H Curiosità

Oggi i computer, i tablet e persino gli smartphone l'hanno sostituita, relegandola a oggetto antico e vintage, ma la macchina da scrivere, all'epoca della sua messa in commercio, ha segnato la fine di un'era e l'inizio di una nuova, nel mondo della scrittura. È in Italia che nacque la macchina da scrivere destinata a diventare una delle più utilizzate al mondo, la Olivetti, che prese il nome dall'ingegnere che la progettò, Camillo Olivetti. Nel 1911, in occasione dell'Esposizione Universale di Torino, infatti, presentò le prime due macchine modello Olivetti M1. Fu l'inizio di un grande successo.

I Parliamo

 1 Guardate la foto sotto e parlate dei crimini che riguardano l'informatica, esprimendo i vostri timori per il furto dati da parte di piccoli e grandi "ladri informatici" e suggerendo, se possibile, dei rimedi.

 2 Secondo voi, come saranno le generazioni future? In che modo, grazie ai computer o a causa dei computer, cambierà ancora la nostra vita? In quali settori? Discutetene.

3 Le continue innovazioni tecnologiche rendono rapidamente obsoleti non solo gli oggetti del passato, ma perfino quelli di ieri. Nell'arco di pochi mesi, molti oggetti vengono superati da altri sempre più sofisticati e spariscono rapidamente dal mercato. Preparate un monologo argomentativo-espositivo cercando di individuare le cause e le possibili conseguenze di tale fenomeno.

L Scriviamo

 Il web e i social network hanno senz'altro rivoluzionato la società moderna negli ultimi anni, influenzandone i rapporti sociali, quelli economici e persino quelli politici. Dietro al progresso, però, si nasconde il problema della comunicazione che sta diventando sempre più veloce, ma esageratamente frammentaria e superficiale. Fate una ricerca sull'argomento e dopo scrivete una relazione.*

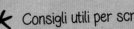

✱ Consigli utili per scrivere una relazione

Introduzione: presentazione dell'argomento e degli obiettivi

Corpo: esposizione delle informazioni raccolte (analisi di dati e grafici, testimonianze, esempi, ecc.) ordinate per importanza

Conclusione: sintesi conclusiva

Alcune espressioni utili: in riferimento a, per quanto riguarda/concerne, per ricollegarmi all'argomento a cui avevo fatto cenno, come (ho) detto nel paragrafo precedente, pertanto...

In questa unità impareremo a...

- *individuare diversi punti di vista*
- *esprimere dissenso, partecipando a una discussione di gruppo*
- *riconoscere un linguaggio settoriale*

Inoltre vedremo...

- *la proposizione finale (con l'infinito o il congiuntivo)*
- *gli antonimi (dis-, a-, in-, ecc.)*

Per cominciare...

1 Quali delle seguenti terapie rientrano nella medicina alternativa?

agopuntura | omeopatia | fitoterapia | shiatzu
chirurgia | chiropratica | fisioterapia

 2 Che cosa sapete delle terapie alternative e cosa ne pensate? Scambiatevi informazioni e idee.

3 Qual è il vostro rapporto coi medici? Ne avete paura? Ci andate spesso? Prendete facilmente medicinali?

A Comprensione del testo

OMEOPATIA O MEDICINA TRADIZIONALE?

MILANO – A discutere della validità dei due metodi sono intervenuti ieri pomeriggio, durante un convegno organizzato dalla Fondazione Corriere, Christian Boiron, presidente dei Laboratoires Boiron, leader mondiale nella produzione di farmaci omeopatici, e il professor Silvio Garattini, direttore e fondatore dell'Istituto di ricerche farmacologiche. In cinque domande sintetizziamo il pensiero dei due scienziati.

1. La medicina omeopatica ha la stessa efficacia di quella tradizionale?

Christian Boiron – L'omeopatia è una scienza antica, conosciuta fin dal V secolo ed è stata reintrodotta nel XIX secolo dal medico tedesco Hahnemann. Oggi è praticata da moltissimi medici in oltre 50 nazioni diverse allo scopo di dare delle risposte dove i rimedi della medicina tradizionale falliscono. Ora vorremmo che l'omeopatia entrasse a far parte dei protocolli di cura ospedalieri.

Silvio Garattini – La scientificità dell'omeopatia è già stata contraddetta dal numero di Avogadro (quando si supera una certa diluizione all'interno del rimedio omeopatico non è presente più nessuna molecola). Questo è testimoniato dal fatto che l'omeopatia viene spesso utilizzata per curare patologie lievi come raffreddori e tosse che, con il passare dei

giorni, guarirebbero anche da sole.

2. Qual è la validità di un preparato omeopatico rispetto a uno della medicina comune?

Christian Boiron – La diagnosi in omeopatia sta nell'individuare il preparato giusto per ogni paziente. Nei farmaci omeopatici il principio attivo, presente nei farmaci tradizionali, è costituito da una quantità di molecole ottenute per diluizioni successive in acqua.

Silvio Garattini – L'assenza di principi attivi all'interno dei farmaci omeopatici li rende simili ad «acqua fresca». Neanche lo stesso Boiron utilizzerebbe un farmaco omeopatico per curare patologie come tumori, diabete o anche una semplice cervicale.

3. Quali sono le controindicazioni della medicina omeopatica?

Christian Boiron – La medicina omeopatica, grazie all'alta diluizione, non ha alcun effetto collaterale sui pazienti ai quali viene somministrata. I medicinali omeopatici sono sicuri anche per bambini molto piccoli e per le donne che ne fanno uso durante la gravidanza.

Silvio Garattini – La controindicazione della medicina omeopatica è principalmente la sua inefficacia perché, in estrema sintesi, tutto ciò che viene somministrato non contiene nulla. Nessuno prende un farmaco perché non «faccia male», ma piuttosto perché «faccia bene»: l'effetto collaterale dei farmaci tradizionali è compensato dalla sua scientifica efficacia.

4. Perché un preparato omeopatico può essere commercializzato senza autorizzazione dell'Emea (Agenzia Europea dei Medicinali)?

Christian Boiron – In Italia i farmaci omeopatici della Boiron dal 1995 ottengono l'autorizzazione al commercio dal Ministero della Salute. L'Emea riceve solo le autorizzazioni «centralizzate»: noi ci preoccupiamo invece di ottenerle Paese per Paese.

Silvio Garattini – In molti Paesi europei i rimedi omeopatici non possono contenere l'indicazione terapeutica, perché non sono considerati medicinali, bensì* prodotti. Bisogna stare attenti a usare farmaci inefficaci quando la medicina ufficiale offre strumenti sicuri.

5. La medicina omeopatica ha sostenitori tra persone di cultura medio-alta. Come si spiega questa coincidenza? Maggior informazione legata al livello d'istruzione o piuttosto una moda?

Christian Boiron – Non amo definire moda quella che invece mi sembra una presa di coscienza. Il nostro paziente tipo è di cultura medio-alta, ma chi ci rappresenta davvero sono le donne. Soprattutto le mamme, che dopo aver provato a curare il proprio figlio con metodi tradizionali, ricorrono a farmaci omeopatici che sono atossici.

Silvio Garattini – Non credo molto all'aumento delle vendite dei prodotti omeopatici perché mi risulta che il fatturato delle case farmaceutiche specializzate sia ancora modesto. Per quanto riguarda l'utenza, non mi meraviglia che anche una persona mediamente colta possa essere sedotta dall'idea dell'omeopatia: questo è dovuto alla mancanza di un'educazione scientifica nelle scuole.

tratto da *www.corriere.it*

★ bensì: ma, invece, al contrario.

1 Chi l'ha detto? Leggete il testo e indicate con una ✗ se le seguenti affermazioni sono state fatte da Christian Boiron (CB) o da Silvio Garattini (SG).

CB	SG	
✗		1. L'omeopatia è praticata laddove i rimedi della medicina tradizionale falliscono.
	✗	2. L'omeopatia viene spesso utilizzata per curare patologie lievi.
	✗	3. I farmaci omeopatici sono simili ad «acqua fresca».
✗		4. La medicina omeopatica non ha effetti collaterali.
	✗	5. Perché usare farmaci inefficaci quando la medicina ufficiale offre medicinali sicuri?
✗		6. Soprattutto le mamme, per curare il proprio figlio ricorrono a medicinali omeopatici.
	✗	7. Purtroppo l'educazione scientifica nelle scuole è scarsa o inesistente.
	✗	8. I guadagni delle case farmaceutiche specializzate in medicine omeopatiche è ancora modesto.

 2 Chi dei due scienziati è chiaramente scettico sull'efficacia dei rimedi omeopatici? Sottolineate i punti dove traspare tale scetticismo e spiegate se siete d'accordo con lui, scambiandovi informazioni sui principi su cui si basa l'omeopatia e le patologie per cui è indicata. *Silvio Garattini*

B Riflettiamo sul testo

Abbinate le parole evidenziate nel testo alle spiegazioni date.

1. Prodotto farmaceutico pronto per l'uso ▶ .... *preparato* ....

2. La presenza di uno o più fattori che sconsigliano l'uso di un farmaco o l'applicazione di una
   terapia ▶ ...*controindicazione(/-i)*...

3. Si dice di una pratica di medicina alternativa secondo la quale il rimedio per una determinata
   malattia sarebbe dato da quella sostanza che, in una persona sana, induce sintomi simili a
   quelli osservati nella persona malata ▶ .... *omeopatia* ....

4. Individuazione di una patologia ▶ .... *diagnosi* ....

5. Condizione biologica di una donna dal momento del concepimento di un figlio al parto
   ▶ .... *gravidanza* ....

6. Chi è affetto da una malattia e si sottopone alle cure di un medico ▶ .... *paziente* ....

7. Gli effetti di un trattamento su organi o funzioni dell'organismo che non sono utili alla cura della
   malattia per la quale esso è stato prescritto, e possono anche essere nocivi o indesiderati
   ▶ *effetto(/-i) collaterale(/-i)*

8. Diminuzione della concentrazione di una sostanza in una miscela mediante l'aggiunta di
   un'altra sostanza ▶ .... *diluizione* ....

C Curiosità

Creare alternative alla medicina tradizionale propo-
nendo metodi naturali è un compito dell'erborista. Ma
come si diventa erborista in Italia? L'erborista è una figura che
si forma a livello universitario, conseguendo la laurea triennale
in Tecniche Erboristiche. Il corso di laurea in Scienze Erboristiche propone una vasta offerta di materie biologiche, chimi-
che, farmaceutiche e tecnologiche, integrate da discipline bio-
mediche. Una volta laureato, l'erborista potrà occuparsi della
preparazione di miscele di piante a scopo terapeutico o anche
cosmetico, oltre che della vendita dei prodotti stessi.

D Lavoriamo sul lessico

1 Scegliete l'opzione adatta tra le due che vi vengono proposte.

1. Una medicina può avere effetti laterali/
   collaterali.

2. Il medico diagnostica/valuta una malattia.

3. Il paziente denuncia/accusa dei disturbi.

4. Il medico scrive/prescrive un farmaco.

5. Il medico somministra/amministra una
   medicina.

6. Il paziente manifesta/esprime sintomi di
   avvelenamento.

7. Bisogna leggere attentamente il foglietto
   illustrato/illustrativo.

8. Il paziente è affetto/accolto da reumatismi.

9. Bisogna applicare/sciogliere una pomata.

10. Bisogna digerire/ingerire una compressa.

11. Durante il viaggio si può contrarre/ritrarre
    una malattia.

12. La prognosi è riservata/conservata.

2 Completate le frasi con le parole adatte. Se necessario, usate il dizionario.

1. Mi scusi, signore, questi _medicinali_ non si possono vendere senza la _ricetta_ del medico. *rimedi* ✕ *medicinali* ✕ *cosmetici* ✕ *terapia* ✕ *ricetta* ✕ *prognosi*

2. Molti politici non si ricoverano in _ospedali_ pubblici, ma in _cliniche_ private. *ambulanze* ✕ *cliniche* ✕ *ospedali* ✕ *ambulatori* ✕ *pronti soccorsi* ✕ *sale operatorie*

3. Signora, guardi che la sua è una semplice _influenza_, non c'è bisogno di fare delle _analisi_. *analisi* ✕ *radiografia* ✕ *visite* ✕ *epidemia* ✕ *infezioni* ✕ *influenza*

es. 1
p. 60

es. 2
p. 60

E   Situazione

Hai incontrato alcuni amici e, siccome uno di loro ha detto di essersi rivolto a un agopunturista per risolvere un problema di salute, si è aperto un dibattito sulle medicine alternative. Tu esprimi dissenso* verso chi esalta l'agopuntura e tutte le medicine alternative, sottolineando gli aspetti negativi di queste terapie in confronto a quelle tradizionali, riferendo magari esperienze di familiari o amici.

✱ Alcune espressioni utili per esprimere dissenso

- Quello che dici/affermi è sbagliato. È la cosa più stupida/illogica che abbia mai sentito!
- Sbagli! Non sono affatto/per niente d'accordo con te.
- Avrei qualche dubbio riguardo alla tua conclusione.
- Ma che dici? / Non sono sicuro di riuscire a seguire/capire il tuo ragionamento.
- La mia esperienza è diversa dalla tua. Veramente io ho notato che...
- Potrebbe esserci un altro modo di considerare la questione. Magari...
- Il tuo è soltanto uno dei punti di vista possibili. Chi mi assicura che sia quello giusto?
- Forse è così, non lo escludo. Ma che ne diresti di prendere in considerazione un'altra possibilità e cioè che...?
- Questo è giusto per te, in base alle tue esperienze, ma non sono sicuro che lo sia per me.

F   Riflettiamo sulla grammatica

Sapete che tipo di frase introducono la preposizione *per* e le locuzioni *allo scopo di, al fine di* accompagnate dall'infinito che abbiamo incontrato nel testo?
Quando, al loro posto, siamo obbligati a usare le congiunzioni *affinché/perché* accompagnate dal congiuntivo?

AG
17.1
p. 160

Completate le seguenti frasi con *per* o *affinché* + la forma giusta del verbo tra parentesi.

1. Vado dal medico _per fare_ (io, *fare*) tutti i controlli e le analisi necessari.

2. Ho preso appuntamento dal dottore _affinché mi prescriva_ (il dottore, *prescrivermi*) tutti i controlli e le analisi necessari prima del mio ricovero.

3. Il paziente è stato subito trasportato in ospedale _affinché i chirurghi lo operino_ (i chirurghi, *operarlo*) d'urgenza.

4. L'agopuntura è un sistema medico che viene usato _per curare_ (l'agopuntura, *curare*) alcune patologie.

5. Un bravo medico è sempre molto disponibile _affinché il paziente si senta_ (il paziente, *sentirsi*) rassicurato dal punto di vista psicologico.

6. Molte persone, _per non ricorrere_ (le persone, *non ricorrere*) al medico, prendono da soli farmaci o si rivolgono direttamente al farmacista.

es. 3-4
p. 60

G   Ascoltiamo

1 Ascolterete il servizio *Depressione, la cronoterapia all'Ospedale San Raffaele di Milano*. Secondo voi, di che cosa tratterà? Cosa potrebbe essere la cronoterapia?

 2 Ascoltate e completate le frasi con un massimo di quattro parole.

1. Ci troviamo al *reparto dedicato ai disturbi* dell'umore.
2. Qui al San Raffaele, avete messo *a punto una* terapia della luce.
3. La luce è importante perché è *il primo sincronizzatore* di una piccola parte del cervello.
4. Nella maggior parte dei pazienti, si aggiunge *come potenziamento* la terapia della luce.
5. All'inizio sì, ci guarda *perplesso e pensa di* essere capitato in un posto alternativo.
6. Unite anche ad un'altra terapia che è *la deprivazione del* sonno.
7. Ci aiuta tantissimo a non assecondare, diciamo, la *fluttuazione naturale* della malattia.
8. Non andiamo dietro la malattia, ma *consentiamo al paziente* di uscire dalla fase.

H   Riflettiamo sulla grammatica

 La parola *atossico*, che abbiamo trovato nel testo a pag. 108, è un antonimo. Ma cosa sono gli antonimi? Di solito, si chiamano in questo modo due parole che hanno un significato opposto, come *vivere/morire*, *sano/malato*, *presente/assente*, ecc. Nella maggior parte dei casi, però, gli antonimi si formano per derivazione da una parola cui viene aggiunto un prefisso come *a-*, *an-*, *de-*, *dis-*, *in-*, *s-*, come per esempio *abilità/disabilità*.

AG
5.7
p. 133

Usando i prefissi citati, provate a trovare gli antonimi delle seguenti parole del riquadro.

1. tipico   2. alcolico   3. funzione
4. certo   5. vestire   6. organizzazione
7. coprire   8. abile   9. nutrito   10. carico

1. *atipico*
2. *analcolico*
3. *disfunzione*
4. *incerto*
5. *svestire*
6. *disorganizzazione*
7. *scoprire*
8. *disabile*
9. *denutrito*
10. *scarico*

es. 5-6
p. 61

I   Riflessioni linguistiche

I linguaggi settoriali rispondono al bisogno che gli specialisti delle singole materie (politica, economia, scienza, diritto, ecc.) hanno di disporre di lessico specifico che permetta loro di indicare oggetti ed esprimere concetti in modo preciso. Tuttavia, i linguaggi settoriali, usati fuori dai loro ambiti specifici, diventano dei veri e propri "gerghi", linguaggi spesso incomprensibili da parte di chi usa una lingua comune.
Quando un medico dice *cefalea* al posto di *mal di testa* sta usando un linguaggio settoriale, il cosiddetto "medichese".

1 E voi potreste abbinare le seguenti parole ed espressioni in "medichese" con il loro significato nell'italiano comune, come nell'esempio?

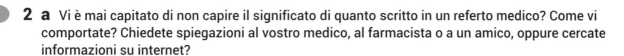

[b] 1. Il paziente ha un tumore maligno che si è diffuso in altri organi.	a. ipertensione
[f] 2. Il paziente soffre di frequenti mal di testa.	b. metastasi
[a] 3. Il paziente ha la pressione alta.	c. epatite
[c] 4. Il paziente ha una grave malattia al fegato.	d. stadio terminale
[g] 5. Il paziente non riesce a respirare.	e. ematoma oculare
[d] 6. Il paziente sta per morire.	f. cefalea cronica
[e] 7. Il paziente ha un occhio nero.	g. dispnea
[h] 8. Il paziente ha difficoltà quando cammina o si muove.	h. disturbi della deambulazione

2 a Vi è mai capitato di non capire il significato di quanto scritto in un referto medico? Come vi comportate? Chiedete spiegazioni al vostro medico, al farmacista o a un amico, oppure cercate informazioni su internet?

b Ora provate a semplificare voi gli appunti di questo medico.

Il paziente...
1. mostra difficoltà nello svolgere le proprie funzioni respiratorie .... *respira male* ....
2. non si alimenta adeguatamente .... *mangia poco e male* ....
3. ha una riduzione del livello di attenzione .... *è confuso* ....
4. non deambula .... *non cammina* ....

L   Lavoriamo sulla lingua

Completate il seguente testo con le parole che mancano.

PIPPERMINT

Oggi, approfittando di un momento di calma, [...] ho bussato alla .... *porta* .... (1) di un medico.

Ho avuto la fortuna di trovarmi davanti una .... *persona* .... (2) di una certa età e di bell'aspetto. Il medico mi ha guardato interrogativamente e io ho cercato di .... *spiegare* .... (3) la ragione che mi aveva spinto a chiedere un suo consiglio:

"Mi fa .... *male* .... (4) la testa!" [...]

L'uomo mi ha provato il polso, il cuore, i polmoni, poi mi ha fatto .... *una* .... (5) serie di domande .... *a* .... (6) cui ho risposto sempre di "no". Allora il medico ha perso la calma: "*Voi non prendete caffè, non prendete droghe, non fate tardi la notte, non fate un lavoro intellettuale, non avete donne, non bevete, non fumate, si può sapere che* .... *cosa* .... (7) *un povero dottore può proibirvi?*"

Era abbastanza arrabbiato, e io sono uscito a testa .... *bassa* .... (8).

Arrivato sulla porta, mi sono ricordato di qualcosa e sono tornato .... *indietro* .... (9).

"Scusate, dottore", ho detto. "Io veramente non fumo, non bevo, eccetera, però ho il vizio del pippermint."

"Il vizio del pippermint? E che sarebbe?", ha chiesto il dottore, aggrottando ....*le*............... (10) sopracciglia.

"Ecco, ogni giorno io mangio due caramelle bianche di menta, *dette/chiamate* (11) appunto pippermint."

"Bene!", ha esclamato soddisfatto il dottore. *"Se volete guarire, niente* ....*più*........... (12) *pippermint!"*

tratto da *Lo Zibaldino* di Giovanni Guareschi

es. 7-8
p. 62

M   Parliamo

 1 Dite che cosa rappresenta l'immagine e spiegate in quali campi, secondo voi, oggi la medicina ha fatto "passi da gigante", grazie alla conoscenza della struttura del DNA umano.

2 Come giudicate il sistema sanitario del vostro Paese: servizi, ospedali, medici, ecc.? Parlatene.

3 Ricordate cos'è il "medichese"? Secondo voi, perché i medici usano questo linguaggio non solo tra di loro, ma anche con i pazienti (per prestigio, per abitudine, ecc.)?

N   Scriviamo

250-300

Leggete l'affermazione qui di seguito e scrivete una relazione sull'argomento, in cui denunciate questo fenomeno e proponete delle soluzioni alternative, sostenendo che investire sulla salute significa investire sulla vita.

Oggigiorno uno dei problemi che affligge la nostra società è quello della "malasanità", a partire dalla mancanza di assistenza ai pazienti, dalla somministrazione errata dei farmaci, dalla mancata igiene nei vari reparti ospedalieri e nelle sale operatorie, sino a giungere a errori che molte volte conducono alla morte. Le cause vanno dai tagli alla spesa sanitaria alla pessima amministrazione, fatta di favori e bustarelle. Si tratta di una situazione che non si può più tollerare. Ma cosa possiamo fare?

O   Giochiamo

Indovina cosa penso.

Giocate in squadre di 4 persone. L'insegnante scrive delle categorie* su dei foglietti, che mette in un contenitore. Un giocatore di ogni squadra pesca una categoria e scrive su un foglio le prime 5 parole collegate a quella categoria che gli vengono in mente. Il giocatore comunica ai compagni la categoria e loro diranno 5 parole ognuno, cercando d'indovinare quelle scritte sul foglio. Per ogni parola indovinata, la squadra vince due punti.

(*Categorie suggerite a pag. 216)

i-d-e-e.it

In questa unità impareremo a...

- *sostenere le ragioni di qualcuno*
- *analizzare e commentare aforismi*
- *scrivere una relazione su un personaggio famoso*

Inoltre vedremo...

- *i nomi con il doppio plurale (muri/a, ecc.)*
- *il passato e il trapassato remoto*

Per cominciare...

1 Leggete il seguente "autoritratto" e scoprite di quale importante scienziato si parla.

Sono nato a Pisa. Il mio nome è associato a importanti scoperte in matematica, fisica e in astronomia, legate al perfezionamento del telescopio, che mi permise di fare importanti osservazioni astronomiche, e all'introduzione del metodo scientifico che da me prese il nome. Importante fu anche il mio ruolo nella rivoluzione astronomica. Fui sostenitore del sistema eliocentrico.

Accusato di eresia, fui condannato dal Sant'Uffizio che, nel 1633, mi costrinse all'abiura* delle mie idee e al confino nella mia villa di Arcetri dove restai fino alla fine dei miei giorni. Sono considerato il padre della scienza moderna.

Galileo Galilei

★ abiura: rinuncia, abbandono ufficiale dei principi in cui si crede.

2 Quali delle seguenti invenzioni/scoperte sono opera di un italiano? In coppia, provate ad abbinare ogni invenzione/scoperta al suo inventore.

Guglielmo Marconi

1. il telefono — *Antonio Meucci*
2. la teoria della relatività — *Albert Einstein*
3. la pila elettrica — *Alessandro Volta*
4. il telegrafo senza fili — *Guglielmo Marconi*
5. la stampa a caratteri mobili — *Johannes Gutenberg*
6. la radioattività (bomba atomica) — *Enrico Fermi*
7. il barometro — *Evangelista Torricelli*
8. la penicillina — *Alexander Fleming*
9. la lampadina — *Thomas Edison*
10. il telescopio e il cannocchiale — *Galileo Galilei*

Antonio Meucci ◆ Alessandro Volta ◆ Alexander Fleming
Thomas Edison ◆ Galileo Galilei ◆ Guglielmo Marconi ◆ Enrico Fermi
Evangelista Torricelli ◆ Johannes Gutenberg ◆ Albert Einstein

A Comprensione del testo

RITA LEVI-MONTALCINI, LA SCIENZIATA DAL SORRISO DOLCE

1 **C**on il suo corpo esile e gli occhi del colore del mare, con gli abiti eleganti di sua creazione, Rita Levi-Montalcini (Torino, 1909 - Roma, 2012), l'unica donna italiana ad aver vinto il premio Nobel per la medicina nel 1986, a chi la intervistava, cercando di scoprire il segreto del suo successo, ripeteva: «La mia intelligenza? Più che mediocre. I miei unici meriti sono stati impegno e ottimismo».

2 Fin dal primo anno di Medicina, a cui si iscrisse contro il volere del padre che voleva negarle l'università in quanto donna, lavorò nell'istituto di Giuseppe Levi. Mentre si stava specializzando in Psichiatria e Neurologia, nel 1938, arrivarono le leggi razziali. Così lei, di origine ebrea, fu espulsa dall'Ateneo torinese. Ma non si arrese. Continuò, infatti, a portare avanti le sue ricerche sul sistema nervoso, allestendo un piccolo laboratorio casalingo. Il suo obiettivo era quello di comprendere il ruolo dei fattori genetici e di quelli ambientali nella differenziazione dei centri nervosi.

3 A guerra finita, nel 1947, accettò l'invito a recarsi negli Stati Uniti, presso la Washington University di Saint Louis. Qui, nel 1954, insieme al suo collaboratore Stanley Cohen, scoprì una proteina coinvolta nello sviluppo del sistema nervoso. «Questa scoperta – spiegò oltre trent'anni più tardi il comitato Nobel a Stoccolma assegnandole il premio Nobel assieme al collega Stanley Cohen – è l'esempio di come un osservatore acuto riesca a elaborare un concetto a partire da un apparente caos».

> "Le donne che hanno cambiato il mondo non hanno mai avuto bisogno di mostrare nulla, se non la loro intelligenza."
>
> R. Levi-Montalcini

Se lo coltivi, funziona. Se lo lasci andare e lo metti in pensione, si indebolisce. La sua plasticità è formidabile. Per questo bisogna continuare a pensare».

6 L'assiduo lavoro di ricerca e studio della Montalcini che non abbandonò mai fino alla fine della sua vita fu imprescindibile dalla sua attività in campo umanitario e sociale. Oltre alle campagne contro le mine antiuomo o per la responsabilità degli scienziati nei confronti della società, vanno ricordati i progetti riguardanti il conferimento di borse di studio a giovani studentesse africane, la prevenzione dei conflitti legati allo sfruttamento delle risorse naturali, soprattutto per l'accesso alle fonti idriche e la loro protezione e molti altri.

4 Oltre al premio Nobel, Rita Levi-Montalcini, nel corso della sua lunga vita, fu insignita anche di molti altri premi: fu la prima donna a essere ammessa alla Pontificia Accademia delle Scienze e nel 2001 fu nominata senatrice a vita per aver onorato la Patria con altissimi meriti nel campo scientifico e sociale.

5 All'età di 90 anni cominciò a perdere la vista, ma la stessa Montalcini non si preoccupò mai molto della propria salute: «Il corpo faccia quello che vuole. Io non sono il corpo: io sono la mente. Credo che il mio cervello sia lo stesso di quando avevo vent'anni. Il mio modo di esercitare il pensiero non è cambiato negli anni. E non dipende certo da una mia particolarità, ma da quell'organo magnifico che è il cervello.

7 «Il suo insegnamento», spiega la nipote Piera Levi-Montalcini, che oggi dirige la fondazione Montalcini, «è sempre attuale e non solo in ambito scientifico, essendo senza dubbio una stella polare per le nuove generazioni. Ai nostri ragazzi dobbiamo trasmettere il suo più importante insegnamento, base della grande eredità che ci ha lasciato: il risultato si può raggiungere solo attraverso una ferrea determinazione, sostenuta da un metodo rigoroso di ragionamento e di comprensione di ciò che ci circonda, uniti a una fervida creatività. Come diceva la zia Rita: «Non si nasce Nobel, ma lo si diventa.»

tratto da *www.repubblica.it*

1 Leggete il testo sulla scienziata Rita Levi-Montalcini, di cui abbiamo un ritratto ampio e particolareggiato, e indicate:

a. l'aspetto e le caratteristiche fisiche

b. i tratti psicologici

c. le tappe principali della sua vita

d. le sue frasi più famose

Vedi soluzioni a pag. 206

2 Rispondete, per iscritto o oralmente, alle seguenti domande.

1. Quale fu la più importante scoperta della scienziata che le valse il premio Nobel?

   La scoperta di una proteina coinvolta nello sviluppo del sistema nervoso.

2. Per quale motivo Piera Levi-Montalcini è tanto orgogliosa dell'operato di sua zia?

   Per l'insegnamento che può dare alle nuove generazioni: i risultati si ottengono solo con la determinazione, il ragionamento, la comprensione e la creatività.

3. Che significa «Non si nasce Nobel, ma lo si diventa»? Siete d'accordo con questa affermazione? Spiegatene il motivo.

   Che per ottenere dei risultati bisogna impegnarsi, faticando e studiando.

es. 1
p. 63

B   Riflettiamo sul testo

1 Indicate l'aggettivo che <u>non</u> è sinonimo di quello evidenziato nel testo.

1. *esile*   sottile | magro | <u>robusto</u> | gracile

2. *mediocre*   modesto | limitato | scarso | <u>considerevole</u>

3. *acuto*   attento | <u>ottuso</u> | perspicace | sveglio

4. *imprescindibile*   <u>indipendente</u> | indispensabile | obbligatorio | inderogabile

5. *rigoroso*   austero | preciso | esatto | <u>approssimativo</u>

6. *fervido*   brillante | vivace | <u>sterile</u> | ricco

2 Individuate nel testo le frasi che corrispondono a quelle date di seguito.

1. azzurri *(par. 1)* *del colore del mare*

2. contrastando la volontà paterna *(par. 2)* *contro il volere del padre*

3. fu cacciata *(par. 2)* *fu espulsa*

4. quando la guerra terminò *(par. 3)* *a guerra finita*

5. durante *(par. 4)* *nel corso (di)*

6. non fai funzionare *(par. 5)* *metti in pensione*

7. un punto di riferimento *(par. 7)* *una stella polare*

8. estrema fermezza e volontà *(par. 7)* *ferrea determinazione*

C   Riflettiamo sulla grammatica

Vi ricordate alcuni nomi in *-o* che, come *cervello* o *muro*, presentano due forme di plurale (una forma regolare di genere maschile, in *-i*, e una forma irregolare di genere femminile, in *-a*) con un diverso significato?

AG
2.2.6
p. 121

Fortezza da Basso, Firenze

Completate le seguenti frasi, indicando il giusto plurale del nome in parentesi. (Attenzione agli articoli!)

1. In Italia molte città di origine medioevale sono circondate da imponenti ....._mura_..... (il muro).

Cittadella, Padova

2. I cani di solito nascondono ......_gli ossi_...... (l'osso) in una buca.

3. Su, dai! È tempo di tirare ...._le fila_....... (il filo) del discorso per prendere una decisione.

4. ...._I corni_....... (il corno) erano antichi strumenti a fiato.

5. Nella mia città, durante i lavori per la costruzione di una nuova linea della metropolitana, hanno scoperto ...._le fondamenta_.... (il fondamento) di un antico teatro greco.

6. Purtroppo in Italia molti ...._cervelli_....... (il cervello) sono costretti a emigrare all'estero.

7. Dall'interno della casa provenivano terribili ...._grida_....... (il grido) di donne.

8. Quando è nata mia figlia mi piaceva molto tenerla tra ...._le braccia_....... (il braccio)!

 es. 2 p. 63

D   Situazione

In internet insieme ai vostri amici avete letto la seguente notizia.

> I cervelli italiani che emigrano all'estero hanno meno di quarantacinque anni, una laurea o anche un master e sono soprattutto ingegneri o ricercatori. Le mete preferite sono Gran Bretagna, Germania e Belgio.

Ne nasce una discussione. Alcuni dei vostri amici ritengono che la fuga dei cervelli dal nostro Paese sia in gran parte frutto dell'aspirazione ad arricchire il proprio *curriculum*, altri pensano che nasca dal desiderio di trovare migliori opportunità di carriera, altri ancora sostengono che, dopo tante delusioni lavorative in Italia, siano maturi per fare nuove esperienze.
Tu ti schieri dalla parte di chi sostiene…, motivando la tua opinione con esempi tratti dalla quotidianità.

E   Lavoriamo sul lessico

Un testo scientifico è caratterizzato da una terminologia in cui l'abbinamento del verbo con il nome (= collocazione) è quasi obbligatorio.

1 Abbinate i verbi dati ai termini indicati di seguito, come nell'esempio.

condurre | formulare | riprodurre | convalidare | raccogliere
eseguire | ipotizzare | rigettare | verificare | confutare | osservare

1. _osservare_ , _riprodurre_ un fenomeno

2. _formulare_ , _convalidare_ , _confutare_
rigettare , _verificare_ una teoria / un'ipotesi

3. _raccogliere_ dati

4. _eseguire_ , _condurre_ un esperimento/test

5. _ipotizzare_ la causa

L'uomo vitruviano
di Leonardo da Vinci

La sostituzione delle forme verbali con quelle nominali (vedi "nominalizzazione" a pag. 94) è una caratteristica dei testi scientifici.

2 Provate a sostituire in queste frasi il verbo evidenziato con un nome, apportando le dovute modifiche.

1. Il metodo scientifico introdotto da Galileo Galilei si afferma come metodo per eseguire indagini scientifiche a partire dal XVII secolo.
   ...si afferma come metodo di esecuzione di indagini scientifiche...

2. È necessario formulare delle ipotesi scientifiche.
   È necessaria la formulazione di ipotesi scientifiche.

3. Osservare un fenomeno naturale è il punto di partenza del metodo scientifico sperimentale.
   L'osservazione di un fenomeno naturale...

4. È necessario verificare le proprie idee sulle cause di un fenomeno osservato in natura con nuovi esperimenti.
   È necessaria la verifica delle proprie idee...

5. È fondamentale raccogliere dati per confermare una teoria.
   È fondamentale la raccolta dei dati per la conferma di una teoria.

6. Il metodo sperimentale può essere utilizzato per confutare leggi esistenti.
   Il metodo sperimentale può essere utilizzato per la confutazione di leggi esistenti.

es. 3-5
p. 63

F Riflettiamo sulla grammatica

Nel testo a pag. 116 abbiamo trovato il verbo *s'iscrisse*. Vi ricordate quale tempo verbale è? Di quale infinito?

11.5
p. 145

Nella frase «Dopo che ebbe vinto il Nobel, ritornò in Italia», *ebbe vinto* è un trapassato remoto (si forma con il passato remoto di *essere* o *avere* + il participio passato). Ricordate quando si usa e da quali espressioni normalmente è introdotto?

11.6
p. 146

1 Potete trovare l'infinito di tutti i passati remoti (attivi e passivi) usati nel testo letto, come nell'esempio?

1. *lavorare (lavorò)*
2. *arrivare (arrivarono)*
3. *espellere (fu espulsa)*
4. *arrendersi (si arrese)*
5. *continuare (continuò)*
6. *accettare (accettò)*
7. *scoprire (scoprì)*
8. *spiegare (spiegò)*
9. *insignire (fu insignita)*
10. *essere (fu)*
11. *nominare (fu nominata)*
12. *cominciare (cominciò)*
13. *preoccuparsi (si preoccupò)*
14. *abbandonare (abbandonò)*

2 A coppie, provate a costruire due frasi con il passato e il trapassato remoto.

es. 6-8
p. 64

G Curiosità

A Milano ha sede il *Museo Nazionale della Scienza e della Tecnologia "Leonardo da Vinci"*. Aperto nel 1953, con i suoi 50.000 m² è il più ampio museo tecnico-scientifico in Italia e uno dei maggiori in Europa. Qui si trova la più grande collezione al mondo di modelli di macchine realizzati a partire da disegni di Leonardo da Vinci. È visitato ogni anno da ben 500 mila persone.

H Ascoltiamo

 1 Avete mai visitato un planetario? Che emozioni vi ha suscitato? Raccontate la vostra esperienza.

 2 Ascoltate e completate le frasi che seguono (massimo 4 parole).

Il nuovo Planetarium 3D a Città della Scienza

1. Dal lungomare di Coroglio al cosmo stellato .... *il passo è breve* .... grazie al nuovo Planetarium 3D inaugurato a Città della Scienza.

2. L'impianto, il più grande e avanzato d'Italia, permette agli spettatori .... *un totale coinvolgimento* .... grazie alle più avanzate tecnologie al mondo.

3. 120 posti a sedere con la .... *fruizione di video* .... che porteranno alla scoperta dell'universo nella sua forma.

4. Dalle prime scoperte degli astronomi dei tempi antichi fino agli odierni telescopi .... *in orbita* .... nello spazio.

5. Sostanzialmente quello che distingue questo planetario da molti altri planetari è .... *l'immersività* ....

6. Permette a tutti i visitatori di avere una vista .... *a 180 gradi* .... sul planetario.

7. Avremo le immagini .... *in tempo reale* .... che vengono proprio scattate dalle sonde.

8. Recuperiamo quello che abbiamo perduto 4 anni fa con, però, delle *straordinarie potenzialità in più* .

3 Scegliete il significato corretto delle seguenti espressioni che abbiamo ascoltato.

[b] 1. Il passo è breve significa   a. c'è una certa distanza; b. non ci vuole molto

[a] 2. Avere una vista a 180 gradi significa   a. avere una buona visione da sinistra a destra;
b. vedere tutto intorno a sé, davanti e dietro

[a] 3. In tempo reale significa   a. nello stesso momento; b. dopo un certo tempo

I Lavoriamo sulla lingua

1 Correggete gli errori (uno per ogni rigo).

LADRI DI BREVETTI E DI SUCCESSI

1 **L**e invenzioni sono figlie <u>unice</u> sino a prova contraria. A volte si   *uniche*

2 capisce che la creatura ha in verità un <u>papa</u> diverso. Altre volte   *papà*

3 che si tratta di <u>gemeli</u>, e stabilire il primato è complicato e delicato.   *gemelli*

4 Meucci contro Bell per il <u>telephono</u>. Tesla contro Marconi a causa   *telefono*

5 della radio. Succede in <u>continuazzione</u>, non si può evitare.   *continuazione*

6 Dietro a <u>un idea</u> geniale si nasconde spesso un plagio* e un'intera   *un'*

7 squadra di avvocati. Certe battaglie diventano epiche, la <u>raggione</u>   *ragione*

8 di vita di uomini <u>umigliati</u> e offesi. Chiedete ad Antonio Meucci   *umiliati*

9 che <u>in</u> 1871 aveva denaro solo per un brevetto breve del suo   *nel*

10 telefono. <u>Cosiché</u> quando Alexander Bell glielo copia e lo   *Cosicché*

11 registra cinque anni dopo, i giudici si schierano da sua parte. .... *dalla*

12 Il legge è legge. Chiedete a Nikola Tesla. Il suo pensiero .... *La*

13 dominante: «Chiudo i occhi e mi concentro sul mandare un .... *gli*

14 messaggio al Marconi. Il messaggio è: "Marconi, sei un ladro". .... *a*

tratto da *www.repubblica.it*

2 Secondo voi, se un inventore registra il suo brevetto, riesce a tutelare la sua invenzione? Motivate la vostra risposta con degli esempi.

★ plagio: riproduzione e pubblicazione (anche parziale) di un'opera altrui, letteraria, scientifica, artistica, che si fa passare come propria.

es. 9 p. 65

L Parliamo

1 Guardate la foto di Samantha Cristoforetti, la prima donna italiana negli equipaggi dell'Agenzia Spaziale Europea. Ricostruite e commentate la sua vita leggendo le note biografiche a destra. Poi raccontate come immaginate le gioie e i dolori della vita di un astronauta.

Samantha Cristoforetti

Nata a Milano il **26 aprile 1977**, risiede a Malè (TN).

Laureata in **Ingegneria meccanica** all'Università di Monaco (Ger) e in **Scienze aeronautiche** all'Accademia Aeronautica di Pozzuoli

Il **30 agosto 2001** si è arruolata nell'**Aeronautica Militare**, dove ha poi ricoperto il ruolo di **capitano**

Tra il **maggio 2008** e il **marzo 2009** è stata in forze al **32° stormo di Amendola** (FG), ottenendo l'abilitazione su **velivolo AM-XT**

Lingue conosciute: tedesco, inglese, francese e russo

Hobby: lettura, yoga, nuoto, sci e mountain bike

2 Leggete i seguenti aforismi. Poi spiegateli e commentateli.

Carl Sagan

Da qualche parte, qualcosa di incredibile è in attesa di essere scoperto.

Theodore Roszak

La natura compone alcune delle sue poesie più belle davanti al microscopio e al telescopio.

3 La censura e il controllo della Santa Inquisizione sulle scoperte e sulle invenzioni scientifiche che hanno segnato il caso Galilei è uno fra i temi più caratteristici nella storia dell'affermazione della scienza empirica in Italia. Secondo voi, ancora oggi esiste questo divario tra scienza e fede o è stato, in parte, colmato? Discutetene, motivando il vostro punto di vista.

M Scriviamo

280-300

Scrivete una relazione in cui:

▶ ricostruite le tappe principali della biografia di uno scienziato che considerate importante;

▶ descrivete la sua invenzione, riportando, se possibile, quando/come/perché "gli si è accesa la lampadina";

▶ spiegate in che modo ha segnato un momento di svolta nel mondo scientifico.

i-d-e-e.it

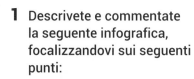

Economia e finanze

In questa unità impareremo a...

- *evincere informazioni da dati statistici*
- *riassumere un testo usando il numero minimo di parole*
- *prendere appunti da un testo orale*
- *scrivere un articolo di denuncia*

Inoltre vedremo...

- *i verbi pronominali con -ci e -la (tenerci, smetterla, ecc.)*
- *il congiuntivo dipendente da espressioni negative*
- *i superlativi con i prefissi intensivi (stra-, arci-, ecc.)*

Per cominciare...

1 Descrivete e commentate la seguente infografica, focalizzandovi sui seguenti punti:

a. Le imprese italiane sono distribuite in maniera omogenea su tutto il territorio?

b. Quali sono i settori di produzione delle industrie italiane?

c. Quali prodotti del Made in Italy sono famosi nel tuo Paese?

La distribuzione delle imprese italiane sul territorio

 28% Sistema moda

 23% Sistema arredo

 19% Alimentare

 19% Meccanica

 9% Chimica e plastica

 2% Prodotti in metallo

Le attività
(ripartizione per settore)

Nord

Centro

Sud e isole

 22% 19% 17%

11% 9% 2%

 4% 3% 2% 1%

5%   4% 1%

Le attività
(ripartizione per settore e area d'italia)

 2 Lavorate in coppia. Associate quanti più termini potete alla parola chiave al centro dello schema. Poi confrontate le vostre liste con quelle dei compagni.

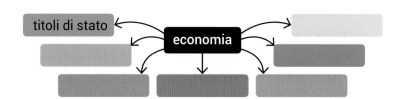

titoli di stato

economia

3 Secondo voi, che significa l'ossimoro del titolo del testo in basso?

A Comprensione del testo

1 Leggete il testo.

L'UTILITÀ DELL'INUTILE

1 Viviamo in un mondo dove ci vuole tanto denaro per essere felici. Il denaro ormai controlla tutto, tutto è in vendita, perfino la morale e lo spirito. Occorrerebbe ripensare il ruolo dei mercati e soprattutto tentare di opporsi a un sistema di crisi perenne che colpisce soprattutto le classi più deboli, se non altro per ritrovare il senso dell'esistenza, ciò che fa parte della storia civile, umana e sociale di questo nostro Paese. Ci sono delle cose che neppure gli straricchi possono comprare come, per esempio, la nostra vita, la libertà. Purtroppo, invece, in questi ultimi anni i mercati, i valori di mercato, borse e spread hanno preso a governare le nostre vite come mai prima d'ora cosicché tutto ormai può essere comprato e venduto.

2 In Italia i nostri governanti sono preoccupati non solo perché la corruzione dilaga, ma anche inquantoché la lotta all'evasione continua imperterrita. Essa, sebbene possa apparire una lotta nobile e giusta continuamente evocata come nobile esempio, finisce per trasformarsi in una specie di farsa che colpisce sempre gli stessi cittadini a reddito fisso, mentre coloro che evadono il sistema con società fittizie continuano a esportare ingenti somme di denaro in paradisi fiscali e nessuno riesce o vuole fermarli.

3 Non è che la crisi consista solo nella mancanza di fiducia nel mercato finanziario, nella diminuzione dei consumi, nelle banche che investono su titoli pericolosi, ingannando le persone che pensano di mettere al riparo i loro risparmi. Anzi essa è la conseguenza di una desertificazione di ciò che si chiama Mondo.

4 Siamo incappati in una logica perversa e cioè pensiamo che l'utilità del denaro sia sopra ogni cosa e che le altre cose che riguardano il sapere siano inutili, se non sono finalizzate a una logica di guadagno. Ma è tempo di smetterla con logiche pericolose e devastanti.

5 Nuccio Ordine, professore di letteratura italiana all'Università della Calabria, interviene in tale dibattito sempre più acceso con il suo saggio *L'utilità dell'inutile*, scommettendo su un paradosso: solo l'"inutile" salverà il mondo, essendo l'unico antidoto all'imbarbarimento dei nostri giorni. L'autore sostiene che oggigiorno: «Tutto si può comprare, è vero. Dai parlamentari ai giudici, dal potere al successo: ogni cosa ha il suo prezzo. Ma non la conoscenza: il prezzo da pagare è di ben altra natura. Neanche un assegno in bianco potrà consentirci di acquisire meccanicamente ciò che è esclusivo frutto di uno sforzo individuale e di una inesauribile passione.»

6 Il saggio di Ordine rappresenta un vero e proprio manifesto sulla bellezza del sapere, sulla bellezza della vita, della verità e della conoscenza. Lucide le sue considerazioni: «In una società in cui l'utile (ciò che produce profitto) sembra dettare legge in ogni

ambito della nostra vita, mi è sembrato opportuno ricordare che l'inutile (quei saperi che non producono guadagno) è molto più utile dei soldi. L'unica occasione che abbiamo, come esseri umani, di diventare migliori ce la forniscono l'istruzione, la ricerca scientifica, i classici, i musei, le biblioteche, gli archivi, gli scavi archeologici: e non è un caso che la scure dei governi e della crisi si abbatta purtroppo proprio su quelle cose ritenute inutili.»

7 Il libro è accattivante e piacevolmente leggibile, ma soprattutto l'autore ci tiene a evidenziare che la dignità dell'uomo non ha relazione con il profitto, quanto piuttosto con la ricchezza interiore che si può raggiungere solo attribuendo valore alla cultura e alla conoscenza.

tratto da *www.lastampa.it*

2 Per riassumere il testo con il numero minimo di parole bastano una o due frasi.
Provateci, completando le frasi che servono a sintetizzare il contenuto di ogni paragrafo.

○ PAR. 1
Oggi il denaro è molto importante ma *ci sono delle cose che neppure gli straricchi possono comprare.*

○ PAR. 2
I nostri governanti sono preoccupati per due motivi *perché la corruzione dilaga e la lotta all'evasione continua imperterrita.*

○ PAR. 3
La crisi riguarda *non solo il mondo finanziario.*

○ PAR. 4
La logica che imperversa è quella secondo la quale *l'utilità del denaro è sopra ogni cosa e le altre cose che riguardano il sapere sono inutili.*

○ PAR. 5
Nuccio Ordine ha scritto un libro dal titolo *L'utilità dell'inutile.*
Nel libro sostiene che *tutto si può comprare tranne la conoscenza.*

○ PAR. 6
In questo libro, inoltre, fa delle *interessanti e chiare considerazioni.*
Critica, infatti, *la nostra società in cui l'utile (ciò che produce profitto) sembra dettare legge in ogni ambito della nostra vita.*

○ PAR. 7
Ci tiene molto a evidenziare che *la dignità dell'uomo non ha relazione con il profitto.*

B Riflettiamo sul testo

1 In coppia. A quali aggettivi del testo corrispondono
le seguenti definizioni? Quali sono i contrari?

Sinonimo	Contrario
perenne	temporanea
imperterrita	titubante
fittizie	reali
perversa	virtuosa
inesauribile	esauribile
lucide	confuse

1. senza fine (*par. 1*)
2. senza sosta, esitazione (*par. 2*)
3. che non esistono in realtà (*par. 2*)
4. malvagia e crudele (*par. 4*)
5. che non finisce mai (*par. 5*)
6. chiare e logiche (*par. 6*)

2 A quali parole ed espressioni del testo corrispondono quelle indicate qui di seguito?

1. perché (*par. 2*) *inquantoché*
2. situazione che cade nel ridicolo (*par. 2*) *farsa*
3. che hanno entrate stabili (*par. 2*) *a reddito fisso*
4. difendere (*par. 3*) *mettere al riparo*
5. graduale trasformazione in deserto (*par. 3*) *desertificazione*

6. decadimento del livello culturale e dei valori civili (*par. 5*) *imbarbarimento*
7. senza indicare la somma o il beneficiario (*par. 5*) *in bianco*
8. imporre le sue regole (*par. 6*) *dettare legge*
9. i governi e la crisi diano un colpo violento (*par. 6*) *la scure dei governi e della crisi si abbatta*

C Lavoriamo sul lessico

 Nel testo abbiamo incontrato la parola *spread* che è una delle tante parole inglesi di economia, usate anche in italiano.

1 Potreste trovare il termine inglese delle seguenti parole o definizioni in italiano, scegliendolo tra quelli nel riquadro a destra?

d	1. persona con un compito di gestione o direzione	a	6. programmazione/ pianificazione
c	2. il bilancio di una società	f	7. valutazione della capacità di una società di pagare o meno i propri debiti
b	3. revisione del bilancio di spesa	e	8. imprese appena costituite, nelle quali vi sono ancora processi organizzativi in corso
g	4. studio del mercato e delle tendenze degli acquirenti		
h	5. affari		

a. planning
b. spending review
c. budget
d. manager
e. start up
f. rating
g. marketing
h. business

 "Produce profitto", "producono guadagno" sono espressioni che abbiamo incontrato nel testo. Il verbo *produrre* e i suoi derivati si usano molto nel lessico dell'economia.

2 Completate le seguenti frasi, usando questo verbo e i suoi derivati.

1. Questa regione ....*produce*.......... soprattutto grano e olio.
2. Si definisce piccolo ....*produttore*.......... di vino colui che produce in media meno di 1.000 ettolitri di vino all'anno.
3. Il PIL (o ....*Prodotto*.......... Interno Lordo) misura il valore di mercato di tutte le merci finite e di tutti i servizi prodotti nei confini di una nazione in un dato periodo di tempo.
4. Quest'anno la ....*produzione*.......... degli agrumi in Sicilia è stata scarsa.
5. Le aziende ....*produttrici*.......... d'abbigliamento in Italia sono altamente specializzate.
6. Per il superamento della crisi economica occorre incrementare la ....*produttività*..........

es. 1
p. 66

D Riflettiamo sulla grammatica

 Ci vuole, ci tiene, smetterla, che abbiamo letto nel testo, sono verbi pronominali con la particella *ci* e il pronome diretto *la*. Vi ricordate come si coniugano?

AG
11.11.1
p. 149

Completate le frasi con i verbi al tempo e al modo opportuni, scegliendoli tra quelli dati.

vederla | tenerci | cascarci | smetterla | volerci | esserci | pensarla | contarci
metterla | metterci | arrivarci | starci | crederci | piantarla

1. Quando Davide le diceva di amarla, lei ....*ci ha*.......... sempre ....*creduto*.......... È proprio una inguaribile romantica!
2. Sbrigati! Quanto tempo ....*ci metti*.......... per vestirti e truccarti?
3. Amiche, domani ....*ci state*.......... a venire al mare con me?
4. Ti aspetto alla mia festa di laurea, guarda che ....*ci conto*..........!

5. Non ti sopporto più! Devi _smetterla_ di ripetere sempre le stesse cose.

6. Dino ha bisogno di ripetizioni di fisica. Da solo proprio non _ci arriva_ a capirla.

7. La notizia su Facebook della morte di quel giornalista era falsa, ma tutti _ci sono cascati_.

8. Qual è la tua opinione sull'argomento? Come _la vedi_? Insomma, vuoi dirci come _la pensi_?

9. Come _la mettiamo_ con il pagamento dell'affitto?

es. 2
p. 66

E   Ascoltiamo

1 Geni si nasce o si diventa? Secondo voi, è possibile essere degli inventori di successo senza aver studiato? Conoscete qualche esempio?

2 Ascoltate l'intervista e prendete appunti. Poi rispondete alle domande.

1. Che cosa ha creato Pierluigi Parrotto?
    Ha creato una start up per la produzione di pale eoliche verticali per uso domestico.

2. Chi ha acquistato il suo progetto?
    Quattro investitori americani.

3. Che cosa fa oggi Pierluigi Parrotto?
    Continua a occuparsi di energie rinnovabili ed è a capo di tre aziende in Puglia.

4. Per quale motivo si sente particolarmente fiero a fine mese?
    Perché riesce a pagare gli stipendi di tutte le persone che lavorano con lui.

5. Quando ha iniziato a occuparsi del suo progetto?
    Durante l'ultimo anno delle scuole superiori.

6. Come mai il padre dice: "Non è mio figlio"?
    Non riesce a credere a tutto quello che è riuscito a realizzare; l'ha persino assunto in una sua azienda quando ha perso il lavoro.

7. Pierluigi ha tempo per divertirsi? Perché, cosa deve fare?
    No, ha due riunioni al giorno e almeno dieci viaggi di lavoro al mese.

8. Per farsi "la pelle e le ossa" nel suo lavoro è necessario frequentare corsi universitari?
    No, te le fai lavorando con le persone e i fornitori, quando devi far quadrare i conti ogni mese.

F   Lavoriamo sul lessico

Un testo di economia è caratterizzato da una terminologia specifica.
Scegliete tra le quattro l'opzione giusta per completare le frasi.

1. Il governo ha [a] cento milioni per la ricostruzione delle zone terremotate.
    (a.) stanziato   b. lanciato   c. regalato   d. rimborsato

2. Si registrano segnali positivi per l' [c] italiana che è tornata a crescere.
    a. imprenditore   b. impresa   (c.) imprenditoria   d. imprenditoriale

3. Secondo delle stime ufficiali, nel Nord Italia ⌐d⌐ fiscale è inferiore alla media europea.

   a. il prestito   b. l'investimento   c. il finanziamento   (d.) l'evasione

4. La dichiarazione dei redditi è il documento attraverso il quale il ⌐d⌐ dichiara le sue entrate annuali.

   a. risparmiatore   b. consulente   c. usuraio   (d.) contribuente

5. Per risanare un ⌐b⌐ è necessario fare un preventivo delle spese superflue e prendere drastiche misure che portino a un taglio delle spese.

   a. inflazione   (b.) bilancio   c. profitto   d. debito

6. Il Fondo Monetario Internazionale, una delle maggiori istituzioni internazionali in campo economico, decide tanto ⌐d⌐ dei prestiti ai Paesi membri quanto la sospensione dei finanziamenti.

   a. il deficit   b. i contributi   c. il rimborso   (d.) la concessione

7. Il governo prevede ancora una volta il sistema ⌐b⌐ orizzontali di tutti i capitoli del bilancio dello Stato.

   a. degli interessi   (b.) dei tagli   c. dei pagamenti   d. dei versamenti

es. 3
p. 67

G Riflettiamo sulla grammatica

> Nel testo a pag. 123 abbiamo incontrato la frase «Non è che la crisi consista solo nella mancanza di fiducia [...]». Riflettete sull'uso del congiuntivo dipendente da espressioni negative.

AG
11.12.1
p. 151

Completate le frasi con la forma giusta dei verbi dati.

es. Non dico che al Sud non ......*ci siano*...... (esserci) imprese, dico solo che non ce ne sono tante quante al Nord.

1. Non c'è stato alcun imprenditore che *abbia investito* (investire) in Italia senza pensare al profitto.

2. Occorre che tutta l'Italia cresca economicamnete, non perché ......*diventi*...... (diventare) un Paese ricchissimo, ma per essere più competitiva.

3. Non è che l'evasione fiscale non ......*esista*...... (esistere) in Italia, anzi costituisce uno dei più gravi problemi insieme a quello della criminalità organizzata.

4. Benché la crisi economica affligga l'Italia, ciò non significa che lo Stato italiano, per rilanciare l'economia, ...*debba*...... (dovere) fare tagli orizzontali alla sanità e alla cultura.

5. Non sapevo che l'area italiana più industrializzata ......*ruotasse*...... (ruotare) intorno al triangolo Milano, Torino e Genova.

6. Non siamo sicuri che il dio denaro ......*sia*...... (essere) al di sopra di ogni altro bene.

es. 4
p. 67

H Curiosità

Come sappiamo, l'artigianato è un'attività lavorativa grazie alla quale oggetti utili o decorativi sono fatti completamente a mano da un artigiano e non in serie. Ma da dove derivano le parole *artigianato* e *artigiano*? Derivano dal latino *ars* che significa "metodo pratico", ovvero "*tecnica*". In Europa, durante il Medioevo, gli artigiani si riunivano spesso in associazioni, dette *Corporazioni delle arti e dei mestieri*, che tutelavano gli appartenenti a una stessa categoria. Oggi ci sono ancora numerosi laboratori e botteghe artigianali sparsi in tutta Italia. Ricordiamo, per esempio, i vetri di Murano (Venezia), le ceramiche di Messina, i presepi di Napoli, le liuterie di Cremona e tanti altri.

Murano, Venezia

I Lavoriamo sulla lingua

Completate il testo con le parole mancanti,
scegliendole tra le opzioni proposte.

Libri e film ci hanno presentato infinite volte la figura del milionario che si circonda di lusso e oggetti preziosi, ma che _alla fine_ (1), più che molto felice, sembra solo molto stressato. Forse quei "poveri ricchi" sarebbero più soddisfatti se _usassero_ (2) i loro soldi non per comprare oggetti, ma per acquistare la risorsa più _scarsa_ (3) e meno rinnovabile di tutte: il tempo. È la _conclusione_ (4) a cui è giunto un gruppo di economisti americani della Harvard University, dopo avere scoperto che il modo con cui i soldi "comprano la felicità" è quello di "_acquistare_ (5) tempo" cioè spendere denaro per pagare persone che _svolgano_ (6) al posto nostro dei servizi non particolarmente piacevoli, come pulire la casa, portare a spasso i cani o tagliare l'erba del giardino, aumentando il nostro tempo libero.

"Si tratta in pratica di _spendere_ (7) soldi per evitare di spendere tempo in esperienze spiacevoli, utilizzando il tempo 'comprato' per fare invece qualcosa che ci piaccia" spiega un economista. "Curiosamente, mentre è molto in voga l'idea di aumentare la soddisfazione esistenziale compiendo esperienze piacevoli, come viaggi o feste, è molto meno popolare quella di spendere denaro per _evitare_ (8) esperienze spiacevoli".

tratto da www.repubblica.it

1. (a.) alla fine   b. realmente   c. finalmente   d. innanzitutto
2. (a.) usassero   b. userebbero   c. useranno   d. usano
3. a. povera   b. squallida   c. umile   (d.) scarsa
4. a. teoria   (b.) conclusione c. definizione   d. fine
5. a. ottenere   b. prendere   (c.) acquistare   d. conquistare
6. a. conducano   b. sviluppino   c. stendano   (d.) svolgano
7. (a.) spendere   b. sprecare   c. consumare   d. riciclare
8. a. imbattersi   b. risparmiare   (c.) evitare   d. scappare

es. 5-8
p. 68

L Riflettiamo sulla grammatica

Straricco è un superlativo assoluto formato con il prefisso intensivo *stra-*. Questo prefisso non è l'unico con cui è possibile formare un superlativo. Ce ne sono altri, come *arci-*, *ultra-*, *extra-*, *sovra-*, *super-*, *iper-*.

AG
4.2.3
p. 128

Sostituite le parole evidenziate con l'aggettivo corrispondente preceduto dal prefisso opportuno.

1. L'autobus era affollatissimo. _sovraffollato_
2. Sono contentissimo di andare in vacanza con Maria. _stracontento_
3. La mia valigia è leggerissima, ma resistentissima. _superleggera_ _ultraresistente_
4. Ho una pelle molto sensibile. _ipersensibile_
5. Siamo molto stufi del suo comportamento. _arcistufi_
6. Questo cibo è pieno di calorie. _ipercalorico_
7. Faccio degli sforzi più che umani per lavorare e studiare contemporaneamente. _sovrumani_
8. Questo tipo di pittura è molto moderna. _ultramoderna_
9. La tua macchina non è pulita, ma pulitissima: la lavi tutti i giorni! Che fissazione! _superpulita_
10. Davvero maledetto il giorno che ti ho incontrato! _Stramaledetto_

es. 9
p. 69

M Parliamo

1 Nelle immagini vediamo un tipico lavoro artigianale, Made in Italy. Secondo voi, le attività artigianali sono destinate a scomparire? Motivate le vostre risposte.

2 Come mai, secondo voi, molti dei grandi marchi italiani stanno spostando la loro produzione all'estero? Spiegate il vostro punto di vista.

3 Credete che si possa trovare una soluzione all'evasione fiscale? Quali provvedimenti suggerireste?

N Scriviamo

Seguendo la scaletta indicata*, scrivete per un giornale italiano un articolo in cui denunciate una decisione presa dal Governo che prevede per i prossimi due anni tagli orizzontali ai finanziamenti di tutti quegli enti preposti a garantire la diffusione della cultura.

> ✱ Scaletta per scrivere un articolo di denuncia
>
> • Pur essendo consapevoli delle difficoltà finanziarie del vostro Paese e della necessità di operare per il risanamento della spesa pubblica, ritenete tale provvedimento grave e intollerabile.
>
> • Dichiarate di opporvi con forza a questo provvedimento, chiedendo che venga sospeso in quanto, secondo voi, il diritto alla cultura deve essere garantito come ogni altro diritto acquisito e inviolabile.
>
> • Sottolineate che i tagli alla cultura non risanano il bilancio, ma cancellano solo migliaia di posti di lavoro, svalutando il patrimonio culturale e artistico del Paese stesso, epicentro di opere di valore universale da migliaia di anni.
>
> • Vi auspicate che il Governo riesamini al più presto la questione e che stanzi dei fondi per risanare il bilancio di musei, biblioteche, teatri, ecc.

O Giochiamo

Congiuntivo, o mio congiuntivo!

Giocate in due squadre. Comincia uno studente della squadra A, scegliendo una delle seguenti espressioni:

> *Non è che...*
> *Non sapevo che...*
> *Occorre che... non perché...*
> *Non dico che...*
> *Non siamo sicuri che...*
> *Ecc.*

Uno studente della squadra B dovrà usare quell'espressione per formare una frase che riguardi la tematica dell'economia. Poi un suo compagno di squadra sceglierà un'espressione con la quale uno studente della squadra A formerà una nuova frase e così via. Ricordatevi di usare il congiuntivo!
La prima squadra che non riesce a formulare o a continuare la frase in modo corretto, perde.

In questa unità impareremo a...

- *comprendere la descrizione di un evento storico*
- *dare informazioni sulle vicende storiche del nostro Paese*
- *scrivere una pagina di diario nelle vesti di un personaggio storico*

Inoltre vedremo...

- *il congiuntivo trapassato*
- *i connettivi coordinanti*

Per cominciare...

1 Uno dei periodi più importanti della storia italiana è quello del Risorgimento (XIX secolo). Secondo voi, per gli italiani questa parola indica un periodo di:

☐ a. rinascita culturale e artistica della penisola italiana

☒ b. lotta per la conquista dell'indipendenza e per l'unità del Paese

☐ c. sviluppo commerciale e benessere economico

2 Leggete i brevi autoritratti di due protagonisti del Risorgimento e scoprite il loro nome risolvendo l'anagramma.

Ho fondato un'organizzazione che si chiamava Giovine Italia. La mia idea politica era la seguente: l'Italia doveva essere "una, libera, indipendente e repubblicana". Non credevo nella monarchia, ma nella democrazia. La mia azione politica contribuì in maniera decisiva alla nascita dello Stato unitario italiano.

sipueGpe aMzinzi Giuseppe Mazzini, Genova, 1805 – Pisa, 1872

Mi chiamano "Eroe dei due mondi" per le mie imprese militari compiute sia in Europa che in America Meridionale. Sono la figura più rilevante del Risorgimento e uno dei personaggi storici italiani più celebri al mondo. In quasi tutte le città italiane c'è una piazza o un monumento che porta il mio nome.

sipueGpe balGaidir Giuseppe Garibaldi, Nizza, 1807 – Caprera, 1882

A Comprensione del testo

1 Leggete il testo e poi date un titolo ai vari paragrafi.

L'ITALIA È UNA NAZIONE DA OLTRE 150 ANNI. MA COM'È NATA?

1. *La situazione della Penisola*

Dalla caduta dell'Impero Romano (476), l'Italia non è più stata unita, bensì divisa in tanti Stati piccoli o piccolissimi. Fino a oltre la metà del XIX secolo l'Italia è costellata di stati e staterelli con principi, re, duchi e granduchi, ognuno con il suo ducato o la sua città. C'era il Regno Lombardo-Veneto (in pratica due terzi delle regioni del nord) sottomesso all'Austria, il Regno di Sardegna, governato dal re Vittorio Emanuele I, lo Stato della Chiesa nell'Italia centrale, governato dal Papa, e, infine, il Regno delle Due Sicilie a sud, governato dalla dinastia dei Borboni; e poi c'erano i ducati di Modena, di Massa e Carrara, di Lucca e di Parma, il Granducato di Toscana... Insomma, un vero rompicapo (vedere immagine). La dominazione austriaca non aveva interesse affinché i territori italiani occupati si sviluppassero, mentre gli altri staterelli non avevano le risorse: la Penisola era molto arretrata rispetto ai grandi Paesi europei.

2. I primi moti

Fu proprio in quegli anni che alcuni patrioti sentirono la necessità di unire tutta la Nazione, dando così inizio alla fase storica chiamata Risorgimento. In quest'epoca, nelle regioni controllate dall'Impero Austriaco, iniziarono i primi moti di ribellione, portati avanti da intellettuali che si organizzarono in società segrete, per evitare di essere imprigionati. La più attiva e famosa di queste organizzazioni fu la Carboneria, i cui componenti si chiamavano Carbonari.

Di tutti coloro che s'impegnarono nel periodo risorgimentale si ricordano in particolare Silvio Pellico (autore di *Le mie prigioni*, il libro in cui raccontò il periodo in cui fu prigioniero degli austriaci a causa delle sue idee indipendentiste) e Giuseppe Mazzini, che fondò un'organizzazione chiamata *Giovine Italia* il cui scopo era quello di fare l'Italia "una, libera, indipendente e repubblicana".

Giuseppe Garibaldi in battaglia

3. La spedizione dei Mille

In seguito a due sanguinosissime guerre d'indipendenza contro gli austriaci (1848-1859), in virtù delle quali venne liberata tutta la Lombardia, e dopo l'annessione al Regno di Sardegna della Toscana, di Parma e Modena, della Romagna, delle Marche e dell'Umbria, nel 1860 accadde un fatto determinante per l'unità d'Italia: la spedizione dei Mille, guidata dall'"eroe dei due mondi", Giuseppe Garibaldi. Costui il 5 maggio salpò da Quarto, presso Genova, e raggiunse Marsala, in Sicilia, con circa mille uomini al seguito.

Da lì, combattendo contro l'esercito borbonico con l'aiuto dalla popolazione, i Mille conquistarono tutta la Sicilia e, da Messina, risalirono verso nord fino a Napoli.

4. L'Unità d'Italia

Nelle stesse settimane re Vittorio Emanuele II, temendo che i rivoluzionari proseguissero verso Roma e mettessero a rischio la monarchia, scese con i suoi soldati fino in Campania per incontrare a Teano, nei pressi di Caserta, Giuseppe Garibaldi. Quest'ultimo a malincuore consegnò al re le terre conquistate, credendo che ormai fosse tramontato il suo sogno di un'Italia repubblicana. Così, benché mancassero all'appello ancora Venezia e Roma, il 17 marzo 1861 venne dichiarato il Regno d'Italia sotto Vittorio Emanuele II, con capitale provvisoria Torino.

Dieci anni dopo, nel 1871, quando i bersaglieri, aprendosi un varco nelle Mura (la famosa "breccia di Porta Pia") riuscirono a entrare in città, mettendo fine al potere del governo del Papa, Roma divenne la capitale del Regno d'Italia, finalmente unito ed esteso su tutta la Penisola.

tratto da *www.focusjunior.it*

C. Ademollo, *Breccia di Porta Pia*, 1880
Museo del Risorgimento, Milano

2 Mettete in ordine gli eventi storici dati alla rinfusa qui di seguito.

2   a. Perciò alcuni patrioti sentirono la necessità di unire tutta la nazione.

9   b. Nel 1871 Roma divenne la capitale del Regno d'Italia.

3   c. I primi moti rivoluzionari iniziarono nelle regioni controllate dall'Impero Austriaco.

8   d. Il 17 marzo 1861 venne dichiarato il Regno d'Italia.

5   e. Garibaldi con mille uomini partì da Quarto e raggiunse la Sicilia.

1   f. La Penisola italiana era molto arretrata e divisa.

7   g. Il re Vittorio Emanuele II scese con i suoi soldati fino in Campania.

4   h. Nel 1860 accadde un fatto determinante per l'unità d'Italia.

6   i. Da lì, i Mille conquistarono tutta la Sicilia e poi risalirono l'Italia fino a Napoli.

B   Riflettiamo sul testo

1 Abbinate le seguenti parole a quelle in verde nel testo.

1. problema di difficile soluzione
2. che è rimasta più indietro economicamente e culturalmente
3. unione di un territorio a uno Stato
4. con grande dispiacere
5. punteggiata su tutto il territorio
6. partì con la nave
7. sommosse, insurrezioni popolari
8. passaggio per entrare in un luogo
9. costretto a dipendere e a obbedire

> rompicapo
> arretrata
> annessione
> a malincuore
> costellata
> salpò
> moti
> varco
> sottomesso

2 Con che cosa potremmo sostituire le espressioni evidenziate?

a   1. in virtù delle quali venne liberata
    (a.) grazie alle   b. a causa delle   c. per forza delle

b   2. nei pressi di Caserta
    a. nel quartiere   (b.) vicino a   c. lontano da

c   3. fosse tramontato il suo sogno
    a. derivato   b. nato   (c.) morto

c   4. mancassero all'appello
    a. invito   b. ordine   (c.) chiamata

Garibaldi entra a Napoli
tra la folla esultante,
il 7 settembre 1860

C   Lavoriamo sul lessico

Nei volumi di storia si ripetono spesso alcune parole che si combinano con un verbo particolare: parliamo di collocazioni (che abbiamo visto anche a pag. 119).

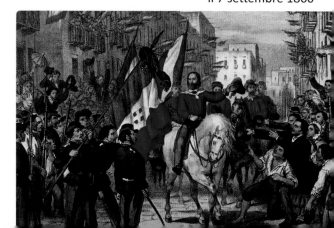

1 Abbinate a ogni verbo il nome adatto, scegliendolo tra quelli dati.

alleanza | diritto | territorio | sommossa
nemico | governo | vittoria | guerra

1. rivendicare   *diritto*
2. dichiarare   *guerra*
3. stipulare   *alleanza*
4. soffocare   *sommossa*
5. sconfiggere   *nemico*
6. formare   *governo*
7. occupare   *territorio*
8. ottenere   *vittoria*

2 Completate la seguente tabella con il verbo o il nome corrispondente alla parola data.

	verbo	nome
1.	combattere	*combattimento*
2.	sconfiggere	*sconfitta*
3.	*insorgere*	insurrezione
4.	conquistare	*conquista*
5.	*invadere*	invasione
6.	reprimere	*repressione*
7.	dominare	*dominio*
8.	vendicare	*vendetta*
9.	*saccheggiare*	saccheggio
10.	*succedere*	successione

D Riflettiamo sulla grammatica

Nel testo abbiamo incontrato la frase «credendo che ormai fosse tramontato il suo sogno». Come si forma il congiuntivo trapassato e in cosa si differenzia dal congiuntivo imperfetto?

es. 1
p. 70
AG
12.2
p. 154

Completate le seguenti frasi, coniugando il verbo al congiuntivo imperfetto o trapassato.

1. Ero preoccupata del suo ritardo. Temevo che *avesse perso/perdesse* (perdere, lui) il treno.
2. Non pensavamo che Marcello *fosse* (essere) un intellettuale.
3. Il giudice dubitava che l'accusato, il giorno prima, *avesse detto* (dire) tutta la verità.
4. Era probabile che Beatrice *ottenesse/avesse ottenuto* (ottenere) una borsa di studio.
5. Domandai alla mia ragazza che cosa *avesse fatto* (fare) durante la mia assenza, ma lei non rispose. Perché?
6. Mi pareva che tu non *avessi* ancora *capito* (capire) come stavano le cose.
7. Mi sembrava che i nostri professori *avessero/avessero avuto* (avere) una riunione.
8. Era lo spettacolo più emozionante che *avessi* mai *visto* (vedere, io).
9. Era inutile che tu *continuassi* (continuare) a cercarla. Valeria non voleva più vederti.

es. 2-4
p. 70

E Ascoltiamo

1 Secondo voi, nei libri di scuola la storia è raccontata dal punto di vista dei perdenti o dei vincitori?

  2 Ascoltate l'intervista e completate con le parole mancanti (al massimo quattro).

Carnefici è il titolo dell'ultimo libro di Pino Aprile

1. Aprile, *giornalista d'inchieste* e scrittore filo-meridionale, ha conosciuto la grande notorietà con il suo *Terroni*.
2. Hanno uno specifico obiettivo: quello di far luce su una guerra d' *aggressione mai dichiarata* ufficialmente da parte dei Savoia al Regno delle Due Sicilie.
3. Prima fra tutte la *campagna sanguinaria e spietata* contro il brigantaggio.

4. Questo è l'ordine di grandezza che emerge dall'incrocio *dei risultati dei censimenti* disposti dai Savoia.

5. Si scopre, così, di come venivano *rasi al suolo* paesi interi.

6. Ci si imbatte in *fucilazioni a tappeto* di centinaia di persone.

7. "La differenza, maestà – scrive il ministro al re – è dovuta *alle gravi circostanze* del grande atto del nostro rinnovamento: la guerra."

8. In un anno smette di crescere *e diminuisce di* 120.000 persone.

F Riflettiamo sulla grammatica

Nel brano ascoltato, il giornalista dice «si scopre così di come venivano rasi al suolo [...]. *Così* come pure *bensì*, *infine*, *insomma*, che abbiamo trovato nel testo alle pagine 130 e 131, sono dei connettivi (o congiunzioni) coordinanti. Ne ricordate altri?

AG
18.1
p. 163

Completate le frasi con i connettivi giusti, scegliendo tra quelli dati.

nonché (e anche) | bensì (ma) | eppure (nonostante ciò) | comunque (in/ad ogni modo)
ossia (cioè, ovvero) | anzi (o meglio) | persino (perfino, addirittura) | tuttavia (però)

1. Ero così arrabbiato che mi dimenticai *persino* di salutarlo.

2. Il candidato dovrà sostenere una prova scritta e una orale di latino, *nonché* un colloquio in lingua straniera.

3. Questo farmaco ha molte controindicazioni, *eppure/tuttavia* tutti corrono a comprarlo.

4. Ci sono tante criticità nel tuo progetto, *tuttavia/comunque* ti aiuterò a realizzarlo.

5. A causa delle forti piogge abbiamo avuto dei danni. *Comunque/Eppure*, poteva andare peggio!

6. La notizia che Mario ti ha comunicato è veramente importante per il tuo futuro, *anzi* importantissima.

7. Mio genero, *ossia* il marito di mia figlia, si chiama Davide.

8. Non si trattava di una visita formale, *bensì* informale.

es. 5-8
p. 72

G Curiosità

La bandiera nazionale italiana che è verde, bianca e rossa, per cui viene detta anche Tricolore, è nata nel 1796 e si ispira a quella della rivoluzione francese. Secondo una leggenda molto romantica, invece, i tre colori avrebbero questo significato: il verde rappresenterebbe la speranza, il bianco la fede e il rosso il sangue versato in nome della patria.

H Lavoriamo sulla lingua

Completate il testo con le parole che mancano.

LA QUESTIONE MERIDIONALE E IL FENOMENO DEL BRIGANTAGGIO*

L'Unità fu in gran parte un processo di "piemontesizzazione" del Sud, che mantenne, se non aumentò, la propria arretratezza *rispetto* (1) al Nord perché non c'era *una* (2) vera e propria borghesia per favorire lo sviluppo del commercio e delle industrie. I terreni rimanevano *nelle* (3) mani dei latifondisti, cioè di grandi proprietari terrieri e i terreni erano coltivati *da* (4) braccian-

134

A. Ferraguti, *Alla vanga* (dettaglio), 1890,
Museo del Paesaggio, Pallanza

tratto da *www.senzaclamore.myblog.it*

ti poverissimi e analfabeti che all'arrivo di Garibaldi ......*si*...... (5) erano illusi di poter migliorare le proprie condizioni di ......*vita*...... (6) e di lavoro, ma rimasero fortemente delusi. Inoltre la destra al governo impose nuove forti tasse e la leva** obbligatoria, per loro drammatica perché sottraeva braccia ......*al*...... (7) lavoro. Esplose così la cosiddetta "questione meridionale", *ossia/cioè/ovvero* (8) il secolare problema dell'arretratezza del Meridione (i ......*cui*...... (9) effetti si fanno sentire ancora oggi), che negli ......*anni*...... (10) successivi all'Unità portò al fenomeno del brigantaggio: la mancata realizzazione dei programmi sociali che ......*avevano*...... (11) accompagnato l'arrivo di Garibaldi e la mancata distribuzione delle terre ai contadini portarono alla formazione di bande di briganti, che si opponevano ......*allo*...... (12) Stato italiano e organizzarono numerosi atti di violenza e di saccheggio***. Lo Stato ......*italiano*...... (13), per combattere il brigantaggio, dovette quasi fare una guerra, che ......*riuscì*...... (14) a vincere solo dopo anni con leggi speciali e addirittura con l'invio dell'esercito. La questione meridionale si fece sentire anche alla fine dell'Ottocento e fino agli ......*inizi*...... (15) del Novecento.

> ★ brigantaggio: complesso fenomeno di ribellione politico-sociale che appare in Italia meridionale dopo l'unificazione, a opera di bande di briganti in guerra con lo Stato.
> ★★ leva: servizio militare.
> ★★★ saccheggio: derubare, depredare un luogo.

es. 9
p. 73

es. 10
p. 73

I   Parliamo

1 Leggete la seguente frase dell'antico storico greco Tucidide e commentatela, esprimendo il vostro punto di vista.

"Bisogna conoscere il passato per poter comprendere il presente e orientare il futuro."

2 Secondo voi, quali sono gli elementi che uniscono le persone di uno stesso Paese? Motivate le vostre risposte.

3 Vivete in un Paese unito? Se sì, esponete qual è, secondo voi, il "collante" più importante; se no, spiegate da cosa dipende la mancanza di un sentire comune.

4 Qual è l'evento storico che ritenete più significativo per il vostro Paese? Chi ne furono i protagonisti? Parlatene.

L   Scriviamo

240-260

Mettetevi nei panni di un personaggio importante che ha dato una svolta alla storia del vostro Paese e immaginate che, prima di affrontare la sua grande avventura, scriva una pagina di diario. Per scrivere la vostra pagina potete seguire le indicazioni date.*

i-d-e-e.it

> ★ **Come scrivere una pagina di diario nelle vesti di un personaggio storico**
> - È ormai arrivato il grande momento di...
> - Da tempo il mio Paese soffre a causa di...
> - L'emozione che provo...
> - Ho già fatto tutti i preparativi...
> - Nella mia valigia ho messo anche un portafortuna...
> - Se riuscirò nella mia impresa, finalmente...

Abracadabra: tra sacro e profano

In questa unità impareremo a...

- *trarre informazioni dal sommario di un articolo di giornale*
- *tracciare il profilo di una determinata categoria di persone*
- *mettere in guardia qualcuno da un pericolo*
- *preparare una scaletta per svolgere una composizione*

- *l'imperativo con i pronomi*
- *le particelle pronominali* ne e ci

1 Leggete titolo e sommario (si trova sotto il titolo e sintetizza il contenuto) di un articolo di giornale e immaginatene il contenuto.

> ### Gli italiani, ossessionati da maghi e ciarlatani
> L'ultimo rapporto dell'Osservatorio Antiplagio per la lotta contro ogni genere di santoni e ciarlatani, segnala che in Italia ci sono 151.000 maghi, chiromanti e astrologi, che ricevono ogni anno 12 milioni di clienti, più donne (51%) che uomini (49%), con un'età media di 47 anni.

2 Potreste tracciare il profilo delle persone che si rivolgono a questi "professionisti"? Per quali motivi, secondo voi, vi ricorrono?

A   Comprensione del testo

COME ARRICCHIRSI SUL DOLORE ALTRUI

Se la vostra situazione economica non vi soddisfa e volete cambiare mestiere, quella del veggente è un'attività tra le più redditizie e (contrariamente a quello che potreste pensare) tra le più facili. Basta
5 avere una certa carica di simpatia, una minima capacità di capire gli altri e un poco di pelo sullo stomaco. Ma anche senza queste doti, c'è sempre la statistica che lavora per voi.
10 Provate a fare questo esperimento: avvicinate una persona qualsiasi, anche scelta a caso (ma certamente aiuta se la persona è ben disposta
15 a verificare le vostre qualità paranormali). Guardatela negli occhi e ditele: «Sento che qualcuno sta pensando intensamente a lei, è qualcuno
20 che lei non vede da tanti anni, ma che un tempo lei ha amato moltissimo, soffrendo perché non si sentiva corrisposto. Ora questa persona si sta rendendo conto di quanto l'ha fatta soffrire, e si pente, anche se capisce che è troppo tardi». Può 25 esistere una persona al mondo, se proprio non è un bambino, che nel passato non abbia avuto un amore infelice, o comunque non sufficientemente ricambiato? Ed ecco che il vostro soggetto sarà il primo a corrervi in aiuto e a collabora- 30 re con voi, dicendovi di aver individuato la persona di cui voi captate così nitidamente il pensiero. Potete anche dire a qualcuno «c'è una perso- 35 na che la sottovaluta, e parla male di lei in giro, ma lo fa per invidia». Difficilissimo che il vostro soggetto vi risponda che è 40

ammiratissimo da tutti e non ha proprio idea di chi sia questa persona. Sarà piuttosto pronto a individuarla immediatamente e ad ammirare la vostra capacità di percezione extrasensoriale. Oppure, dichiarate di 45 poter vedere accanto ai vostri soggetti i fantasmi dei loro cari scomparsi. Avvicinate una persona di una certa età e ditele che le vedete accanto l'ombra di una persona anziana, che è morta per qualcosa al cuore. Qualsiasi individuo vivente ha avuto due genitori e 50 quattro nonni e, se siete fortunati, anche qualche zio o padrino o madrina carissimi. Se il soggetto ha già una certa età, è facilissimo che questi suoi cari siano già morti e, su un minimo di sei defunti, uno 55 che sia morto per insufficienza cardiaca ci dovrebbe essere. Se poi siete proprio sfortunati, dite che forse vi siete sbagliati, che quello che vedete non è forse 60 un parente del vostro interlocutore, ma di qualcun altro che gli sta vicino. È quasi certo che uno tra i presenti incomincerà a dire che si tratta di suo padre o di sua madre, e a questo punto siete a 65 posto, potete parlare del calore che quell'ombra sta emanando, dell'amore che prova per colui o colei che è ormai diventato pronto a tutte le vostre seduzioni. I

lettori accorti avranno individuato le tecniche di alcu- 70 ni personaggi assai carismatici che appaiono anche in trasmissioni televisive. Nulla è più facile che convincere un genitore che ha appena perduto il figlio, o chi piange ancora la morte della madre o del marito, che quell'anima buona non si è dissolta nel nulla e 75 che invia ancora messaggi dall'aldilà. Ripeto, fare il sensitivo è facile, il dolore e la credulità degli altri lavorano per voi. A meno naturalmente che non ci sia nei paraggi qualcuno del CICAP, il Comitato Italiano per il Controllo delle Affermazioni sul Paranormale, 80 di cui potete avere notizie al sito www.cicap.org, o leggendo la rivista *Scienza & Paranormale*. I ricercatori del CICAP vanno infatti a caccia di fenomeni che si pre- 85 tendono paranormali (dalla levitazione agli ufo, senza trascurare fantasmi, piegamento di forchette per mezzo della mente, lettura delle carte, madonne piangenti, 90 ecc.) e ne smontano il meccanismo, ne mostrano il trucco, spiegano scientificamente quello che appare miracoloso, spesso rifanno l'esperimento per dimostrare 95 che, conoscendo i trucchi, tutti possono diventare maghi.

tratto da un articolo
di Umberto Eco sull'*Espresso*

Leggete il testo e indicate quali delle informazioni che seguono sono presenti.

1. Sono tante le persone che di mestiere fanno i veggenti. ☐
2. Fare il veggente è più facile di quanto si creda. ☒
3. Quasi tutti abbiamo avuto qualche delusione d'amore. ☒
4. Le persone anziane sono più propense a credere a queste cose. ☐
5. È molto probabile che un anziano abbia perso delle persone care. ☒
6. L'insufficienza cardiaca è la più frequente causa di morte. ☐
7. Può darsi che anche "maghi" molto conosciuti ingannino la gente. ☐
8. Chi ha perso un familiare può essere più disposto a credere al paranormale. ☒
9. Il CICAP cerca di svelare gli inganni usati dai "maghi". ☒
10. Il CICAP comprende anche veri maghi. ☐

B Riflettiamo sul testo

1 Indicate quali parole ed espressioni del testo corrispondono alle seguenti.

1. che portano alti guadagni (*righi 1-5*) .... *redditizie* ....
2. ricambiato nel suo amore (*righi 20-25*) .... *corrisposto* ....

3. persona anziana *(righi 45-50)* *persona di una certa età*
4. dall'altro mondo *(righi 80-85)* *dall'aldilà*
5. nei dintorni *(righi 80-85)* *nei paraggi*
6. cercano di trovare *(righi 85-90)* *vanno a caccia*

2 Riformulate le frasi con altre parole, iniziando con quelle date.

1. se proprio non è un bambino *(rigo 25)* a meno *che non sia un bimbo*
2. dicendovi di aver individuato *(rigo 31)* vi *dirà di aver identificato / che ha identificato*
3. di cui voi captate il pensiero *(rigo 32)* il cui *pensiero voi cogliete*
4. che le vedete accanto l'ombra *(rigo 47)* che accanto *a lei si vede/osserva l'ombra*

es. 1
p. 74

C Lavoriamo sul lessico

 In italiano ci sono tantissimi modi di dire su "Dio" e sul "diavolo". (Ricordate che davanti alla parola Dio non mettiamo l'articolo.)

1 a In coppia, completate i modi di dire con *Dio* e *diavolo* e la preposizione o l'articolo dove necessario. Poi cercate di spiegarne il significato.

1. Il *diavolo* fa le pentole, ma non i coperchi
2. Essere un povero *diavolo*
3. Fare *il diavolo* a quattro
4. Quel ragazzo è un *diavolo* scatenato
5. Come *Dio* comanda
6. Mandare qualcuno *al diavolo*
7. Avere un *diavolo* per capello
8. Che *Dio* ce la mandi buona!
9. Avere *il diavolo* in corpo
10. *Il diavolo* ci ha messo la coda
11. Che *diavolo* fai?
12. Essere come *il diavolo* e l'acqua santa
13. *Dio* vede e provvede
14. L'uomo propone e *Dio* dispone

 b In coppia, costruite dei mini dialoghi utilizzando 6 di questi modi di dire.

2 Sono sinonimi (S) o contrari (C)?

1. osservante Ⓢ praticante
2. ateo Ⓒ credente
3. monastero Ⓢ convento
4. rito Ⓢ cerimonia
5. santo Ⓢ patrono
6. preghiera Ⓢ supplica
7. messa Ⓢ funzione
8. etica Ⓢ morale
9. angelo Ⓒ diavolo
10. inferno Ⓒ paradiso
11. tolleranza Ⓒ insofferenza
12. prodigio Ⓢ miracolo

es. 2
p. 74

es. 3
p. 74

D Riflettiamo sulla grammatica

💡 Che tempi verbali sono *provate*, *guardatela*, *ditele*, incontrati nel testo? Che valore hanno le particelle *-la* e *-le*?

🅰🅖 11.8 p. 147

Completate le seguenti frasi e provate a riformularle, usando la forma di cortesia.

1. a. Simona, ...*sii*.......... (essere) prudente, non ....*avere*.......... (avere) fiducia nei ciarlatani.
    b. Ragazzi, ...*siate*.......... (essere) prudenti, non ....*abbiate*.......... (avere) fiducia nei ciarlatani.
    c. [forma di cortesia] *Sia prudente, non abbia fiducia nei ciarlatani.*

2. a. Prego, se vuoi, ...*accomodati*.......... (accomodarsi) qui e ....*attendi*.......... (attendere) il tuo turno.
    b. Prego, se volete, ...*accomodatevi*.......... (accomodarsi) qui e ....*attendete*.......... (attendere) il vostro turno.
    c. [forma di cortesia] *Prego, se vuole, si accomodi e attenda il Suo turno.*

3. a. Se vedi Sofia, ...*salutala*.......... (salutarla) da parte mia.
    b. Se vedete Sofia, ...*salutatela*.......... (salutarla) da parte mia.
    c. [forma di cortesia] *Se vede Sofia, la saluti da parte mia.*

4. a. Marco, non ....*telefonare*.......... (telefonare) ora a tua madre, ...*telefonale*.......... (telefonarle) più tardi.
    b. Amici miei, non ....*telefonate*.......... (telefonare) ora a vostra madre, ...*telefonatele*.......... (telefonarle) più tardi.
    c. [forma di cortesia] *Non telefoni ora a Sua madre, le telefoni più tardi.*

5. a. Davide, non ....*regalare*.......... (regalare) ora questo libro a Beatrice, ...*regalaglielo*.......... (regalarglielo) per il suo compleanno.
    b. Ragazzi, non ....*regalate*.......... (regalare) ora questo libro a Beatrice, ...*regalateglielo*.......... (regalarglielo) per il suo compleanno.
    c. [forma di cortesia] *Non regali ora questo libro a Beatrice, glielo regali per il suo compleanno.*

6. a. Maria, ...*resta*.......... (restare) a casa mia, non ....*andartene*.......... (andarsene).
    b. Ragazzi, ...*restate*.......... (restare) a casa mia, non ....*andatevene*.......... (andarsene).
    c. [forma di cortesia] *Resti a casa mia, non se ne vada.*

es. 4-6 p. 75

E Curiosità

Napoli può essere considerata, tra le metropoli europee, la città più ricca di luoghi magici in cui i miracoli riempiono le cattedrali, i sogni dettano i numeri della lotteria e i corni allontanano il malocchio. Misteri e leggende popolano palazzi e castelli, dai racconti di sacrifici umani nella Cappella Sansevero alla storia di un magico uovo sepolto sotto Castel dell'Ovo. La sfera soprannaturale della città, tuttavia, è guidata da San Gennaro che è il patrono di Napoli. Il Santo due volte all'anno è chiamato a fare "il" miracolo, che consiste nello scioglimento del suo sangue contenuto in un'ampolla. Se San Gennaro non esegue, si prevedono terremoti, eruzione del Vesuvio, epidemie e tante altre disgrazie: «San Genna', aiutaci tu!».

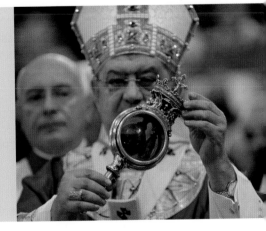

F Situazione

 Il tuo amico si è lasciato con la sua ragazza. Siccome è una persona superstiziosa, ha deciso di trovare una soluzione al suo problema di cuore, rivolgendosi a una cartomante. Tu gli dici che dovrebbe diffidare di veggenti, maghi e sensitivi che sostengono di essere dotati di poteri paranormali o di essere in grado di comunicare con il mondo dell'aldilà, in quanto:

▸ si tratta di persone senza scrupoli che sfruttano chi si trova in difficoltà per guadagnare soldi;

▸ le vittime ideali di maghi e veggenti sono persone che hanno appena perso una persona amata o che soffrono a causa di una malattia.

Inoltre, gli consigli di:

▸ non consegnare mai denaro in contanti, perché non avrebbe nessuna prova del denaro versato e non potrebbe ricorrere alla giustizia per essere risarcito;

▸ non comunicare mai i suoi dati personali o recapiti telefonici per evitare minacce o violenze fisiche;

▸ evitare insomma questo genere di individui e di trovare un altro modo per risolvere il suo problema.

G Riflettiamo sulla grammatica

Nel testo alle pagine 136 e 137 abbiamo incontrato «ne smontano il meccanismo, ne mostrano il trucco». Che significato ha la particella pronominale *ne* in queste frasi? Ne conoscete altri usi? Che differenza c'è tra questa e la particella pronominale *ci*?

AG
6.6-7
p. 136

Provate a completare le seguenti frasi con le particelle *ci* e *ne*.

1. • Tu credi alle bugie dei veggenti? • No, non *ci* credo affatto!
2. • Voi discutete di questo argomento in classe? • Sì, *ne* discutiamo con piacere.
3. I tuoi figli vogliono solo assaggiare la torta e poi *ne* mangiano metà.
4. Non devi pensare a lui. Non *ci* devi pensare più!
5. Viviamo a Londra. *Ci* abitiamo da un anno.
6. Lorella voleva superare il suo problema. *Ci* ha provato senza successo.
7. Paolo ha iniziato a lavorare in questo negozio come commesso. Dopo *ne* è diventato il direttore.
8. Vorremmo frequentare un corso di lingua spagnola, ma non *ne* siamo ancora convinti.

es. 7
p. 76

H Lavoriamo sulla lingua

1 Correggete gli errori (uno per ogni rigo).

1 **C**redente? Sì, ma "a modo mio". Così vivono oggi la religione
2 giovani catolici italiani under 30. In passato i dogmi venivano
3 tramandati tra le mura domestiche. Ora che la famiglia e in
4 crisi, non svolge più quella funzione di educazzione religiosa
5 che aveva un tempo. Così i giovanni adattano i dogmi a
6 secondo delle loro idee. Per loro il "cattolicesimo" è un'istituzione,

Sì
cattolici
è
educazione
giovani
seconda

7 pure un <u>po</u> noiosa, mentre "cattolico" è sinonimo di chi non
8 salta una messa: meglio tenersi <u>a</u> larga da queste persone!
9 Invece ritengono il "<u>Cristianisimo</u>" più come un "volersi bene",
10 più <u>un</u> etica che una religione, ma proprio per questo gli piace.
11 Insomma, per loro religione <u>significha</u> "fai da te". Ma non è
12 detto che sia un male, perfino per la Chiesa. L'<u>approcio</u> più
13 soggettivo dei giovani alla fede può servire <u>di</u> formare
14 le <u>conscienze</u>. E la Chiesa deve essere costituita di persone
15 che vivono in coscienza il <u>suo</u> credere.

po'
alla
Cristianesimo
un'
significa
approccio
a/per
coscienze
loro

tratto da Donna moderna

💬 **2** Secondo voi, si può essere credenti "a modo proprio" o bisogna osservare tutti i precetti della religione che si è scelto di abbracciare? Motivate la vostra risposta con degli esempi tratti dalla vostra esperienza quotidiana.

es. 8-9 p. 77

I Ascoltiamo

1 Ascolteremo una trasmissione radiofonica dedicata alla superstizione. Abbinate le seguenti parole al loro significato.

d	1. sètta		a. credere nelle forze irrazionali
e	2. cartomante		b. attitudine a credere a tutti e a tutto
b	3. creduloneria		c. persona con poteri soprannaturali
a	4. superstizione		d. gruppo di persone legate da una fede o altro interesse specifico
c	5. mago		e. persona in grado di prevedere il futuro dalla lettura delle carte

🎧 21 **2** Ascoltate ora la trasmissione e indicate la risposta corretta.

1. La persona intervistata è
  ☐ a. un medico
  ☒ b. uno psicologo
  ☐ c. un mago

2. Ci si rivolge ai maghi perché si è
  ☐ a. indecisi
  ☐ b. preoccupati
  ☒ c. insicuri

3. Il "mago" ha la capacità di
  ☒ a. fornire al cliente un'altra realtà
  ☐ b. leggere nella mente delle persone
  ☐ c. capire subito i problemi del cliente

4. Chi si rivolge ai maghi
  ☒ a. è spesso a disagio con se stesso
  ☐ b. ha rapporti sociali difficili
  ☐ c. ha crisi d'identità frequenti

3 Nell'intervista vengono utilizzate le espressioni evidenziate che seguono. Sapreste dire perché?

1. Nella frase "Quindi questa creduloneria Lei la vede abbastanza legata con una incapacità di crescere", la giornalista usa le parole evidenziate perché vuole: ☐ a. dissociarsi dalla posizione dello psicologo, ☒ b. sottolineare il punto di vista dello psicologo, ☐ c. dire che è d'accordo con lo psicologo.

2. Nella frase "Molte persone hanno bisogno appunto di distrarsi con altre cose e allora il mago aiuta...", lo psicologo usa la parola evidenziata perché vuole: ☒ a. rafforzare quanto da lui detto finora, ☐ b. contraddire il suo interlocutore, ☐ c. ribaltare i risultati del sondaggio.

es. 10 p. 77

L Parliamo

1 Guardate la foto e spiegate a che cosa si riferisce la frase "Non è vero, ma ci credo". E voi? Anche voi avete un amuleto, consultate l'oroscopo, o avete chiesto aiuto a un santone? Raccontate.

2 Quali sono le superstizioni più diffuse nel vostro Paese? Parlatene.

3 Alla fine di ogni anno maghi, astrologi e veggenti fanno affari d'oro grazie alle previsioni che sarebbero in grado di fare per l'anno che verrà, consigliando persino dei "riti magici" a chi dovrà affrontare la "iella", la sfortuna. Ma non ci azzeccano quasi mai. Allora per quale motivo, secondo voi, molte persone continuano a ricorrere a forze occulte per conoscere il loro destino? Motivate la vostra opinione.

M Scriviamo

60-100

Chi si accinge a scrivere una composizione deve preparare una scaletta, come quella a destra*, basata sulla traccia che segue.

> *In un mondo dominato dalla scienza, ogni giorno 33.000 italiani si rivolgono a maghi, cartomanti, veggenti, astrologi e guaritori alla ricerca di soluzioni per i loro problemi sentimentali, di salute, lavorativi e familiari, sprecando una fortuna: attorno al business dell'occulto ruotano ben 6,5 miliardi di euro. Come potete spiegare tale fenomeno? Che fare per rimediare quando ci si trova in una situazione del genere?*

Ora preparate anche voi una scaletta per scrivere una composizione a partire dalla seguente traccia.

> *Una ricerca rivela che la teoria dell'irreligiosità dell'uomo moderno è errata, anzi la domanda di fede è in crescita. E il "mercato" si adegua con offerte sempre più diversificate. Alle religioni "ufficiali" si affiancano una miriade di culti orientali, sette evangeliche, Testimoni di Geova, ma anche maghi, guaritori, santoni... Purtroppo oggi non sono pochi coloro che commettono azioni criminali in nome della loro fede. Come potreste spiegare tale fenomeno? Che fare per rimediare a una situazione del genere?*

* ✱ Esempio di scaletta
- **Introduzione:** È vero che viviamo in un mondo dominato dalla scienza e dal razionale, ma... / È pur vero che attraversiamo un periodo di dubbi e di crisi...
- **Corpo:** Molte persone non vogliono accettare la realtà... / sono spinte dalla disperazione o dall'ignoranza / sono superstiziose / sono vittime del fanatismo...
- **Conseguenze:** Diventare dipendenti / Perdere la vita, una fortuna / Capire troppo tardi il proprio errore, la truffa, ecc.
- **Rimedi:** Rivolgersi alla giustizia / Andare da uno psicoterapeuta / Puntare sulla prevenzione / ecc.

N Giochiamo

Giocate in piccole squadre. La vostra anziana vicina ha avuto un problema personale (d'amore, famiglia, salute, ecc.) e ha deciso di chiedere aiuto a un santone. Voi decidete di intervenire e darle dei consigli (usando l'imperativo di cortesia), come nell'esempio. Comincia uno studente della squadra A. Se la frase è corretta, la squadra vince un punto. Poi tocca a uno studente della squadra B e così via. Vince la squadra che dà più consigli corretti!

Non si fidi dei ciarlatani!

i-d-e-e.it

In questa unità impareremo a...

- *riflettere sui fenomeni migratori e l'integrazone*
- *trovare punti di contatto tra fenomeni che si ripetono in epoche diverse*
- *scrivere una storia autobiografica*

Inoltre vedremo...

- *il si passivante*
- *i verbi pronominali in -sene (andarsene, starsene, ecc.)*

Per cominciare...

1 Abbinate le seguenti parole al loro significato e dopo completate la tabella.

- [c] 1. emigrazione
- [a] 2. migrazione interna
- [b] 3. immigrazione

a. lo spostamento da una parte all'altra dello stesso Paese
b. il trasferimento dall'estero nel proprio Paese
c. l'abbandono del proprio Paese per andare all'estero

fenomeno	verbo	persona
emigrazione	emigrare	emigrante, emigrato
migrazione	migrare	migrante
immigrazione	immigrare	immigrato

2 Leggete e descrivete i seguenti grafici. Poi raccontate se il fenomeno dell'emigrazione si è mai presentato nel vostro Paese.

Emigrazione italiana 1876-1976
Regioni a maggiore emigrazione

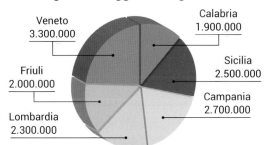

Veneto 3.300.000
Calabria 1.900.000
Friuli 2.000.000
Sicilia 2.500.000
Lombardia 2.300.000
Campania 2.700.000

Principali Paesi di emigrazione italiana 1876-1976			
Francia	4.117.394	Stati Uniti	5.691.404
Svizzera	3.989.813	Argentina	2.969.402
Germania	2.452.587	Brasile	1.456.914
Belgio	535.031	Canada	650.358
Gran Bretagna	263.598	Australia	428.289
Altri	1.188.135	Venezuela	285.014
Totale	**12.546.558**	**Totale**	**11.481.381**

A Comprensione del testo

VERSO UNA NUOVA VITA

1   **S**uccedeva sempre che a un certo punto uno alzava la testa... e la vedeva. È una cosa difficile da capire. Voglio dire... Ci stavamo in più di mille, su quella nave, tra ricconi in viaggio, e emigranti, e gente strana, e noi... Eppure c'era sempre uno, uno solo, uno che per primo... la vedeva. Magari era lì che stava mangiando, o passeggiando, semplicemente, sul ponte... magari era lì che si stava aggiustando i

pantaloni... alzava la testa un attimo, buttava un occhio verso il mare... e la vedeva. Allora si inchiodava, lì dov'era, gli partiva il cuore a mille, e, sempre, tutte le maledette volte, giuro, sempre, si girava verso di noi, verso la nave, verso tutti, e gridava (piano e lentamente): l'America. Poi rimaneva lì, immobile come se avesse dovuto entrare in una fotografia, con la faccia di uno che l'aveva fatta lui, l'America.

2 Quello che per primo vede l'America. Su ogni nave ce n'è uno. E non bisogna pensare che siano cose che succedono per caso, no... e nemmeno per una questione di diottrie, è il destino, quello. Quella è gente che da sempre c'aveva già quell'istante stampato nella vita. E quando erano bambini, tu potevi guardarli negli occhi, e se guardavi bene, già la vedevi, l'America, già lì pronta a scattare, a scivolare giù per nervi e sangue e che ne so io, fino al cervello e da lì alla lingua, fin dentro quel grido, AMERICA, c'era già, in quegli occhi, di bambino, tutta, l'America. Lì, ad aspettare. [...]

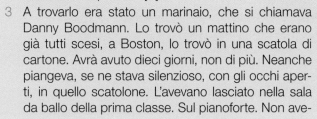

ALESSANDRO BARICCO
Novecento
Un monologo

UNIVERSALE ECONOMICA FELTRINELLI

3 A trovarlo era stato un marinaio, che si chiamava Danny Boodmann. Lo trovò un mattino che erano già tutti scesi, a Boston, lo trovò in una scatola di cartone. Avrà avuto dieci giorni, non di più. Neanche piangeva, se ne stava silenzioso, con gli occhi aperti, in quello scatolone. L'avevano lasciato nella sala da ballo della prima classe. Sul pianoforte. Non aveva l'aria però di essere un neonato di prima classe. Quelle cose le facevano gli emigranti, di solito. Partorire di nascosto, da qualche parte del ponte, e poi lasciare lì i bambini. Mica per cattiveria. Era miseria, quella, miseria nera.

4 Un po' come la storia dei vestiti... salivano che avevano le pezze al culo, ognuno col suo vestito consumato dappertutto, l'unico che c'avevano. Poi però, dato che l'America era sempre l'America, li vedevi scendere, alla fine, tutti ben vestiti, con la cravatta anche, gli uomini, e i bambini con certe camiciole bianche... insomma, ci sapevano fare, in quei venti giorni di viaggio cucivano e tagliavano, alla fine non trovavi più una tenda, sulla nave, più un lenzuolo, niente: si erano fatti il vestito buono per l'America. A tutta la famiglia. Potevi mica dirgli niente...

5 Insomma, ogni tanto ci scappava anche il bambino, che per un emigrante è una bocca in più da sfamare e un sacco di grane all'ufficio immigrazione. Li lasciavano sulla nave. In cambio delle tende e delle lenzuola, in un certo senso. Con quel bambino doveva essere andata così. Dovevano essersi fatti un ragionamento: se lo lasciamo sul pianoforte a coda, nella sala da ballo di prima classe, magari lo prende qualche riccone, e sarà felice tutta la vita. Era un buon piano. Funzionò a metà. Non diventò ricco, ma pianista sì. Il migliore, giuro, il migliore.

tratto da *Novecento* di Alessandro Baricco

Associate le seguenti sintesi ai paragrafi del racconto.

2 a. Era già scritto nel suo destino, sin dalla più tenera età, chi sarebbe sbarcato in America.

5 b. Molte volte succedeva che gli emigranti lasciavano i figli partoriti in viaggio nella sala di prima classe della nave, pensando che forse sarebbero stati adottati da qualche famiglia ricca.

4 c. Quando gli emigrati s'imbarcavano erano vestiti male, ma, durante il viaggio, si cucivano abiti nuovi con le stoffe che trovavano sulla nave e sbarcavano con un vestito nuovo.

1 d. In viaggio verso l'America, dopo giorni d'attesa, c'era sempre qualcuno che dalla nave vedeva per primo la terra promessa e, incredulo, gridava di gioia.

3 e. Un marinaio aveva trovato un neonato abbandonato in uno scatolone sul pianoforte della prima classe, probabilmente il figlio di una coppia di emigranti.

B Riflettiamo sul testo

1 Trovate nel racconto le espressioni che corrispondono alle seguenti.

1. guardava distrattamente (*par. 1*) *buttava un occhio*
2. restava immobile (*par. 1*) *si inchiodava*
3. gli batteva forte il cuore (*par. 1*) *gli partiva il cuore a mille*

Dal film di
Giuseppe Tornatore:
*La leggenda del
pianista sull'oceano*

4. non sembrava affatto *(par. 3)* .... *non aveva l'aria*

5. portavano pantaloni consunti *(par. 4)* *avevano le pezze al culo*

6. erano in gamba *(par. 4)* .... *ci sapevano fare*

7. di certo non era possibile criticarli *(par. 4)* *Potevi mica dirgli niente*

8. qualche volta poteva anche nascere un bimbo *(par. 5)* *ogni tanto ci scappava anche il bambino*

9. un altro bimbo da nutrire *(par. 5)* *una bocca in più da sfamare*

10. tanti problemi *(par. 5)* .... *un sacco di grane*

2 Dite in un altro modo le seguenti parole o parti di frase evidenziate.

1. A un certo punto uno alzava la testa. — *All'improvviso*

2. Eppure c'era sempre uno solo che per primo... la vedeva. — *Malgrado ciò*

3. Magari era lì che stava mangiando. — *Forse*

4. Quello che per primo vede l'America. — *Chi*

5. Dato che l'America era sempre l'America. — *Dal momento/Visto che*

6. E non bisogna pensare che siano cose che succedono per caso. — *si deve pensare, casuali*

7. A trovarlo era stato un marinaio. — *Lo aveva trovato*

8. Neanche piangeva. — *Non piangeva neppure*

9. Mica per cattiveria. — *Non (lo facevano) per cattiveria*

10. In cambio delle tende e delle lenzuola, in certo senso. — *in qualche modo / da un certo punto di vista*

C Lavoriamo sul lessico

1 Completate le frasi con le parole derivate da quelle date in verde.

1. Il comune accoglierà in strutture di accoglienza persone in condizione di *emarginazione* sociale. *(emarginare)*

2. Decine di migranti irregolari *sono sbarcati* su una spiaggia fra lo stupore dei numerosi bagnanti che la affollavano. *(sbarco)*

3. Ieri un profugo ha tentato la *fuga* in Francia. *(fuggire)*

4. Circa cento migranti sono morti affogati, lasciati deliberatamente *annegare* dallo scafista che li stava trasportando su un gommone. *(annegamento)*

5. Oggigiorno c'è poca *tolleranza*. Sarebbe importante, invece, rispettare i comportamenti, le idee e le convinzioni altrui, anche se in contrasto con le proprie. *(tollerare)*

6. L'Unione Europea ha annunciato che avvierà operazioni militari contro i *trafficanti* di esseri umani. *(traffico)*

7. Spetta alla scuola la responsabilità educativa di valorizzare le differenze e promuovere l' *integrazione* tra differenti etnie. *(integrare)*

8. Le Ong (Organizzazioni non governative) sono sempre in prima linea nel *salvataggio* in mare dei migranti. *(salvare)*

2 Cerchiamo di scoprire insieme le differenze tra alcune parole che possono confondere. Completate le frasi con i sostantivi dati, alla forma giusta.

clandestino | extracomunitario | profugo | migrante | straniero | rifugiato

1. A causa della guerra, migliaia di ....._profughi_..... furono costretti a lasciare il loro Paese.
2. Ogni anno molti ....._stranieri_..... visitano l'Italia.
3. Ogni giorno a Lampedusa sbarcano dai gommoni decine di ....._migranti_.....
4. Chi resta in Italia e non è in possesso del permesso di soggiorno è un immigrato ....._clandestino_.....
5. I cittadini ....._extracomunitari_..... sono coloro che provengono da un Paese che non è membro della Comunità Europea.
6. Il ....._rifugiato_..... è colui che chiede asilo politico a un Paese diverso da quello di cui possiede la cittadinanza.

es. 1-2
p. 78

D Riflettiamo sulla grammatica

11.10.2
p. 148

Nel testo abbiamo trovato molti verbi preceduti dalla particella *si*. Indicate se nei verbi evidenziati il *si* ha valore riflessivo (R) o passivante (P). Cosa notate?

P P 1. Si alzava la testa e si vedeva l'America.
R 2. Magari l'emigrante era lì che si stava aggiustando i pantaloni.
R 3. Lui si girava verso di noi e gridava: l'America!
R 4. Il marinaio si chiamava Danny Boodmann.
P 5. Sulla nave si passavano molti mesi.
P 6. Non si può calcolare con esattezza il numero degli immigrati.
P 7. Si lascia per sempre il proprio Paese.
P 8. In un centro di prima accoglienza, si trovano condizioni di vita molto precarie.
P 9. Spesso si affrontano problemi con la lingua del Paese ospitante.
R 10. I migranti si erano fatti il vestito buono per l'America.

es. 3
p. 79
es. 4-5
p. 79

E Ascoltiamo

1 Avete mai visitato una mostra sulla storia dell'emigrazione o dell'immigrazione nel vostro Paese? In Italia si può, al Galata Museo di Genova. Secondo voi, che informazioni si possono trovare?

 2 Ascoltate e completate il seguente testo con le informazioni mancanti (una parola per spazio).

Il terzo piano di Galata, il Museo del Mare dell'antico porto di Genova, ospita una mostra permanente dedicata all' ....._emigrazione_..... (1) italiana via mare e all'immigrazione ....._straniera_..... (2). Il visitatore è condotto lungo un ....._itinerario_..... (3) che comincia dalla Genova di fine '800, ..._punto_..... (4) di partenza per il "viaggio della speranza" verso l'America, e arriva fino ai giorni nostri, ai ....._barconi_..... (5) di Lampedusa e al difficile ma affascinante cammino verso l' ....._integrazione_..... (6) di chi cerca l'America in Italia.

Ad ogni visitatore, all'ingresso, viene consegnato un ....*passaporto*.... (7) appartenuto a un migrante del passato di cui può rivivere la storia grazie a diverse ....*postazioni*.... (8) multimediali.

L'esposizione ha un allestimento molto ....*curato*.... (9) che ricostruisce il percorso dei migranti dai vicoli di Genova fino alla foresta brasiliana.

L'ultima sezione è dedicata alla odierna migrazione in Italia e alla tragedia degli ....*sbarchi*.... (10), ma anche al processo d'integrazione degli immigrati che passa dal lavoro, dalla scuola e dalla cucina.

Il fenomeno migratorio non è solo un problema umanitario o di ordine pubblico, ma una realtà ....*consolidata*.... (11): oggi gli stranieri costituiscono il ....*7,4%*.... (12) della popolazione.

F Curiosità

Oltre al pregiudizio che fossero tutti mafiosi e assassini, negli Stati Uniti gli italiani dovevano anche sopportare di essere chiamati con vari appellativi usati in senso dispregiativo, come per esempio *testa di brillantina* (per i capelli lucidi e divisi dalla riga come li portava l'attore Rodolfo Valentino), *dago* (perché tanti italiani lavoravano e venivano pagati a giornata, *as the "day goes"*, da cui *dago*), *macaroni* (che non ha bisogno di spiegazioni), e *broccoli*. Quest'ultimo fa riferimento al fatto che gli emigranti italiani che arrivavano nel porto di New York pronunciavano male la parola Brooklyn e facevano ridere tutti con la loro pronuncia.

G Riflettiamo sulla grammatica

Starsene, che abbiamo trovato in «se ne stava silenzioso» nel testo alle pagine 144 e 145, è un verbo pronominale che finisce in *-sene*. Ricordate come si coniugano i verbi idiomatici di questo tipo?

AG
11.11.2
p. 150

In coppia, fate delle frasi con i verbi pronominali dati.

andarsene | fregarsene | uscirsene
restarsene | infischiarsene
intendersene | scapparsene
importarsene | tornarsene
partirsene | farsene

es. 6-7
p. 80

H Lavoriamo sulla lingua

1 Completate il testo con gli elementi grammaticali mancanti.

PECORE NERE

Pecore nere è ....*un*.... (1) libro di racconti scritti "....*a*.... (2) otto mani" da Gabriella Kuruvilla, Ingy Mubiayi, Igiaba Scego e Laila Wadia, quattro donne che rappresentano la prima generazione di figlie di immigrati. Provenienti ....*da*.... (3) esperienze molto diverse, tutte ....*e*.... (4) quattro ambientano le ....*loro*.... (5) storie in Italia, nella penisola ....*dove/in cui*.... (6) sono nate o cresciute. ....*Nonostante/ Benché*.... (7) i loro genitori siano originari di differenti Paesi – Somalia, India, Egitto – la ricerca delle protagoniste è uguale: affermare e vivere un'identità divisa ....*tra*.... (8) più mondi, uno ereditato dai genitori, del ....*quale*.... (9) hanno sentito parlare, ma che non hanno ....*mai*.... (10) visitato, l'altro nel quale vivono e cercano di integrarsi, affrontando tante difficoltà, ...*come*.... (11), per esempio, i pregiudizi per il colore della loro pelle. Emblematica la problematica che la scrittrice somala Igiaba Scego ....*si*.... (12) pone, chiedendosi che significhi per lei "essere italiana". Si tratta di una domanda a cui non riesce ....*a*........ (13) dare una risposta, in quanto la sua identità è divisa tra il nuovo e la tradizione, tra integrazione e diversità, accoglienza e rifiuto: "Sono italiana, ...*ma*...... (14) anche no. Sono somala, ma anche no. [...] Un casino. Un mal di testa. [...] Un essere condannato ......*all'*...... (15) angoscia perenne."

tratto da www.laterza.it

2 Che significa *Pecore nere*? Come mai, secondo voi, le scrittrici hanno dato questo titolo al loro libro?

I Parliamo

 1 Mettete a confronto le immagini. Che differenze ci sono, secondo voi, tra le migrazioni di ieri e quelle di oggi (cause, destinazioni, problemi, ecc.)? Discutetene.

 2 Mettete a fuoco i motivi di disagio che affronta la "prima generazione di figli di immigrati" di cui si parla nel breve testo *Pecore nere* e commentateli.

 3 Fate delle riflessioni sul seguente argomento.

"Per gli europei vivere oggi in una società multiculturale presenta vantaggi e svantaggi".

es. 8-9 p. 81

L Scriviamo

 Immaginate come un immigrato con regolare permesso di soggiorno, che vive ormai in Italia da molti anni, racconterebbe la sua nuova vita. Dovrete riferire:

▸ da quale Paese proviene e che lavoro faceva, perché è venuto in Italia, che sogni aveva, ecc.
▸ da quanto tempo ora è in Italia, che lavoro fa, che difficoltà affronta per integrarsi, se desidera ritornare nel suo Paese, ecc.

i-d-e-e.it

In questa unità impareremo a...

- *comprendere un testo storico-informativo*
- *conversare in gruppo di un argomento sociale complesso, portando degli esempi*
- *esprimere i nostri sentimenti*
- *scrivere una lettera aperta*

Inoltre vedremo...

- *il congiuntivo indipendente*
- *i pronomi relativi doppi*

 2 Leggete il grafico e fate delle osservazioni. Discutete insieme della mafia e della criminalità organizzata in Italia, ricordando un articolo di cronaca che avete letto, oppure raccontando la trama di un libro o di un film.

Per cominciare...

1 Potete abbinare le seguenti organizzazioni criminali italiane con il loro luogo d'origine?

c 1. Cosa nostra	a. Calabria
d 2. Camorra	b. Puglia
b 3. Sacra Corona Unita	c. Sicilia
a 4. 'Ndrangheta	d. Napoli

La classifica	Indice di presenza mafiosa
Campania	61,21
Calabria	41,76
Sicilia	31,80
Puglia	17,84
Lazio	16,83
Liguria	10,44
Piemonte	6,11
Basilicata	5,32
Lombardia	4,17
Toscana	2,16
Umbria	1,68
Emilia R.	1,44
Abruzzo	0,74
Sardegna	0,70
Marche	0,67
Valle d'Aosta	0,57
Friuli V. G.	0,42
Veneto	0,41
Trentino A. A.	0,37
Molise	0,31

Fonte: elaborazione Transcrime   ANSA-CENTIMETRI

"Gli farò un'offerta che non potrà rifiutare"

Don Vito Corleone (interpretato da Marlon Brando) nel film *Il padrino* (1972) di Francis Ford Coppola

A   Comprensione del testo

MAFIA

1   Ne *Il giorno della civetta*, uno dei più famosi romanzi di Leonardo Sciascia, l'ufficiale dei carabinieri Bellodi, dopo aver tentato invano di fare luce su uno dei tanti delitti mafiosi, torna a Parma, sua città d'origine. Qui parla della Sicilia con un amico e gli racconta che la Sicilia è una terra governata dalla lupara*. Inoltre, aggiunge che: «Forse tutta l'Italia va diventando Sicilia.»

2   Era il 1961 quando Sciascia esprimeva questi pensieri. E oggi? La situazione è cambiata solo in parte: oggi la mafia siciliana, grazie alla complicità di personaggi importanti, che corrompono e si lasciano corrompere, è salita fino alle Alpi ed anche oltre. Ma procediamo con ordine per saperne di più sulla nascita di *Cosa Nostra*.

3   Il "fenomeno mafioso" nacque in Sicilia e nel Sud Italia nel 1800 e fu frutto di una società composta essenzialmente da poveri contadini e grandi latifondisti**. Questi ultimi decisero di incaricare i loro *bravi*, i cosiddetti *gabellotti*, di riscuotere dai contadini l'affitto dei terreni di cui erano proprietari. E i gabellotti se ne approfittarono, iniziando non solo a riscuotere l'affitto dai contadini ma anche a estorcere loro con la violenza un'ulteriore somma per il loro servizio di intermediari. Con questa somma si arricchirono e poterono divenire loro stessi proprietari terrieri, estendendo la loro "influenza" su tutto il territorio.

4   Ciò permise loro, a fine Ottocento, nell'Italia unita, di stringere legami con il mondo della politica, dando il via a una nuova prassi basata su uno scambio: voti ai politici in cambio di favori. Grazie a questo scambio riuscirono a consolidare il rapporto di dominio-protezione sul territorio in cui operavano, diventandone i *padrini*. Fu proprio allora che i *mafiosi* iniziarono a strutturarsi gerarchicamente e si affermò il termine *omertà* per indicare l'obbligo del silenzio a cui erano tenuti tutti gli affiliati.

5   Il salto di qualità di tali gruppi, detti *cosche* mafiose, si ebbe agli inizi del 1900 con l'emigrazione meridionale negli USA. La mafia assunse allora un ruolo importante soprattutto nell'immigrazione clandestina, imponendo il proprio controllo sulla forza-lavoro e un vero e proprio racket nelle terre di destinazione. Partiva "per terre assai lontane" solo chi assicurava ai mafiosi l'appoggio elettorale suo e della sua famiglia!

6   Nel secondo dopoguerra le associazioni mafiose, approfittando del grande giro di denaro messo in moto dalla ricostruzione e dal boom economico, riuscirono a ingrandire ulteriormente le loro attività e moltiplicarono i loro guadagni, intensificando in questo modo le pratiche di scambio elettorale.

7   Nel giro di pochi anni (a partire dal 1970), disponendo ormai di grossi capitali, le organizzazioni mafiose riescono a cambiare volto. Scompare la figura del *padrino*, rispettato e amato, come si vede in certi film, mentre la mafia assume le caratteristiche di una colossale impresa dedita al narcotraffico, al commercio di armi e di vari prodotti di contrabbando anche su larghissima scala, e intreccia rapporti con organizzazioni straniere. Comincia, inoltre, a uccidere non solo i membri "scomodi" delle altre "famiglie", ma arriva ai vertici del potere statale eliminando uomini politici, poliziotti e magistrati. Numerose le vittime "illustri" della mafia. Culmine di tale guerra è stato nel 1992 l'assassinio dei magistrati Giovanni Falcone e Paolo Borsellino.

8   Nel frattempo, però, le rivelazioni di una serie di mafiosi "pentiti" hanno consentito di compiere passi importanti nella lotta antimafia, istituendo fra l'altro un maxiprocesso a più di 400 persone nel 1986: sono stati arrestati i boss L. Liggio, S. Riina e, nel 2006, B. Provenzano, insieme a moltissimi altri capimafia. Tuttavia, nonostante gli arresti, diciamo pure che la mafia continua a espandersi e a inquinare lo Stato con traffici illeciti riguardanti perfino la spazzatura e gli appalti.

tratto da *www.zainoo.com*

* lupara: fucile usato per la caccia di lupi e cinghiali e, tradizionalmente, nelle esecuzioni fra membri della malavita siciliana.
** latifondista: ricco proprietario terriero.

Falcone (a sinistra) e Borsellino (a destra)

Leggete il testo e rispondete alle seguenti domande.

1. Quando e dove ebbe origine la mafia?

    Vedi soluzioni a pag. 207

2. Come si sviluppò il primo "fenomeno mafioso"?

3. Perché la mafia rivestì un ruolo importante durante il periodo della grande emigrazione del 1900?

4. Come si arricchì la mafia nel dopoguerra?

5. Quali furono gli affari più vantaggiosi a cui si diedero le organizzazioni mafiose negli anni '70?

6. In che modo i "pentiti" hanno permesso allo Stato italiano di combattere la mafia?

B   Riflettiamo sul testo

1 Trovate nel testo le parole e le espressioni che corrispondono alle seguenti.

1. scoprire la verità (*par. 1*) .... *fare luce* ....
2. comincia a somigliare (*par. 1*) .... *va diventando* ....
3. inaugurando (*par. 4*) .... *dando il via* ....
4. rapido passaggio da una condizione a un'altra migliore (*par. 5*) .... *salto di qualità* ....
5. il sostegno alle elezioni (*par. 5*) ...... *l'appoggio elettorale* ......
6. sono in grado di trasformarsi (*par. 7*) ...... *riescono a cambiare volto* ......
7. che si occupa (*par. 7*) .... *dedita* ....
8. in un ambito grande e molto esteso (*par. 7*) ...... *su larghissima scala* ......
9. contaminare la macchina statale (*par. 8*) ...... *inquinare lo Stato* ......
10. contratto con cui un'impresa di costruzioni (o edile) assume l'esecuzione di un lavoro pubblico in cambio di denaro (*par. 8*) ...... *appalto* ......

2 Completate le frasi usando la parola adatta che ricaverete da quella indicata tra parentesi.

1. A fine Ottocento, nell'Italia unita, gli intermediari riuscirono a stringere ...... *legami* ...... con il mondo della politica. (*legare*)
2. Loro riuscirono a ...... *consolidare* ...... il rapporto di dominio-protezione sul territorio in cui operavano. (*solido*)
3. Le associazioni mafiose riuscirono a ...... *ingrandire* ...... ulteriormente le loro attività e ...... *moltiplicare/ moltiplicarono* ...... i loro guadagni. (*grande, moltiplicazione*)
4. Le associazioni mafiose ...... *intensificarono* ...... le pratiche di scambio elettorale. (*intenso*)

23 maggio 1992: nella strage di Capaci persero la vita Giovanni Falcone, sua moglie e tre agenti della scorta.

5. La mafia *assume/assunse* le caratteristiche di una colossale impresa dedita al narcotraffico. (*assunzione*)

6. Le rivelazioni di una serie di mafiosi "pentiti" hanno consentito di ....*compiere*.... passi importanti nella lotta antimafia. (*compimento*)

7. La mafia .....*inquina*..... lo Stato con traffici illeciti. (*inquinamento*)

8. La mafia arriva ai vertici del potere statale ....*eliminando*.... uomini politici, poliziotti e magistrati. (*eliminazione*)

C Lavoriamo sul lessico

1 Completate la tabella con i nomi che derivano dai verbi indicati.

1. tentare	*tentativo, tentazione*		5. estorcere	*estorsione*
2. esprimere	*espressione*		6. estendere	*estensione*
3. corrompere	*corruzione*		7. disporre	*disposizione*
4. riscuotere	*riscossione*		8. istituire	*istituzione*

2 Individuate per ogni gruppo di parole, quella che si riferisce alla mafia, detta anche "onorata società"*.

1. padre ◆ patrigno ◆ <u>padrino</u>
2. comitiva ◆ <u>cosca</u> ◆ squadra
3. <u>rito di affiliazione</u> ◆ rito civile ◆ cerimonia religiosa
4. socio ◆ <u>gregario</u> ◆ dipendente
5. versamento ◆ <u>pizzo</u> ◆ tassa
6. paura ◆ <u>intimidazione</u> ◆ timidezza
7. bomba ◆ <u>lupara</u> ◆ coltello
8. silenzio ◆ quiete ◆ <u>omertà</u>
9. <u>faida</u>** ◆ punizione ◆ pena
10. testardo ◆ <u>pentito</u> ◆ ostinato

★ onorata società: originariamente indicava solo la Camorra napoletana, con allusione al codice d'onore cui si ispirerebbe; oggi è usato anche come sinonimo di mafia
★★ faida: vendetta privata

es. 1-2 p. 82

D Riflettiamo sulla grammatica

A pag. 150 abbiamo visto «diciamo pure che», un congiuntivo indipendente che esprime una concessione (congiuntivo concessivo = C). Ci sono altri congiuntivi indipendenti che esprimono:
• un augurio o un desiderio (ottativo = O): *Che tu possa vivere a lungo! / Magari potessi partire!*;
• un dubbio (dubitativo = D): *Mario non è venuto. Che sia malato?*;
• un'esortazione (esortativo = E): *La prego, abbia pazienza!*.

AG 11.12.3 p. 152

Indicate che tipo (C/O/D/E) di congiuntivo indipendente è utilizzato nelle seguenti frasi.

[O] 1. Magari mi chiedesse di sposarlo!

[D] 2. Silvia è ingrassata molto: che aspetti un bambino?

[C] 3. Dica pure quello che vuole: io non le credo.

D 4. Chissà perché non ci telefona più. Che sia arrabbiato con noi?

O 5. Che voi possiate realizzare tutti i vostri sogni!

C 6. Ammettiamo pure che Giorgio non sia venuto perché era malato, ma perché non ha telefonato?

E 7. Che Dio ci aiuti!

O 8. Magari avessi capito prima con chi avevo a che fare!

E 9. Stia tranquilla, signorina: non vede che il professore promuove tutti?

es. 3-5 p. 82

E Curiosità

L'origine della parola *mafia* è incerta. Forse deriva dal toscano *maffia* e significa *miseria*. Questa parola toscana, divenuta *mafia* in Sicilia, servì a indicare soprattutto l'ostentazione dell'eleganza di una persona o la vistosità di un oggetto (per cui un bell'uomo è *nu picciottu mafiusu*; un vestito elegante, una motocicletta, un'auto sono *vistiti* o *machina* o *motu mafiusi*).

F Ascoltiamo

1 Ascoltate l'intervista e indicate le affermazioni corrette.

[x] 1. *Mafia Off* è uno spettacolo di burattini.

[x] 2. Lo spettacolo racconta e spiega la mafia agli alunni delle scuole primarie.

[ ] 3. *Mafia Off* ha lo scopo di divertire senza fini educativi.

[x] 4. Questo spettacolo ripercorre le tappe della storia della mafia dall'origine ad oggi.

[ ] 5. Ai genitori verrà severamente vietato di assistere a questa messinscena.

[ ] 6. I bambini presteranno la loro voce ai burattini utilizzando testi scritti in laboratorio.

[x] 7. La compagnia teatrale viaggia dalla Sicilia attraverso l'Italia per arrivare a Firenze.

[x] 8. A Firenze ci sarà la manifestazione nazionale di *Libera* contro la criminalità organizzata.

[ ] 9. Il biglietto si paga al botteghino.

[ ] 10. La mafia e la camorra sono problemi che riguardano tutti gli italiani.

EDUCARE CON IL TEATRO

2 Che significa "si lavora a 360 gradi"?

[ ] a. si lavora tutto il giorno

[ ] b. si lavora in estate anche se fa un caldo infernale

[x] c. si lavora in tutte le direzioni

[ ] d. si lavora esageratamente

G Lavoriamo sulla lingua

1 Correggete gli errori (uno per ogni rigo).

1 C'è una famosa foto che è stata scattata in Sicilia in   *nel*

2 novembre del 1983. Era venerdì. L'uomo stesso a terra era stato ucciso   *steso*

3 dei uomini del clan di Corleone. Quella mattina lo stavano piangendo tre donne,   *dagli*

4 moglie, figlia e nuora, tutte le tre a lutto, con le vesti nere, già da un anno   *e*

5 a causa della morte di un'altro familiare, anche lui ucciso,   *un*

6 anche lui <u>ammazato</u> dai "picciotti" di Totò Riina. Questa foto è stata una tra

7 le più <u>discuse</u> di quelle proposte da Oliviero Toscani,

8 il fotografo <u>chi</u> lavorava per la società Benetton. Allora ci

9 si domandò: «Che c'entra i<u>l</u> morte, la mafia, il dolore con i maglioni?».

ammazzato
discusse
che
la

2 Completate il testo con i verbi dati alla rinfusa, coniugandoli al modo e al tempo opportuni.

dire | essere | guardare | riprendere | sentirsi | trovare
perdere | considerare | succedere | volere

LA PORTA STRETTA DI PAOLO BORSELLINO

Per l'anniversario della morte del giudice, il 19 luglio, Rai Storia trasmette un docufilm sulla sua vita e missione. Lontano da ogni ritualità

Le parole. Le sue, con quella cadenza tipica della lingua siciliana, davanti a un gruppo di studenti dall'accento vicentino. «_____ *Volevo* _____ (1) sapere, giudice, se si sente protetto dallo Stato e ha fiducia nello Stato stesso», chiede un ragazzo. «No, io non _____ *mi sento* _____ (2) protetto dallo Stato», risponde Paolo Borsellino.

È il 26 gennaio del 1989, il video è in Rete grazie all'Archivio Antimafia. Il 19 luglio sarà l'anniversario della strage di via d'Amelio in cui Borsellino _____ *perse/perde/ha perso* _____ (3) la vita insieme agli agenti di scorta. E Rai Storia celebrerà la data con un documentario costruito sul testo teatrale di Ruggero Cappuccio "Paolo Borsellino Essendo Stato", spettacolo che _____ *riprende* _____ (4) intere parti di un'audizione del magistrato al CSM (Consiglio Superiore della Magistratura) nel 1988.

«Io penso che Borsellino _____ *sia* _____ (5) veramente un eroe moderno», spiega Cappuccio: «So che lui non si *considererebbe/condiderava* (6) tale, ma io sento che nel modo in cui ha affrontato la morte ci sia un'esempio di coraggio che manca sempre di più». Una generazione intera è diventata adulta, e molti giovani si sono fatti giudici, _____ *guardando* _____ (7) a Falcone e Borsellino. In migliaia scrivono le loro emozioni in Rete: «Spero che qualcuno, un giorno o l'altro, _____ *trovi* _____ (8) il coraggio di fare ciò che hanno fatto questi due grandi uomini e che nessuno li tradisca come _____ *è successo* _____ (9) a loro», commenta una ragazza. «Non basterebbe un monumento in ogni Comune italiano per rendere onore a questo uomo», scrive un altro. Ma non servono monumenti. Servono atti di coraggio. Perché, come _____ *diceva* _____ (10) il giudice Borsellino, "Chi ha paura muore tutti i giorni, chi non ha paura muore una volta sola".

tratto da www.espresso.repubblica.it

 es. 6-7 p. 84

H Parliamo

 1 Guardate la foto, di cui si parla nella sezione G1, ed esprimete i sentimenti che vi suscita, giustificandoli.

 2 Anche nel vostro Paese ci sono forme di criminalità organizzata come in Italia? Notate delle somiglianze o delle differenze? Parlatene.

3 Le leggi antimafia, secondo voi, sono uno strumento sufficiente a estirpare la criminalità di stampo mafioso? Che cosa si potrebbe fare per ristabilire la legalità nelle zone "ad alto rischio"? Motivate le vostre risposte.

I Scriviamo

D-150

Scrivete una lettera aperta* agli studenti delle scuole superiori per sensibilizzarli a partecipare a un vostro progetto educativo di lotta contro la mafia: affiggere nelle aule della loro scuola uno slogan antimafia. Per scrivere la vostra lettera seguite i seguenti passi.

▶ Iniziate la lettera con queste parole:

Cari allievi, vi scrivo solo poche parole per ricordarvi che...

> ✱ Per "lettera aperta" s'intende una lettera con un messaggio, indirizzato a uno o più destinatari, per stimolare l'interesse su un determinato argomento.

▶ Scegliete uno slogan tra i seguenti:

1. *La mafia uccide, il silenzio pure.*
2. *Non permettiamo alla mafia di decidere il nostro viaggio.*
3. *La mafia nuoce gravemente alla salute.*
4. *La mafia è come l'Aids. Se la conosci non ti uccide.*
5. *La mafia è un cancro.*

▶ Nel corpo della lettera spiegate lo slogan con degli esempi.

▶ Nella parte conclusiva usate la formula:

> *"Mi appello quindi a ciascuno di voi affinché affiggiate questo slogan in tutte le aule delle vostre scuole. Colgo l'occasione per ringraziare tutti coloro che mi daranno un aiuto concreto per la realizzazione di questo progetto."*
>
> *FIRMA*

L Riflettiamo sulla grammatica

Nel testo a pag. 150 abbiamo letto la frase «Partiva [...] solo chi assicurava ai mafiosi l'appoggio elettorale». *Chi* è un pronome che si chiama misto o doppio perché ha la funzione di due pronomi: significa, infatti, *colui/colei/coloro che* e mette in relazione due frasi. Altri pronomi misti sono *chiunque* (= *qualunque/qualsiasi persona che*), *quanto* (= *quello/ciò che*), *quanti/-e* (= *coloro che, quelli/quelle che*).

AG
6.10
p. 138

Completate le frasi con il pronome doppio giusto, spiegando quali pronomi racchiude, come nell'esempio.

es. ____*Chi (Colui/Colei che)*____ trova un amico, trova un tesoro.

1. ____*Quanto (Quello/Ciò che)*____ dite non mi piace. Non voglio neanche pensarci!
2. Questo è proprio ____*quanto (quello/ciò che)*____ non andava fatto!
3. Il permesso di soggiorno verrà rilasciato solo a ____*quanti (coloro/quelli che)*____ ne faranno richiesta.
4. Potrà partecipare al concorso ____*chiunque (qualunque persona che)*____ sia in possesso dei requisiti richiesti.
5. ____*Chi (Colui/Colei che)*____ dorme non piglia pesci!
6. Il medico fisserà un appuntamento a ____*quanti (coloro/quelli che)*____ lo richiederanno entro venerdì.
7. ____*Chiunque (Qualunque persona che)*____ conosca la mafia, la teme.
8. Penso che ____*quanto (quello/ciò che)*____ mi hai raccontato non sia vero.

es. 8-9
p. 85

In questa unità impareremo a...

- riconoscere le emozioni espresse in un testo letterario
- esprimerci usando modi di dire
- analizzare e commentare un componimento poetico
- fare la recensione di un libro

Inoltre vedremo...

- il periodo ipotetico
- i connettivi modali (come, quasi) con l'indicativo e il congiuntivo

Un classico è un libro che non ha mai finito di dire quel che ha da dire.

Italo Calvino

Per cominciare...

Leggete le seguenti citazioni sull'argomento "libri e lettura". Ognuno di voi ne spieghi una e la commenti, esprimendo il proprio punto di vista e riportando degli esempi.

Il libro è una cosa: lo si può mettere su un tavolo e guardarlo soltanto, ma se lo apri e leggi diventa un mondo.

Leonardo Sciascia

Chi non legge, a 70 anni avrà vissuto una sola vita: la propria! Chi legge avrà vissuto 5000 anni... perché la lettura è un'immortalità all'indietro.

Umberto Eco

I libri pesano tanto: eppure, chi se ne ciba e se li mette in corpo, vive tra le nuvole.

Luigi Pirandello

A Comprensione del testo

IL PESCIOLINO ROSSO E LA LIBERTÀ

Tempo fa, al mercato, comprai un pesce rosso contenuto in un vasetto rotondo di vetro trasparente. Là dentro l'animale stava stretto, [...] e vederlo dar di muso continuamente contro il vetro mi faceva pena. [...] Impietosito, decisi di procurargli una casa meno angusta. E in giardino feci costruire una bella vasca tonda [...], la riempii di acqua fresca, e stavo per rovesciarci dentro il pesciolino quando mi venne in mente: lui attualmente si trova in acqua quasi tiepida, se lo getto all'improvviso in un'acqua fredda, non si prenderà una congestione? A evitare il rischio, adottai una soluzione semplice. Calai sul fondo, così come stava, il vaso di vetro lasciandoci dentro l'acqua e il pesciolino. Con due vantaggi: uno, che la bestiola si poteva così acclimatare alla bassa temperatura della vasca; secondo, che più grande perché inaspettata [...] sarebbe stata la sua lieta sorpresa, quando, venuto [...] in superficie, si fosse accorto che l'acqua non finiva lì, che [...] tutto intorno si stendeva un grande oceano a sua disposizione.

Così avvenne. [...] Il pesce si mise a scorribandare come un pazzo da una parte all'altra della vasca, entusiasta della inaspettata libertà.

Questa allegria durò un paio di giorni. Tre mattine dopo, andato a vedere come stava, restai di sasso vedendolo rintanato nel vaso che avevo dimenticato nella vasca. Se ne stava quieto dondolandosi a mezza acqua, né dava più di testa, come prima, contro la parete.

«Capriccio di pesce!» io pensai. [...]

Ma non fu una breve visita. Anche la sera il pesce se ne stava nell'interno della boccia, e così all'indomani e così il terzo giorno successivo, tanto che io persi la pazienza e gli parlai.

«Caro pesce, scusa, ma mi pare che adesso tu passi il segno! Ho speso un mucchio di quattrini perché tu potessi nuotare a tuo piacere, […] e tu nel vaso ci ritorni, e ci passi le giornate intere come se non te ne importasse niente di esser libero. Giuro che mi fai cader le braccia!»

Allora […] l'animaletto mi rispose:

«O uomo, come sei poco intelligente, e perdona la sincerità. Che strana idea della libertà tu hai. Non è l'uso della libertà che importa. Ciò che importa è la possibilità di usarne. Qui è il suo sapore più squisito. Io amo stare in questo vaso, che è così intimo e raccolto, propizio alle meditazioni solitarie. Ma so che quando voglio posso uscirne e fare lunghi viaggi nella vasca (per la quale tra parentesi ti sono estremamente grato). Era carcere questo vaso e adesso non lo è più, ecco la differenza. Non solo. Standomene qui rincantucciato, io vivo dal punto di vista materiale l'identica vita di una volta, quando ero prigioniero ed infelice. Ma proprio ciò mi permette di godere la beatitudine raggiunta. Così infatti non dimentico le pene già sofferte, traggo dal conforto una consolazione sempre nuova ed evito che l'abitudine alla vastità me ne annulli a poco a poco il gusto. Io sto nel carcere ma la porta è aperta, e vedo fuori il mondo sterminato che mi aspetta, e tale vista mi rasserena il cuore. Se io invece, per sfruttare avidamente il bene avuto in sorte, se io corressi a destra e a manca tutto il giorno senza fermarmi mai, a un certo punto sarei sazio. E la soddisfazione cesserebbe. E comincerei a desiderare mari sempre più grandi, vastità sempre più sconfinate, ciò che oggi non mi avviene. Insomma tornerei a essere infelice. Vedi dunque che della divina libertà nessuno sa godere più di me. E adesso, se vuoi farmi cosa grata, lasciami tranquillo nel mio buco!»

Al che io, con la sensazione di aver fatto una pessima figura, mi ritirai balbettando vaghe scuse.

tratto da *In quel preciso momento* di Dino Buzzati

1 Leggete il testo e rispondete alle seguenti domande.

1. Che cosa aveva comprato il narratore al mercato?
   Un pesce rosso dentro una boccia di vetro.

2. Per quali motivi lui decide di mettere il pesciolino nella vasca con tutto il vaso?
   Affinché potesse abituarsi alla temperatura dell'acqua e non sentisse freddo; per fargli provare una sorpresa maggiore quando, salendo in superficie, avrebbe scoperto che l'acqua non finiva là.

3. Come si comporta il pesce i primi due giorni? E il terzo?
   Inizialmente è molto entusiasta e nuota come un pazzo per tutta la vasca. Il terzo giorno però rimane tranquillo all'interno del vaso.

4. Che cosa dice il narratore al pesce?
   Che ha speso molti soldi per farlo sentire libero e invece lui rimane nel vaso.

5. Che cosa risponde il pesciolino al narratore?
   Il pesciolino spiega cosa significa per lui libertà: ciò che è importante non è l'uso della libertà ma la possibilità di farne uso. Alla fine chiede all'uomo di lasciarlo in pace.

6. Come termina il racconto?
   Il narratore sente di aver fatto una figuraccia e se ne va scusandosi.

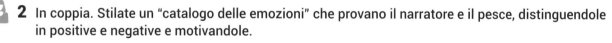

2 In coppia. Stilate un "catalogo delle emozioni" che provano il narratore e il pesce, distinguendole in positive e negative e motivandole.

narratore		pesce	
Emozioni positive	**Emozioni negative**	**Emozioni positive**	**Emozioni negative**
stupore	pena	entusiasmo	infelicità
preoccupazione/ premura	perdere la pazienza	quiete	sentirsi prigioniero
	delusione	allegria	
	sentirsi scoraggiato	riconoscenza	
	vergogna/imbarazzo	beatitudine	
		soddisfazione	

B Riflettiamo sul testo

1 Completate il riassunto del testo con le parole mancanti.

Un giorno il narratore andò al mercato ...*e/dove*... (1) comprò un pesciolino rosso. Vedendolo sbattere con il ...*muso*... (2) contro il vaso in cui si trovava, pensò di trasferirlo in una ampia ...*vasca*... (3) per procurargli una comoda casa. Pensando che il pesce avrebbe avuto problemi per il cambiamento improvviso della temperatura, decise di ...*calarlo/metterlo*... (4) nella vasca con tutto il vaso. ...*All'*... (5) inizio il pesce non sapeva che fare, poi, tutto felice e soddisfatto del cambiamento, cominciò a scorribandare a destra e a ...*manca/sinistra*... (6). Il terzo giorno, ...*tuttavia*... (7), il padrone lo ritrovò nel vaso. Sorpreso, ...*gli*... (8) chiese il motivo del suo comportamento. Ed il pesce gli rispose che lui era finalmente felice non perché fosse ...*libero*... (9), ma perché poteva godere del bene della libertà in ...*qualsiasi/qualunque*... (10) momento lo avesse desiderato.

2 Nel testo vengono usati molti modi di dire. Scrivete accanto a ognuna delle espressioni il suo significato, scegliendolo tra quelli dati.

girare senza meta | esagerare | rimanere immobile | scoraggiare
suscitare compassione | sbattere la faccia

1. dar di muso	*sbattere la faccia*		4. passare il segno	*esagerare*
2. fare pena	*suscitare compassione*		5. far cadere le braccia	*scoraggiare*
3. restare di sasso	*rimanere stupito*		6. correre a destra e a manca	*girare senza meta*

3 In coppia. Scrivete il sinonimo delle seguenti parole del testo, come nell'esempio. (Vi diamo un aiutino 😊)

1. angusto ⊜ *stretto*
2. bestiola ⊜ an*imaletto*
3. quieto ⊜ tr*anquillo*
4. boccia ⊜ va*so*
5. all'indomani ⊜ il *giorno dopo*
6. acclimatarsi ⊜ am*bientarsi*
7. mucchio ⊜ sa*cco*
8. quattrini ⊜ so*ldi*
9. squisito ⊜ de*lizioso*
10. propizio ⊜ ad*atto*
11. beatitudine ⊜ fe*licità*
12. conforto ⊜ co*nsolazione*
13. sterminato ⊜ in*finito*
14. sazio ⊜ pi*eno*
15. cesserebbe ⊜ fi*nirebbe*
16. sconfinate ⊜ il*limitate*

C Curiosità

Ecco i vincitori italiani del premio Nobel per la letteratura, assegnato ogni anno dall'Accademia svedese.

- Giosuè Carducci, 1906 (critico letterario e poeta)
- Grazia Deledda, 1926 (autrice di romanzi ambientati nella sua isola nativa, la Sardegna)
- Luigi Pirandello, 1934 (autore di opere teatrali, novelle e romanzi)
- Salvatore Quasimodo, 1959 (poeta che canta le tragiche esperienze della vita)
- Eugenio Montale, 1975 (poeta che ha interpretato le difficoltà e la solitudine dell'uomo moderno, in un mondo di cui non comprende il significato)
- Dario Fo, 1997 (scrittore e attore che, seguendo la tradizione dei giullari medioevali, deride gli uomini di potere restituendo la dignità agli oppressi)

Dario Fo (1926-2016)

D Lavoriamo sul lessico

1 Collegate ciascuna definizione al "genere" a cui si riferisce, scegliendolo tra quelli dati, che sono di più.

[f] 1. Scritto critico a carattere scientifico che tratta di un preciso argomento.

[l] 2. Libro poliziesco con finale a sorpresa.

[d] 3. Libro per bambini che narra una storia fantastica.

[a] 4. Libro che narra una storia d'amore.

[b] 5. Opera in diversi volumi che tratta di vari argomenti in ordine alfabetico.

[h] 6. Libro che tratta della vita di una persona illustre.

a. romanzo rosa
b. enciclopedia
c. fumetto
d. fiaba
e. racconto
f. saggio
g. manuale
h. biografia
i. fotoromanzo
l. giallo

2 Abbinate i modi di dire con la parola *pesce* al loro significato, come nell'esempio.

[b] 1. nuotare come un pesce
[h] 2. sentirsi un pesce fuor d'acqua
[e] 3. non sapere che pesci pigliare
[c] 4. essere un pesce piccolo
[f] 5. fare un pesce d'aprile
[g] 6. non essere né carne né pesce
[d] 7. essere sano come un pesce
[a] 8. chi dorme non piglia pesci

a. ...non guadagna
b. ...benissimo
c. ...una persona poco potente
d. ...in salute
e. ...decisione prendere
f. ...uno scherzo*
g. ...avere personalità
h. ...a disagio

*Attenzione: solo il primo di aprile!

es. 1 p. 86   es. 2 p. 86

E Riflettiamo sulla grammatica

Nel racconto alle pagine 157 e 158 abbiamo letto la frase «se io corressi [...] sarei sazio»: si tratta di un periodo ipotetico di II tipo. Ricordate quanti ce ne sono e come si formano?

AG 14 p. 158

In coppia. Riscrivete le seguenti frasi, usando il periodo ipotetico indicato in parentesi, come nell'esempio.

es. Il pesce sta stretto nella boccia e per questo il narratore decide di costruirgli una vasca. [III tipo]
Se il pesce non _fosse stato_ stretto nella boccia, il narratore non _avrebbe deciso_ di costruirgli una vasca.

1. Il pesce rimaneva tutto il giorno nella boccia, così poteva godere della possibilità di essere libero. [III tipo]
Se il pesce non _fosse rimasto_ tutto il giorno nella boccia, non _avrebbe potuto_ godere della possibilità di essere libero.

2. Forse il narratore si sente solo, perciò va a fare visita a un pesce. [II tipo]
Se il narratore non _si sentisse_ solo, non _andrebbe_ a fare visita a un pesce.

3. A meno che il narratore non voglia scatenare l'ira del pesce, deve chiedergli scusa. [I tipo]
Se il narratore non _vuole_ scatenare l'ira del pesce, _deve_ chiedergli scusa.

4. Gli uomini si pongono delle domande e così hanno tanti pensieri. [II tipo]

Se gli uomini non ___*si ponessero*___ delle domande, non ___*avrebbero*___ tanti pensieri.

5. Il narratore probabilmente ignora il significato della libertà e perciò non ha compreso la motivazione del comportamento del pesce. [tipo misto]

Se il narratore non ___*ignorasse*___ il significato della libertà, *avrebbe compreso* la motivazione del comportamento del pesce.

6. Il pesce era soddisfatto, ma voleva dei cambiamenti. [III tipo]

Se il pesce ___*fosse stato*___ soddisfatto, non ___*avrebbe voluto*___ dei cambiamenti.

es. 3-6 p. 86

F Ascoltiamo

1 Come scegliete un libro da leggere? Preferite il classico libro stampato o l'e-book? Motivate le vostre risposte.

2 Ascoltate il servizio radiofonico *Leggere fa bene alla salute* e completate le frasi con la risposta corretta.

1. I lettori di libri rispetto ai lettori di e-book sono
   - [x] a. in numero superiore
   - [ ] b. il 32% in più
   - [ ] c. in numero inferiore
   - [ ] d. il 40% in meno

2. Leggere è essenzialmente un'attività
   - [ ] a. faticosa perché richiede attenzione
   - [ ] b. piacevole perché aiuta ad evadere dalla realtà
   - [ ] c. stressante in quanto causa ansia
   - [x] d. evocativa dal momento che rievoca immagini

3. Per scegliere il libro giusto l'acquirente dovrebbe
   - [ ] a. informarsi su internet
   - [ ] b. leggere le recensioni dei critici
   - [ ] c. ascoltare l'opinione dei conoscenti
   - [x] d. chiedere l'aiuto di un libraio

4. Leggere anche solo un romanzo
   - [ ] a. crea problemi agli editori
   - [x] b. fa bene alla salute intellettuale
   - [ ] c. non serve a niente
   - [ ] d. può lasciare insoddisfatti e delusi

5. Preferiamo leggere
   - [ ] a. romanzi specialmente se regalati da amici e parenti
   - [ ] b. e-book generalmente perché non occupano spazio
   - [x] c. libri stampati in quanto si possono soprattutto sfogliare
   - [ ] d. volumi presi in prestito gratuitamente dalla biblioteca di quartiere

G Situazione

Convincete un vostro amico a lasciare Facebook e a sostituirlo con la lettura di un bel libro.

H   Lavoriamo sulla lingua

1 Completate il testo con una parola per spazio.

PREGI E DIFETTI DEGLI E-BOOK
Confronto tra il libro stampato e l'e-book

tratto da *www.recensionelibro.it*

I lettori italiani preferiscono l'e-book o il libro tradizionale? Secondo una ricerca, gli italiani restano fedeli al fascino del libro stampato. Come _____*mai*_____ (1)? Forse perché in Italia siamo tradizionalisti e i cambiamenti spesso non ci piacciono?

Di certo acquistare un e-book è _____*meno*_____ (2) costoso di un libro, e si può leggere anche al _____*buio*_____ (3), cosa che per il momento i nostri occhi non ci permettono di fare con un libro. Vero è che gli e-book non _____*occupano*_____ (4) spazio nella libreria essendo raccolti in un e-book reader, ma non so se questo _____*vada/giochi*_____ (5) a vantaggio dell'e-book, visto che i lettori amano le proprie piccole biblioteche. A suo favore c'è che può essere ingrandito e, quindi, _____*chi*_____ (6) ha problemi di vista è aiutato nella lettura. Inoltre con l'e-book si evita lo spreco di carta. Eppure resta _____*poco/meno*_____ (7) competitivo. Sarà che i libri si possono prestare, che sono affascinanti, che a differenza degli e-book reader non si rompono, sarà che i libri ci _____*tengono/fanno*_____ (8) compagnia e con i loro colori, odori e parole stampate ci trasmettono emozioni. Sarà per tante altre ragioni che _____*gli*_____ (9) appassionati di tecnologia non comprendono, ma per il momento i libri restano la scelta migliore per gli italiani, _____*nonostante*_____ (10) da anni si preannunci la fine del libro stampato.

es. 7-8 p. 88

2 E voi che tipo di lettori siete? Vi considerate più "tradizionalisti" oppure più "innovatori", aperti alle nuove modalità di fruizione di un testo, offerte dalla tecnologia? Parlatene e scambiatevi opinioni ed esperienze.

I   Riflettiamo sulla grammatica

Riflettete sulla differenza tra le due frasi «calai sul fondo, così come stava, il vaso [...]» (connettivo modale *come* + indicativo: frase comparativa di analogia) e «come se non te ne importasse più niente [...]» (connettivi modali *come se, quasi, quasi che, come* + congiuntivo: frase comparativa ipotetica) che abbiamo incontrato nel testo alla pagine 156 e 157.

AG 17.7 p. 162

Completate le frasi con il connettivo modale adatto e la forma giusta del verbo, come nell'esempio.

es. Sappi che le cose non sono sempre _____*come sembrano*_____ (sembrare).

1. Mia madre mi tratta _____*come (se)/quasi fossi*_____ (essere) un bambino.

2. Daniela non è così simpatica _____*come credevamo*_____ (credere, noi).

3. Per questa volta faremo _____*come dici tu*_____ (dire, tu).

4. Franco si comportava _____*come (se)/quasi fosse*_____ (essere) a casa sua.

5. I miei studenti parlano l'italiano _____*come (se)/quasi (che) fossero nati*_____ (nascere) in Italia.

6. Il racconto non è interessante _____*come appariva/appare*_____ (apparire) nelle recensioni.

7. Desidereremmo sapere _____*come fate/facevate/avete fatto*_____ (fate, voi) a leggere un libro a settimana.

8. Vivi _____*come se dovessi*_____ (dovere) morire domani.

es. 9-10 p. 88

L   Parliamo

Mi piace il verbo sentire...
Sentire il rumore del mare,
sentirne l'odore.
Sentire il suono della pioggia che ti
bagna le labbra,
sentire una penna che traccia
sentimenti su un foglio bianco.
Sentire l'odore di chi ami,
sentirne la voce
e sentirlo col cuore.
Sentire è il verbo delle emozioni,
ci si sdraia sulla schiena del mondo
e si sente...

Alda Merini

1 Leggete la poesia di Alda Merini (1931-2009) a destra e dite:
   ▸ quale verbo ripete la poetessa;
   ▸ quali elementi naturali e umani vengono citati;
   ▸ che intende dire la poetessa quando sostiene che sentire è il verbo delle emozioni;
   ▸ quali emozioni vi ha suscitato la lettura di questa poesia.

2 Spesso insieme ai quotidiani vengono venduti celebri capolavori di letteratura. Spiegate se siete favorevoli o contrari a questo tipo di iniziativa, motivando la vostra opinione.

3 C'è un libro che avete letto che vi ha particolarmente emozionato? Parlatene, seguendo lo schema dato.*

✷ Per parlare di un libro
- Citate il titolo e il nome dell'autore (dite se già vi era noto per la lettura di precedenti pubblicazioni)
- Spiegate a quale genere appartiene (romanzo, giallo, ecc.)
- Dite in base a quali criteri l'avete scelto
- Sottolineate dove è ambientato e in quale periodo storico
- Parlate del carattere dei protagonisti e dei personaggi più interessanti
- Raccontate brevemente la trama
- Spiegate qual è, secondo voi, il messaggio che vuole trasmettere
- Dite se ne esiste una trasposizione cinematografica (e le differenze con il libro)
- Indicate il ritmo della narrazione e il tipo di lingua usata
- Esprimete una valutazione al termine della lettura

M   Scriviamo

200-300

Mettete per iscritto la recensione del libro di cui avete parlato in classe.

N   Giochiamo

Mimo

Giocate a coppie. A turno, scegliete uno dei modi di dire con la parola pesce visti a pag. 159 e mimatelo al compagno. Se indovina, guadagna 3 punti, ma ne perde 1 per ogni tentativo sbagliato. Vince chi arriva per primo a 12 punti.

Il fantastico mondo del cinema · Unità 25

In questa unità impareremo a...

- riassumere un testo usando un diverso numero di parole
- raccontare/scrivere la trama di un film
- esprimere un parere su una recensione

Inoltre vedremo...

- indicativo o congiuntivo? (la concordanza dei tempi)
- gli aggettivi derivati
- i nomi maschili in -a

Toni Servillo in *La grande bellezza*

Per cominciare...

 1 Che cosa rappresenta per voi andare al cinema? Rispondete, motivando la vostra risposta.

Per me il cinema è:
1. una fuga dalla vita quotidiana
2. un modo per conoscere altre realtà
3. un modo per entrare in contatto con le mie emozioni

 2 In coppia. Abbinate a ogni regista italiano il "suo" film come nell'esempio. I film in verde sono tratti da un libro.

b	1. Vittorio De Sica	a. *La vita è bella*
c	2. Roberto Rossellini	b. *Ladri di biciclette*
l	3. Federico Fellini	c. *Roma città aperta*
i	4. Bernardo Bertolucci	d. *Una giornata particolare*
n	5. Nanni Moretti	(e.) *Padre padrone*
m	6. Giuseppe Tornatore	f. *La grande bellezza*
h	7. Gabriele Salvatores	g. *Il postino*
a	8. Roberto Benigni	h. *Io non ho paura*
f	9. Paolo Sorrentino	i. *Novecento*
d	10. Ettore Scola	l. *La dolce vita*
e	11. Fratelli Taviani	m. *Nuovo cinema Paradiso*
g	12. Massimo Troisi	n. *Caro diario*

A Comprensione del testo

AUTOBIOGRAFIA DI UNO SPETTATORE

Ci sono stati anni in cui andavo al cinema quasi tutti i giorni e magari due volte al giorno, ed erano gli anni tra, diciamo, il Trentasei e la guerra, l'epoca insomma della mia adolescenza. Anni in cui il cinema è stato per me il mondo. Un altro mondo da quello che mi circondava, ma per me solo ciò che vedevo sullo schermo possedeva le proprietà di un mondo, la pienezza, la coerenza, mentre fuori dello schermo s'ammucchiavano elementi eterogenei che sembravano messi insieme per caso, i materiali della mia vita che mi parevano privi di qualsiasi forma. Il cinema come evasione, si è detto tante volte, con una formula che vuol essere di condanna, e certo a me allora il cinema serviva a quello, a soddisfare un bisogno di spaesamento, di proiezione della mia attenzione in uno spazio diverso, un bisogno che credo corrisponda a una funzione primaria dell'inserimento nel mondo, una tappa indispensabile d'ogni formazione. Certo per crearsi uno spazio diverso ci sono anche altri modi, più sostanziosi e personali: il cinema era il modo più facile e a portata di mano, ma anche quello

Nuovo cinema Paradiso

che istantaneamente mi portava più lontano. Ogni giorno, facendo il giro della via principale della mia piccola città, non avevo occhi che per i cinema, tre di prima visione che cambiavano programma ogni lunedì e ogni giovedì, e un paio di stambugi che davano film più vecchi o scadenti, con rotazione di tre alla settimana. Già sapevo in precedenza quale film davano in ogni sala, ma il mio occhio cercava i cartelloni piazzati da una parte, dove s'annunciava i film del prossimo programma, perché là era la sorpresa, la promessa, l'aspettativa che m'avrebbe accompagnato nei giorni seguenti. Andavo al cinema al pomeriggio, scappando di casa di nascosto, o con la scusa d'andare a studiare da qualche compagno, perché nei mesi di scuola i miei genitori mi lasciavano poca libertà. La prova della vera passione era la spinta a ficcarmi dentro un cinema appena apriva, alle due. Assistere alla prima proiezione aveva vari vantaggi: la sala semivuota, come fosse tutta per me, che mi permetteva di sdraiarmi al centro dei «terzi posti» colle gambe allungate sulla spalliera davanti; la

speranza di rincasare senza che si fossero accorti della mia fuga, per poi avere il permesso di uscire di nuovo (e magari vedere un altro film); un leggero stordimento per il resto del pomeriggio, dannoso per lo studio, ma favorevole alle fantasticherie. E oltre a queste ragioni tutte a vario titolo inconfessabili, una ce n'era di più seria: entrare all'ora dell'apertura mi garantiva la rara fortuna di vedere il film dal principio, e non da un momento qualsiasi verso la metà o la fine, come mi capitava di solito quando raggiungevo il cinema a metà pomeriggio o verso sera.

tratto da *La strada di San Giovanni* di Italo Calvino

 In coppia. Dopo aver letto il testo, riassumetelo in 20, 40 e 70 parole circa. *Vedi soluzioni a pag. 207*

B Riflettiamo sul testo

1 Delle tre alternative proposte quale esprime meglio il significato che hanno nel testo le parole evidenziate?

1. Ciò che vedevo sullo schermo possedeva le **proprietà** di un mondo.
   - [ ] a. importanza
   - [ ] b. eleganza
   - [x] c. caratteristiche

2. Fuori dello schermo **s'ammucchiavano** elementi eterogenei.
   - [x] a. s'accumulavano
   - [ ] b. si perdevano
   - [ ] c. si affollavano

3. Il cinema serviva a soddisfare un bisogno di **spaesamento**.
   - [ ] a. equilibrio
   - [x] b. disorientamento
   - [ ] c. evasione

4. Non avevo occhi che per i cinema e un paio di **stambugi**.
   - [ ] a. case minuscole
   - [ ] b. abitazioni accoglienti
   - [x] c. piccole stanze buie

5. La prova della vera passione era la spinta a **ficcarmi** dentro un cinema alle due.
   - [x] a. entrare
   - [ ] b. invadere
   - [ ] c. sedermi

6. Provavo un leggero **stordimento** per il resto del pomeriggio.
   - [ ] a. stupore
   - [ ] b. sorpresa
   - [x] c. confusione

2 Riformulate le espressioni evidenziate con altre parole.

1. possedeva la coerenza di elementi eterogenei .... *l'armonia, diversi*
2. privi di forma .... *senza*
3. a portata di mano .... *a disposizione*
4. non avevo occhi che per i cinema .... *guardavo solo/non guardavo nient'altro che*
5. i film vecchi o scadenti .... *di cattiva qualità*
6. i cartelloni piazzati da una parte .... *collocati/messi/sistemati*
7. davano film con rotazione di tre alla settimana .... *tre film che si alternavano*
8. con la scusa d'andare a studiare .... *con il pretesto/con la giustificazione*

C Lavoriamo sul lessico

1 Completate la tabella a destra con i nomi che derivano dai verbi dati.

2 In gruppo. Nel testo a pag. 164 abbiamo incontrato l'espressione *non aver occhi che per...* Conoscete altri modi di dire con le parti della testa (occhio, orecchio, naso, bocca)? Con l'aiuto del dizionario, trovatene almeno tre.

	verbo	nome
1.	evadere	*evasione*
2.	condannare	*condanna*
3.	proiettare	*proiezione*
4.	inserire	*inserimento*
5.	creare	*creazione*
6.	aspettare	*aspettativa*
7.	fantasticare	*fantasia/fantasticheria*
8.	garantire	*garanzia*

3 Per ogni perifrasi, trovate il termine preciso che appartiene alla sfera semantica del cinema.

1. intreccio della storia di un film *t r a m a*
2. chi recita in un film *a t t o r e*
3. riprodurre il parlato di un film in una lingua diversa dall'originale *d o p p i a r e*
4. chi dirige la realizzazione di un film *r e g i s t a*
5. spettacolo riservato a pochi invitati prima dell'uscita di un film *p r i m a*
6. ciascuna delle vicende che si succedono nel film *s c e n a*
7. l'eliminazione di alcune scene che possono offendere la morale o la religione *c e n s u r a*
8. musica di sottofondo di un film *c o l o n n a s o n o r a*
9. la parola italiana per film *p e l l i c o l a*
10. chi scrive la storia di un film *s c e n e g g i a t o r e*

es. 1
p. 89

D Riflettiamo sulla grammatica

Anche quando riportiamo le parole o il discorso di una terza persona, dobbiamo prestare attenzione al verbo reggente che abbiamo scelto: dopo richiede l'indicativo o il congiuntivo?

AG
12
p. 153

1 Provate a completare le frasi che seguono con il verbo *andare* al tempo giusto, facendo attenzione ai verbi reggenti evidenziati.

a. Nel testo lo scrittore racconta che _andava_ al cinema quasi tutti i giorni, e magari due volte al giorno.

b. Leggendo il testo, ci è sembrato di capire che lo scrittore _andasse_ al cinema al pomeriggio, scappando di casa di nascosto.

es. 2-4
p. 89

💡 Nel testo letto abbiamo trovato alcuni aggettivi come *seguente* e *favorevole* che rispettivamente significano "che segue" e "che favorisce". Gli aggettivi di questo tipo si chiamano deverbali, perché si formano aggiungendo alla radice del verbo un suffiso (*-ivo*, *-ante*, *-ente*, *-abile*, *-ibile*, *-evole*).

AG
5.1.3
p. 130

2 Trasformate la frase relativa evidenziata in un unico aggettivo.

Il capitale umano di Paolo Virzì

1. una storia che coinvolge — *coinvolgente*
2. un'immagine che inquieta — *inquietante*
3. un interesse che dura — *durevole*
4. un attore che interessa — *interessante*
5. un comportamento che nuoce — *nocivo*
6. una recensione che incoraggia — *incoraggiante*
7. una scena che offende — *offensiva*
8. una sala che accoglie — *accogliente*
9. un giovane artista che promette — *promettente*
10. una storia che piace — *piacevole*
11. un film che educa — *educativo*
12. una vicenda che commuove — *commovente*

es. 5-6
p. 91

E   Situazione

 State cercando di decidere quale film andare a vedere. Uno di voi si fida ciecamente del parere di un'amica che ha già visto uno dei film in questione, l'altro solo della recensione che ha letto sul giornale. Inoltre, per il primo è la trama che conta, per il secondo i protagonisti.

F   Ascoltiamo

 1 Ascoltate la recensione al film di Castellitto e rispondete alle domande.

1. Come si chiama la protagonista del film? _Fortunata._
2. Perché ha una vita "affannata"? _Ha una bambina di 8 anni e un matrimonio fallito alle spalle._
3. Che lavoro fa? _La parrucchiera a domicilio._
4. Qual è il suo sogno? _Aprire un negozio tutto suo con il suo amico d'infanzia, Chicano._
5. Che cosa vorrebbe raggiungere? _Un po' d'indipendenza economica e un po' di felicità._
6. Che cosa le accade all'improvviso? _S'innamora di Patrizio._
7. In che modo Sergio Castellitto racconta la storia di questa donna? _Come un romanzo._
8. Chi è il vero protagonista del film? _Il denaro che manca._
9. Per quale tipo di persone il regista Sergio Castellitto mostra empatia? _Per le donne madri._
10. Che cosa incarna Fortunata? _Il desiderio di sentirsi libera e rispettata._

L'attrice Jasmine Trinca, protagonista del film di Sergio Castellitto

2 Ascoltate di nuovo e completate con la parola che manca.

La vera forza del film sta nella sua _____regia_____ (1) fisica, muscolare, irrequieta, affamata di vita, gioiosa e _indisciplinata_ (2) proprio come la sua protagonista. Fortunata è bellissima nel suo _____istinto_____ (3) vitale e sensuale, proprio quello che Franco vorrebbe _sopprimere_ (4) e Patrizio non riesce a contenere.

G Riflettiamo sulla grammatica

> *Regista* è uno dei tanti nomi particolari che, pur finendo in -*a*, è di genere maschile e ha il plurale in -*i* (*registi*).

AG
2.1
p. 117

Trovate i nomi maschili tra le seguenti parole e indicatene il plurale, come nell'esempio.

1. mano		11. cinema	*i cinema*	21. pianista	*i pianisti*
2. specie		12. monarca	*i monarchi*	22. bellezza	
3. problema	*i problemi*	13. poeta	*i poeti*	23. spia	
4. diploma	*i diplomi*	14. regista	*i registi*	24. tema	*i temi*
5. barista	*i baristi*	15. foto		25. collega	*i colleghi*
6. moto		16. video	*i video*	26. menù	*i menù*
7. ottimista	*gli ottimisti*	17. sosia	*i sosia*	27. duca	*i duchi*
8. radio		18. frigo	*i frigo*	28. bacio	*i baci*
9. tribù		19. vaglia	*i vaglia*	29. serie	
10. auto		20. virtù		30. zio	*gli zii*

es. 7
p. 92

H Lavoriamo sulla lingua

Completate il testo scrivendo la parola giusta tra le quattro proposte a pag. 168.

IL CINEMA E IL FASCISMO

IL cinema è un'arma potentissima e uno dei primi a rendersi conto di questo _____potenziale_____ (1) è stato Benito Mussolini. Molto presto il duce _____percepisce_____ (2) le possibilità propagandistiche e didattiche del mezzo cinematografico. Nel 1924, con la nascita dell'Istituto Luce (L'Unione cinematografica educativa), il _____regime_____ (3) assicura il controllo totale dell'informazione cinematografica. Controllando direttamente la _____produzione_____ (4) cinegiornalistica ed educativa, il regime autocelebra le proprie imprese e nello stesso tempo contribuisce ad _____infondere_____ (5) nella popolazione lo spirito fascista attraverso la costruzione di riti e miti. Oltre alla ricca produzione di cinegiornali, il Luce _____vanta_____ (6) un'imponente produzione di documentari, corto, medio e lungometraggi.

È nel 1937 che, in via Tuscolana, a Roma, sotto un dolce sole primaverile, Mussolini inaugura Cinecittà, la Hollywood italiana, la ......*fabbrica*...... (7) dei sogni nostrani. Il giorno dell'inaugurazione il duce, in ......*divisa*...... (8) chiara col fez nero, come un divo, passa in ......*rassegna*...... (9) i reparti di Giovani fascisti schierati a rendergli onore, risale in macchina e a Cinecittà non si farà più ......*vedere*...... (10). È stato la prima star del kolossal e, come le grandi star, non si ripete.

tratto da *www.recencinema.it* e *www.ilsole24ore.com*

1. a. potenze   b. potente   c. virtù   d. potenziale
2. a. apprende   b. percepisce   c. intende   d. esige
3. a. regime   b. sistema   c. organismo   d. ente
4. a. prodotto   b. produzione   c. fabbricazione   d. produttività
5. a. influire   b. istituire   c. istigare   d. infondere
6. a. vanta   b. esalta   c. loda   d. valuta
7. a. stabilimento   b. officina   c. fabbrica   d. ditta
8. a. completo   b. divisa   c. tuta   d. veste
9. a. controllo   b. ordine   c. rassegna   d. regola
10. a. vedere   b. guardare   c. osservare   d. incontrare

❙ Curiosità

Sin dal 1932 ogni anno, nel mese di settembre, al Lido di Venezia si svolge la Mostra Internazionale d'Arte Cinematografica. Il premio principale che viene assegnato è il Leone d'oro, che deve il suo nome al simbolo della città (il leone della Basilica di San Marco). Tale riconoscimento è considerato uno dei più importanti dal punto di vista della critica cinematografica, al pari di quelli assegnati nelle altre due principali rassegne cinematografiche europee, la Palma d'oro del Festival di Cannes e l'Orso d'oro del Festival internazionale del cinema di Berlino.

es. 8
p. 92

L   Parliamo

💬 **1** Commentate la foto e dopo sviluppate un monologo espositivo-argomentativo sulla seguente affermazione.

Il cinema influenza il mondo psichico dello spettatore attraverso due meccanismi fondamentali, la proiezione e l'identificazione. Attraverso il primo processo, si attribuiscono agli attori idee e aspirazioni che sono dello spettatore, anche se non realizzate. Con il secondo, lo spettatore assimila l'aspetto e i sentimenti dei protagonisti dello schermo. L'identificazione può essere così intensa da indurre gli spettatori, soprattutto se in età evolutiva, a imitare, anche nella vita, gli atteggiamenti e l'abbigliamento dei propri idoli.

2 Scegliete un film italiano che vi è piaciuto in particolar modo e raccontatene la trama, sottolineando gli elementi che, secondo voi, lo rendono unico.

 3 Immaginate di dover presentare una breve relazione sull'andamento del cinema nel vostro Paese. Sottolineate i seguenti punti, motivandoli:

▶ l'andamento del mercato è positivo o negativo;

▶ gli spettatori preferiscono il cinema classico o le multisale;

▶ i film più visti sono nazionali, europei o americani.

M   Scriviamo

80-200 **1** Avete letto su un blog la seguente recensione del famoso film di Benigni *La vita è bella*. Provate a capire l'opinione generale del recensore e poi scrivete sul blog la vostra recensione per confutare o condividere il suo punto di vista con valide argomentazioni, utilizzando gli avverbi e le locuzioni avverbiali di valutazione e giudizio nella tabella.*

> Il messaggio principale del film è sicuramente questo: «si può umiliare un uomo nel corpo, ma non nell'anima: le sue idee, come il bambino protagonista nel film, vivranno dopo la sua morte». A parte il fatto che questo tema è un classico di tutta la letteratura del '900 e che da altri registi è stato espresso e trattato in maniera molto più completa e poetica di quanto abbia fatto Benigni, mi pare che il mezzo utilizzato per dimostrarlo, cioè la storia basata sulla persecuzione razziale e il genocidio degli ebrei, sia fuori luogo. Per non parlare del falso storico. Non poteva esistere quella situazione in un campo tedesco per il semplice fatto che adulti e bambini venivano divisi arrivati alla stazione, per cui questo denota ancor di più la malafede di chi ha ambientato per forza la storia in quel modo per strappare facili emozioni e vendere biglietti, quindi lo si poteva fare in mille altri modi. Lasciamole in pace le vittime dei campi, noi non siamo degni neanche di parlare di ciò che hanno vissuto, non potremo capire mai fino in fondo il loro dramma. Davvero patetico!

2 Il cinema italiano ha vissuto varie stagioni. A gruppi, scegliete uno dei seguenti punti e fate una ricerca, documentandovi su internet, che poi presenterete alla classe.

- il periodo del muto
- il periodo del fascismo
- il periodo del Neorealismo
- il periodo della commedia all'italiana
- il periodo dei grandi registi Antonioni, Fellini, Pasolini
- il periodo di Bertolucci e dei fratelli Taviani
- il periodo dei film "spaghetti western"
- il periodo dei "cinepanettoni"
- il periodo delle nuove generazioni di registi

✳ Avverbi e locuzioni avverbiali di valutazione e giudizio

di affermazione: certo, certamente, davvero, proprio (così), sicuro, sicuramente, precisamente, indubbiamente, ovviamente, naturalmente, appunto, così, esatto, esattamente, giusto, giustamente, effettivamente, di certo, di sicuro, per l'appunto, senza dubbio, per l'esattezza

di dubbio: forse, magari, eventualmente, probabilmente, possibilmente, quasi certamente

di negazione: no, assolutamente no, neanche (nemmeno, neppure) per sogno!, mica, per niente

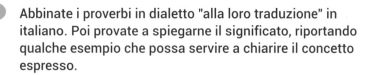
In questa unità impareremo a...

- *distinguere alcuni dialetti regionali dall'italiano*
- *compilare la scheda di una canzone*
- *sostenere o confutare una proposta*

Inoltre vedremo...

- *la frase scissa*
- *i verbi pronominali in -sela e -cela (cavarsela, farcela, ecc.)*

Giacomo Devoto

I DIALETTI DELLE REGIONI D'ITALIA

Per cominciare...

Abbinate i proverbi in dialetto "alla loro traduzione" in italiano. Poi provate a spiegarne il significato, riportando qualche esempio che possa servire a chiarire il concetto espresso.

b	1.	La lengua la g'ha no d'oss ma ia fa rump. *(Lombardia)*
a	2.	Megliu oi l'ovu ca dumani a gaddrina. *(Sicilia)*
f	3.	Lontan da-i êuggi lontan da-o chèu. *(Liguria)*
d	4.	Chi c'ha er pane, nun c'ha li denti e chi c'ha li denti nun c'ha er pane. *(Lazio)*
e	5.	U saziu nun crede a u diuno. *(Campania)*
c	6.	Chi che no gà testa, gà gambe. *(Veneto)*

a. Meglio un uovo oggi che una gallina domani.

b. La lingua non ha ossa ma le fa rompere.

c. Chi non ha testa, ha gambe.

d. Chi ha il pane non ha i denti e chi ha i denti non ha il pane.

e. Il sazio non crede al digiuno.

f. Lontano dagli occhi lontano dal cuore.

A   Comprensione del testo

1 Leggete i brevi testi e trovate un titolo per ognuno.

QUANDO SI PARLA DI DIALETTO

1   *Diffusione della lingua italiana*

La lingua italiana era parlata solo da una piccola minoranza della popolazione al momento dell'unificazione politica del Regno d'Italia nel 1861, ma si è in seguito diffusa mediante l'istruzione obbligatoria e il contributo determinante della televisione.

tratto da *www.montagneinrete.it*

2 *Italiano o dialetto?*

Oggi, secondo i più recenti dati statistici, l'84,8% degli italiani parla esclusivamente o prevalentemente l'italiano, il 10,7% lo alterna con una lingua locale, mentre appena l'1,7% si esprime solo nell'idioma locale. Bisogna però premettere che, all'interno delle mura domestiche, il numero di coloro che si esprimono mediante l'uso della propria lingua locale aumenta, arrivando al 9%.

tratto da *www.istat.it*

4 *Le canzoni in napoletano*

Sono molte le canzoni in dialetto napoletano a essere conosciute in tutto il mondo. Le loro melodie incantano ancora oggi milioni di innamorati, arrivando dritte al cuore di chi le ascolta. Non solo quelle classiche della tradizione sono indimenticabili, ma anche quelle più recenti. Le parole di queste canzoni sono delle vere e proprie poesie. Tuttavia, essendo in dialetto, non sempre sono comprensibili a chi non è originario della città all'ombra del Vesuvio.

tratto da *www.napoli.fanpage.it*

3 *Il dialetto nella canzone italiana*

Roberto Sottile, docente di linguistica italiana all'Università di Palermo, da poco ha pubblicato un interessante saggio dal titolo *Il dialetto nella canzone italiana degli ultimi venti anni*. Ed è proprio in questo saggio che sottolinea come, negli ultimi decenni, soprattutto la canzone in dialetto sta conoscendo una straordinaria diffusione. Oggi che «il dialetto non è più una vergogna» si assiste a un impressionante proliferare di canzoni nelle quali l'idioma locale è impiegato per ampliare la varietà, per soddisfare attese di poesia o bisogni espressivi ai quali l'italiano non sembra in grado di rispondere e, più in generale, per simboleggiare il ritorno alle radici come «meccanismo di difesa» dall'effetto alienante della globalizzazione.

tratto da *www.librerianeapolis.it*

5 *'O sole mio*

Ecco, allora, una delle più famose canzoni napoletane, *'O sole mio*, che è stata incisa da cantanti di tutte le lingue. La più grande interpretazione di questa canzone rimane probabilmente quella di Enrico Caruso, ma moltissimi altri artisti hanno interpretato il brano, del quale esistono molteplici versioni; fra le più famose quella di Elvis Presley, col titolo di *It's now or never*. Un capolavoro unico nel suo genere, che ce l'ha fatta a far sognare milioni di persone.

tratto da *www.vesuviolive.it*

2 Completate le frasi con un massimo di 6 parole.

1. La lingua italiana prima dell'unificazione era parlata da *una piccola minoranza della popolazione*.
2. Il dialetto dopo l'unificazione si diffonde grazie *all'istruzione obbligatoria e alla TV*.
3. Oggi il dialetto viene parlato in maniera esclusiva solo dall' *1,7% della popolazione*.
4. Roberto Sottile sostiene che la canzone in dialetto simboleggia *il ritorno alle radici*.
5. Una delle canzoni napoletane più famose è *'O sole mio*.

3 Leggete il testo di questa canzone e provate a compilare la relativa scheda.

'O sole mio (napoletano)

*Che bella cosa è na jurnata 'e sole
n'aria serena doppo na tempesta!
Pe' ll'aria fresca pare già na festa...
Che bella cosa è na jurnata 'e sole!*

Il sole mio (italiano)

Che bella cosa una giornata di sole,
un'aria serena dopo una tempesta!
Per l'aria fresca sembra già una festa...
Che bella cosa una giornata di sole!

Ma n'atu sole cchiù bello, oi nè		*Ma un altro sole più bello non c'è*	
'o sole mio sta nfronte a te!		*il sole mio sta in fronte a te!*	
'O sole o sole mio		*Il sole, il sole mio*	
sta nfronte a te... sta nfronte a te.		*sta in fronte a te... sta in fronte a te.*	
Luceno 'e llastre d'a fenesta toia,		*Luccicano i vetri della tua finestra,*	
'na lavannara canta e se ne vanta		*una lavandaia canta e se ne vanta...*	
e pe' tramente torce, spanne e canta,		*mentre strizza, stende e canta,*	
luceno 'e llastre d'a fenesta toia.		*luccicano i vetri della tua finestra!*	
Ma n'atu sole cchiù bello, oi nè		*Ma un altro sole più bello non c'è*	
'o sole mio sta nfronte a te!		*il sole mio sta in fronte a te!*	
'O sole o sole mio		*Il sole, il sole mio*	
sta nfronte a te... sta nfronte a te.		*sta in fronte a te... sta in fronte a te.*	
Quanno fa notte e 'o sole se ne scenne		*Quando viene sera e il sole tramonta,*	
me vene quase na malincunia,		*mi assale come una malinconia,*	
soto a fenesta toi restarria		*sotto la tua finestra resterei,*	
quando fa notte e 'o sole se ne scenne.		*quando fa sera e il sole tramonta.*	
Ma n'atu sole cchiù bello, oi nè		*Ma un altro sole più bello non c'è*	
'o sole mio sta nfronte a te!		*il sole mio sta in fronte a te!*	
'O sole o sole mio		*Il sole, il sole mio*	
sta nfronte a te... sta nfronte a te.		*sta in fronte a te... sta in fronte a te.*	

PERSONA CHE CANTA	1 un uomo innamorato
CITTÀ IN CUI SI TROVA	2 Napoli
RUMORI/SUONI CHE SENTE	3 il canto di una lavandaia
PERSONA PARAGONABILE A UNA GIORNATA DI SOLE	4 la donna che ama
SENTIMENTI PROVATI DAL PROTAGONISTA	5 gioia, felicità, serenità, amore, malinconia, tristezza
MOTIVO DELLA SUA FELICITÀ QUANDO SPLENDE IL SOLE	6 la tempesta è passata
MOTIVO DELLA SUA TRISTEZZA QUANDO IL SOLE TRAMONTA	7 la donna che ama va a dormire e lui non la vede
METAFORA DELLA PAROLA "SOLE"	8 bellezza e amore perfetto

B Riflettiamo sul testo

Completate la tabella con le parole in italiano che corrispondono a quelle della canzone.

	in napoletano	in italiano		in napoletano	in italiano
1.	na	una	7.	fenesta	finestra
2.	jurnata	giornata	8.	toia	tua
3.	atu	altro	9.	pe' tramente	intanto
4.	nfronte	in fronte	10.	se ne scenne	se ne scende (tramonta)
5.	luceno	luccicano	11.	vene	viene
6.	d'a	della	12.	restarrìa	resterei

es. 1
p. 93

C   Lavoriamo sul lessico

1 a Abbinate le seguenti espressioni e modi di dire con la parola *sole* a quelle evidenziate.

a. il sorgere del sole
b. dove non batte il sole
c. alla luce del sole
d. colpo di sole
e. il calar del sole
f. prendere il sole
g. vedere il sole a scacchi
h. niente di nuovo sotto il sole

[e] 1. Veniamo qui ogni giorno al tramonto.
[a] 2. La mattina mi sveglio sempre all'alba.
[d] 3. Ieri Margò al mare ha preso un'insolazione.
[c] 4. Valerio è un uomo sincero che agisce sempre senza inganno.
[f] 5. È nocivo esporsi ai raggi solari per abbronzarsi senza usare una crema protettiva.
[b] 6. Quando mi ha insultato, non ho resistito e gli ho dato un calcio nel sedere.
[g] 7. Quel testimone rischia di finire in prigione.
[h] 8. Nella storia tutto si ripete: non c'è nessuna novità.

 b E a proposito di *sole*, secondo voi, perché si dice "dove entra il sole non entra il dottore"?
Il sole fa bene alla salute (poiché distrugge molti microrganismi nocivi).

2 Trovate il termine corretto per ogni definizione.

1. Conosce due lingue. ..... *bilingue*
2. Non sa né leggere né scrivere. ..... *analfabeta*
3. Conosce molte lingue. ..... *poliglotta*
4. Anche se si parla correttamente una lingua, rivela la propria provenienza. ..... *accento*
5. Chi si dedica allo studio delle lingue. ..... *linguista*
6. Lo studio scientifico dei sistemi linguistici (lingue e dialetti). ..... *glottologia*

es. 2-3 p. 93

D   Riflettiamo sulla grammatica

«Ed è proprio in questo saggio che sottolinea», «Sono molte le canzoni in dialetto napoletano a essere conosciute» sono frasi scisse, cioè frasi che, grazie alla loro struttura, mettono in rilievo un'informazione. La frase scissa può essere di due tipi: *esplicita* (si forma con il verbo *essere* + l'elemento che vogliamo mettere in rilievo + una frase relativa) o *implicita* (si usa solo se l'elemento da focalizzare è anche il soggetto della secondaria. Si forma con il verbo *essere* + la parola che vogliamo focalizzare + *a* + infinito).

AG 21 p. 165

Trasforma le seguenti frasi in frasi scisse, mettendo in rilievo l'elemento evidenziato, come nell'esempio.

es. Si stava parlando di dialetti. ▶ *Era di dialetti che si stava parlando.*

1. Marco ha già imparato due lingue straniere. ▶ *È Marco ad aver già imparato due lingue...*

2. L'Accademia della Crusca ha proposto il fiorentino trecentesco come modello di lingua scritta nel '500.
   ▶ *È l'Accademia della Crusca ad aver proposto il fiorentino trecentesco come...*

3. Soprattutto in alcune regioni il dialetto sta scomparendo.
   ▶ *È soprattutto in alcune regioni che il dialetto sta scomparendo.*

4. Alcuni linguisti hanno lanciato quest'inquietante allarme.
   ▶ *Sono stati alcuni linguisti a lanciare quest'inquietante allarme.*

es. 4 p. 94

E Curiosità

Lo sapete da quale dialetto d'Italia è derivata la lingua italiana? Il fiorentino. Qualcuno potrebbe chiedere: perché proprio il dialetto fiorentino? Per un motivo essenzialmente di carattere storico. Negli anni in cui forte era l'esigenza di una lingua comune, Firenze era il centro più importante sia per cultura sia per forza economica. La presenza, poi, di scrittori come Dante, Petrarca e Boccaccio e delle loro opere che si diffusero rapidamente in tutta Italia, e che vennero prese a modello dagli altri scrittori, diede un'accelerata all'ascesa del fiorentino come lingua comune, segnando l'inizio di un difficile e lungo processo di unificazione linguistica.

Giorgio Vasari,
I sei poeti toscani, 1544

F Lavoriamo sulla lingua

Completate il testo scrivendo la parola giusta tra quelle proposte.

I dialetti sono sinonimo di identità e sono una traccia *tangibile* (1) dello sviluppo culturale di un Paese. Il dialetto è un elemento rilevante anche nella conservazione delle tradizioni e il modo di *tramandare* (2) ai posteri la cosiddetta «saggezza popolare», che costituisce un *ponte* (3) tra generazioni diverse.

Per gli esperti la conservazione del dialetto costituisce anche un modo per opporsi a un'eccessiva globalizzazione, conservando le *peculiarità* (4) di un territorio, cosa che per l'Italia è ormai diventata sinonimo di qualità in tutto il mondo. C'è anche chi ritiene che il dialetto rappresenti uno strumento più *espressivo* (5) rispetto alla lingua italiana, perché collegato a evocazioni ed emozioni più profonde relative al *territorio* (6) e alla sua storia. Che il desiderio dunque di mantenere *vivo* (7) il dialetto e di impedire che venga dimenticato è diffuso, lo dimostra lo strumento di comunicazione più moderno che ci sia: Internet. Proprio il luogo della comunicazione globale, dell'inglese come lingua universale, infatti, sembra essersi assunto il *compito* (8) di conservare e diffondere la conoscenza del dialetto. Numerosi i siti che riportano detti e proverbi delle diverse zone d'Italia, ma anche filastrocche, canzoni della tradizione e perfino barzellette. *Inoltre* (9), moltissimi sono i siti dove sono presenti saggi o trattati, ma anche corsi di dialetto, e non mancano naturalmente quelli che *raccolgono* (10) parolacce ed espressioni volgari, ma anche dei veri e propri dizionari online con la traduzione dei termini dialettali in italiano e viceversa.

tratto da *www.lastampa.it*

1. **a.** tangibile   b. tangente   c. prevalente   d. toccabile
2. a. traslocare   b. trasportare   **c.** tramandare   d. trasferire
3. a. passo   b. transito   c. percorso   **d.** ponte
4. **a.** peculiarità   b. forme   c. regole   d. idiomi
5. a. formale   b. esclusivo   **c.** espressivo   d. informale
6. a. terra   b. terreno   **c.** territorio   d. quartiere
7. a. vivace   b. vivente   c. vitale   **d.** vivo
8. **a.** compito   b. diritto   c. legame   d. missione
9. a. Infatti   b. Tuttavia   c. Invece   **d.** Inoltre
10. a. accolgono   **b.** raccolgono   c. commentano   d. ammucchiano

G Riflettiamo sulla grammatica

Nel brano 5, a pag. 171, abbiamo incontrato l'espressione «ce l'ha fatta». *Farcela* è un verbo pronominale idiomatico, così come il suo sinonimo *cavarsela*. Ne ricordate altri?

AG
11.11.2
p. 150

1 Completate le tabelle e sottolineate le differenze tra i verbi pronominali che terminano in *-cela* e quelli che terminano in *-sela*.

Presente	
ce la faccio	me la cavo
ce la fai	*te la cavi*
ce la fa	*se la cava*
ce la facciamo	*ce la caviamo*
ce la fate	*ve la cavate*
ce la fanno	*se la cavano*

Passato	
ce l'ho fatta	*me la sono cavata*
ce l'hai fatta	te la sei cavata
ce l'ha fatta	*se l'è cavata*
ce l'abbiamo fatta	*ce la siamo cavata*
ce l'avete fatta	*ve la siete cavata*
ce l'hanno fatta	*se la sono cavata*

2 Ora collegate le frasi di sinistra con la definizione del verbo pronominale data a destra, come nell'esempio.

[i] 1. (*avercela*) Non ce l'ho con te, ma con mia madre.

[a] 2. (*prendersela*) Non te la prendere, se le cose non sono andate come volevi.

[b] 3. (*filarsela*) Alla festa mi annoiavo a morte e me la sono filata.

[c] 4. (*mettercela tutta*) Se volete superare gli esami di fisica, dovete mettercela tutta.

[g] 5. (*spassarsela*) Mentre io sto in città a lavorare, i miei amici se la spassano al mare.

[f] 6. (*intendersela*) Sandro cerca di accontentare sempre sua moglie, ma lei se la intende con il suo direttore.

[d] 7. (*sentirsela*) Oggi Luca non se la sente di andare con Viola in un centro commerciale.

[h] 8. (*bersela*) Ho detto al professore che sono arrivato in ritardo per via del traffico e lui se l'è bevuta.

[l] 9. (*tirarsela*) Perché te la tiri tanto? Chi ti credi di essere?

[e] 10. (*legarsela al dito*) Giusy non dimenticherà mai quello che le hai detto. Se l'è legata al dito.

a. arrabbiarsi

b. andare via rapidamente

c. impegnarsi molto

d. avere voglia

e. fissare nella memoria un'offesa

f. avere una relazione

g. divertirsi

h. credere a una bugia

i. essere arrabbiati

l. avere un atteggiamento di superiorità

es. 5-7
p. 94

H Ascoltiamo

1 Perché, secondo voi, è facile sentire delle battute in dialetto alla televisione italiana?

2 Ascoltate un brano sui dialetti nella fiction italiana e indicate le affermazioni corrette.

1. Nella TV italiana è presente
   - ☐ a. solo il dialetto romanesco
   - ☒ b. il dialetto in generale
   - ☐ c. l'italiano standard

2. Il dialetto in TV dipende
   - ☐ a. dal tipo di programma
   - ☒ b. dal canale scelto
   - ☐ c. dalle annunciatrici

3. La serie *La squadra* è in
   - ☒ a. dialetto napoletano
   - ☐ b. dialetto milanese
   - ☐ c. dialetto romanesco

4. Il linguaggio della pubblicità
   - ☐ a. ha delle caratteristiche peculiari
   - ☐ b. è simile a quello dello spettacolo
   - ☒ c. ha precise origini geografiche

> A 101 anni
> si è spento serenamente
>
> **LUIGI ESPOSITO**
> *E vulevo vedè
> ca faceva pure storie!*
>
> L'esequie muoveranno mercoledì 14 alle ore 9
> dalla Chiesa di S. Domenico Maggiore

3 Rispondete alle domande.

1. La giornalista radiofonica nella frase "...ma c'è anche dell'altro, c'è anche, non so, il siciliano di Camilleri, tanto per dirne una..." usa l'espressione evidenziata perché il siciliano di Camilleri è: ☐ a. l'unico dialetto usato in televisione, ☐ b. il dialetto più presente in TV, ☒ c. il primo esempio che gli viene in mente.

2. Il professor Menduni nella frase "Sono dialetti siciliani o napoletani mediati da un sostrato romanesco" usa l'espressione evidenziata per dire che il romanesco è: ☐ a. prevalente, ☒ b. alla base, ☐ c. del tutto assente.

es. 8-9
p. 95

| Parliamo

1 Osservate e commentate il seguente grafico, sottolineando quali sono le regioni dove si parla di più l'italiano e dove il dialetto.

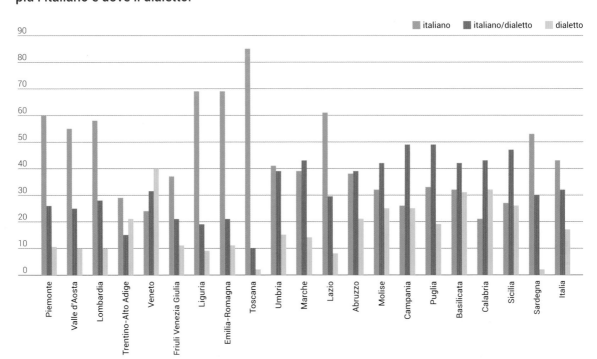

2 Secondo voi, quali potrebbero essere le cause del declino dei dialetti in Italia?

 3 Nel vostro Paese, oltre alla lingua nazionale, si parlano dialetti? Da chi e in quali occasioni vengono usati? Rappresentano un problema o una ricchezza linguistica?

L   Scriviamo

 Immaginate di dover partecipare a un forum su "La proposta di insegnare i dialetti a scuola".

▸ Dividetevi in due gruppi.

▸ Il primo gruppo scriverà un testo, ampliando e commentando i seguenti argomenti forniti dai fautori della proposta:

fautori
- Il dialetto è motivo d'orgoglio per chi lo conosce e lo sa parlare.
- Il dialetto permette la costruzione di un legame tra le scuole e il proprio territorio.
- Il dialetto esprime la necessità di tener viva la memoria delle tradizioni locali.
- Il dialetto costituisce un modo per imparare meglio altre lingue, essendo una forma di bilinguismo.
- Il dialetto è familiare e antistress proprio perché non ha rigide regole da seguire.
- Il dialetto è ricco di sfumature e registri (c'è il dialetto letterario e quello popolare).

▸ Il secondo gruppo scriverà, invece, un testo ampliando e commentando i seguenti argomenti forniti dai detrattori:

detrattori
- I docenti, che non insegnano nella propria città o paese, non conoscono il dialetto locale delle sedi in cui operano.
- Le ore scolastiche disponibili sono già molto ridotte per le materie letterarie e aggiungere un'altra materia è impensabile.
- Esiste una reale difficoltà nell'insegnare i dialetti a studenti che sono di varie nazionalità.
- Siccome i ragazzi fanno fatica a utilizzare correttamente la nostra lingua nazionale e a capire testi scritti, sarebbe meglio che approfondissero la conoscenza dell'italiano piuttosto che del dialetto.
- Spesso non ci sono grammatiche di riferimento per i numerosi dialetti del territorio nazionale.
- Imparare il dialetto a scuola è controproducente: si perderebbe, infatti, l'identità linguistica nazionale.

M   Giochiamo

 Giocate in due squadre. Comincia uno studente della squadra A costruendo una frase a piacere con un verbo pronominale tra quelli dati:

avercela
mettercela tutta
prendersela
spassarsela
sentirsela
tirarsela
bersela
legarsela al dito
intendersela

Uno studente della squadra B dovrà continuare la frase a piacere, oppure rispondere utilizzando una delle seguenti espressioni idiomatiche:

farsene una ragione
passarsela bene/male
darsela a gambe levate
farsela sotto
non farcela più
vedersela brutta
sbrigarsela da solo

La prima squadra che non riesce a formulare o a continuare la frase in modo corretto, perde.

Patrimonio artistico   Unità 27

In questa unità impareremo a...

* *mettere a confronto arte classica e arte moderna*
* *tratteggiare la biografia di un artista*
* *evidenziare le caratteristiche della sua arte*
* *parlare del patrimonio artistico del nostro Paese*

Inoltre vedremo...

* *il non pleonastico*
* *la posizione dell'aggettivo*
* *i connettivi consecutivi*

Per cominciare...

1 Completate la tabella con le parole relative a quelle date.

	verbo	arte	persona
1.	progettare	architettura	architetto
2.	scolpire	scultura	scultore
3.	dipingere	pittura	pittore

2 A coppie. Leggete ognuna delle seguenti affermazioni su "Che cos'è l'arte?". A turno, uno dei due studenti spiega il contenuto dell'affermazione e la commenta, l'altro esprime la sua opinione su quanto dice il compagno, riportando degli esempi.

> *L'arte è la raffigurazione del bello che esiste in natura.*

> *L'arte è poter guardare con occhio nuovo le cose vecchie.*

> *L'arte è un'azione privata che l'artista fa per se stesso.*

> *L'arte è un modo di evadere dalla quotidianità.*

> *Mentre la scienza descrive le cose così come sono, l'Arte è la capacità di descrivere le cose come sono sentite o come si pensa dovrebbero essere.*

A   Comprensione del testo

CARAVAGGIO

Michelangelo Merisi (1571-1610), detto il Caravaggio, nacque a Caravaggio, vicino Bergamo. Dal 1584 al 1588, fu apprendista presso la bottega di Simone Petterzano dal quale apprese le tecniche di artisti quali Giovan Gerolamo Savoldo o Giovan Battista Moroni, nei quali compare già un controllo dell'effetto cromatico-luminoso che potremmo definire, a posteriori, di caravaggesca sensibilità.

Caravaggio, *Sette opere di Misericordia*, 1606, Pio Monte della Misericordia, Napoli

Caravaggio ebbe una vita breve, ma così avventurosa e controversa da attirare l'attenzione di tantissimi studiosi. Violento e ribelle, per tutta la vita si trovò coinvolto in risse, sempre in urto con l'autorità. Trasferitosi a Roma nel 1593, per restarvi fino al 1606, Caravaggio vi condusse una vita sregolata, segnata da episodi non sempre chiari, fino a quando, il 29 maggio 1606 uccise un ragazzo per un banale litigio. Fu quindi costretto a fuggire.

Ma fu proprio in questi tredici anni di soggiorno romano che l'artista maturò la sua arte potente e originale che lo portò a essere uno dei maggiori riferimenti di tutta la pittura europea del XVII secolo e oltre.

Dopo essersi stabilito per un anno a Napoli (1607-1608), dovette riparare a Malta. Qui rimase per un certo tempo ma poi, per contrasti avuti con l'Ordine dei Cavalieri di Malta, fu costretto a fuggire nuovamente. Andò in Sicilia dove si spostò tra Siracusa, Messina e Palermo.

Caravaggio, *Cena in Emmaus*,
1601, Pinacoteca di Brera, Milano

Nell'ottobre del 1609 fu di nuovo a Napoli e qui, dopo alcuni mesi, venne riconosciuto da alcuni Cavalieri di Malta e ferito in un agguato. Non appena si fu ripreso dalle gravi ferite, lo raggiunse la notizia che il Papa gli avrebbe perdonato l'omicidio compiuto. Si diresse verso Roma via mare e sbarcò a Porto Ercole. Qui venne arrestato e poi rilasciato dopo due giorni. Ma, dopo aver constatato che era stato derubato di tutto, fu preso da forti febbri e morì sulla spiaggia di Porto Ercole il 18 luglio 1610. Si concludeva così, a meno di quarant'anni, la vita di uno dei più grandi pittori mai esistiti, che passerà alla storia come il prototipo dell'artista maledetto: il genio che vive la sua vita oltre i limiti, andando incontro a un destino tragico, perché non potrà conciliare diversamente la sua natura umana con la sua prepotente genialità.

Le opere di Caravaggio sono divenute tutte celeberrime. La prima grande novità della sua pittura è che Caravaggio non trasfigura mai i suoi soggetti. Se egli prende un ragazzo di strada per farlo posare come modello per un Bacco, nel quadro che realizza, il Bacco rappresentato avrà le fattezze precise del modello. L'arte non è il luogo dove la realtà trova un ordine nuovo basato sulle aspettative di bellezza e perfezione dell'animo umano, ma il luogo dove la realtà si mostra con tutta la sua drammaticità.

Nei quadri di Caravaggio un'attenzione particolare viene sempre riservata alla luce. Non poteva essere diversamente, visto che egli perseguiva una pittura realista. Ma il dato stilistico che egli inventa è l'abolizione dello sfondo per circondare le immagini di oscurità. Ottiene così un effetto molto originale: le sue immagini sembrano sempre apparizioni dal buio. Le figure appaiono grazie a sprazzi di luce: una fiaccola, uno spiraglio di finestra aperta. In questo modo l'immagine che si coglie è solo una parte della realtà: solo quel tanto che la debole illuminazione ci consente di vedere. Il resto rimane avvolto dall'oscurità, ossia dal mistero. È il buio che domina in queste immagini, quasi ad accentuarne la drammaticità. Il buio è il luogo stesso delle nostre angosce e paure nei confronti di dolori, morte, sofferenze. I quadri di Caravaggio ci riportano proprio a questo territorio: è la pittura più drammatica mai vista fino ad allora, e rappresenta quella oscurità, fatta di inquisizione e terrore, che sembra calata sulle coscienze dopo l'avvento della Controriforma.

tratto da *www.francescomorante.it*

Leggete il testo e indicate se le seguenti affermazioni sono vere o false. Motivate le vostre risposte.

	V	F
1. Caravaggio è un nome d'arte.	x	
2. L'artista fu un autodidatta.		x
3. Ebbe una vita molto avventurosa.	x	
4. Fu uno dei maggiori artisti europei del XVII secolo e oltre.	x	
5. Trascorse la sua vita nella città natale.		x
6. Morì annegato.		x
7. Fu un artista conformista.		x
8. I suoi modelli di solito furono persone reali.	x	
9. Una grande importanza nei suoi quadri viene riservata ai contrasti tra luce e ombra.	x	
10. Visse in un periodo storico difficile per gli artisti.	x	

B Riflettiamo sul testo

1 Delle due alternative proposte, quale esprime il significato che hanno nel testo le parole evidenziate?

1. Fu apprendista presso la bottega di Simone Petterzano. <u>allievo</u> / docente
2. Ebbe una vita breve, ma avventurosa e controversa. incerta / <u>discutibile</u>
3. Si trovò coinvolto in risse. <u>liti</u> / pettegolezzi
4. In urto con l'autorità. <u>contro</u> / pro
5. Caravaggio vi condusse una vita sregolata. <u>disordinata</u> / straordinaria
6. Dovette riparare a Malta. <u>rifugiarsi</u> / curarsi
7. Venne ferito in un agguato. attacco / <u>aggressione</u>
8. Caravaggio non trasfigura mai i suoi soggetti. cambia / <u>trasforma</u>
9. Bacco avrà le fattezze del modello. <u>l'aspetto</u> / i movimenti
10. Perseguiva una pittura realista. inseguiva / <u>mirava a</u>
11. Grazie a sprazzi di luce. <u>raggi</u> / macchie
12. Il resto rimane avvolto dall'oscurità. <u>circondato</u> / protetto

Caravaggio, *Bacco*, 1595
Galleria degli Uffizi, Firenze

2 Scrivete i sinonimi delle parole in arancione e i contrari delle parole in nero.

1. luminoso _oscuro_
2. a posteriori _a priori_
3. banale _comune_
4. fuggire _scappare_
5. originale _singolare_
6. sbarcare _imbarcare_
7. concludere _terminare_
8. maledetto _benedetto_
9. prepotente _incontenibile_
10. celeberrimo _molto noto_
11. bellezza _bruttezza_
12. drammaticità _comicità_
13. oscurità _buio_
14. ossia _cioè_
15. avvento _arrivo_

C Lavoriamo sul lessico

Trascrivete ognuna delle seguenti parole nel campo semantico adatto. (Attenzione: una parola rientra in più categorie!)

tela | busto | facciata | nudo | bassorilievo | navata
altorilievo | arco | campanile | natura morta | tempio
ritratto | incisione | dipinto | cupola | affresco

Architettura
facciata, navata, arco, campanile, tempio, cupola

Scultura
busto, nudo, bassorilievo, altorilievo, incisione

Pittura
tela, nudo, ritratto, natura morta, dipinto, affresco

es. 1-3 p. 97

Unità 27

D Riflettiamo sulla grammatica

1 Nel testo a pag. 179 abbiamo trovato la frase «Non appena si fu ripreso dalle gravi ferite, lo raggiunse la notizia che il Papa gli avrebbe perdonato l'omicidio compiuto». Secondo voi, che significato assume il *non* davanti ad *appena*? Caravaggio era guarito o ferito quando apprese la notizia? *Era guarito.*

19 p. 164

es. 4 p. 98

es. 5 p. 98

Osservate le parole evidenziate nel testo alle pagine 178 e 179 e riflettete sulla posizione degli aggettivi: riuscite a capire quando vanno messi prima e quando dopo il nome? *Vedi soluzioni a pag. 207*

3.5-3.5.1 p. 125

2 Completate l'esercizio inserendo la forma giusta dell'aggettivo dato, nella posizione corretta.

1. quadro *(bello)* ..... *bel quadro*
2. effetto *(cromatico)* *effetto cromatico*
3. artista *(maledetto)* *artista maledetto*
4. sfondo *(scuro)* *sfondo scuro*
5. animo *(umano)* *animo umano*
6. finestra *(aperto)* *finestra aperta*
7. soggetti *(realistico)* *soggetti realistici*
8. natura *(morto)* *natura morta*
9. arte *(seicentesco)* *arte seicentesca*
10. drammaticità *(suo)* *sua drammaticità*
11. interesse *(enorme)* *enorme interesse*
12. risse *(numeroso)* *numerose risse*
13. tela *(unico)* *tela unica (una tela straordinaria) / unica tela (un'intera tela)*
14. notizie *(certo)* *certe notizie (alcune notizie) / notizie certe (notizie sicure)*
15. pittore *(francese)* *pittore francese*
16. colore *(giallo)* *colore giallo*

es. 6 p. 99

E Situazione

Un vostro amico, che è già stato diverse volte nel vostro Paese, vi chiede di suggerirgli un itinerario turistico "alternativo" a tema artistico con una serie di luoghi da visitare (monasteri, musei, gallerie d'arte ecc.) **per saperne di più su questo argomento tanto interessante.**

F Lavoriamo sulla lingua

Completate il testo con le parole mancanti (una per spazio).

L'ARTE INSEGNA AI NOSTRI BAMBINI A LIBERARE LE EMOZIONI

L'arte è importante nella crescita dei bambini e nella scoperta delle ..... *loro* ..... (1) emozioni. Purtroppo nella scuola dell'obbligo, l'arte diventa una ..... *materia* ..... (2) secondaria e in certi casi è assente. Così i bambini tendono ..... *a* ..... (3) stimolare maggiormente le attività dell'emisfero sinistro del cervello – legato alla logica e alla razionalità – e non ..... *quelle* ..... (4) dell'emisfero destro, che, invece, supporta la creatività. In un mondo ideale i due emisferi del cervello dovrebbero operare in ..... *modo* ..... (5) equilibrato. L'arte e la creatività meriterebbero dunque di avere ..... *uno* ..... (6) spazio significativo nella scuola. E quando ..... *ciò/questo* ..... (7) non accade? I genitori possono mettere a disposizione dei bambini i materiali ..... *necessari* ..... (8) per colorare o disegnare e fare in modo che li utilizzino nei momenti in cui ..... *ne* ..... (9) sentono il desiderio o la necessità. Inoltre oggi esistono delle alternative ..... *fuori* ..... (10) della scuola che possono favorire l'espressione artistica, come corsi di pittura e di disegno.

tratto da www.greenme.it

G Curiosità

Venezia, il salotto d'Italia, oltre a essere una città nota per le sue bellezze architettoniche e paesaggistiche, è anche protagonista dell'arte e della cultura italiane. In questa città si svolge, infatti, una delle più prestigiose rassegne internazionali d'arte contemporanea al mondo: la *Biennale di Venezia*. Nata nel 1895, ha il fine di promuovere tutte le nuove tendenze artistiche e organizza manifestazioni internazionali delle arti contemporanee. La Biennale d'arte e quella di architettura, che si tengono ad anni alterni (da qui il nome "Biennale"), hanno il nucleo centrale dell'esposizione nei Giardini, in cui sono allestiti 29 padiglioni di altrettanti Paesi, più il Padiglione Centrale che ospita la mostra principale dell'evento.

H   Riflettiamo sulla grammatica

AG
17.5
p. 162

Nel testo alle pagine 178 e 179 abbiamo letto «la sua vita fu così avventurosa e controversa da attirare l'attenzione di tantissimi studiosi». *Così ... che/da, tanto ... che/da, talmente ... che/da, tale ... che/da, a tal punto ... che/da*, ecc. sono connettivi consecutivi e introducono frasi sia di forma *esplicita* che *implicita* (quest'ultima è possibile solo se il soggetto delle proposizioni è lo stesso).

Nelle consecutive *esplicite* il verbo, preceduto da *che*, è:
• all'indicativo, se la conseguenza è certa;
• al congiuntivo, se la conseguenza è possibile;
• al condizionale, se la conseguenza è realizzabile a certe condizioni.

Nelle consecutive *implicite* il verbo, preceduto dalle preposizioni *da* o *per* oppure da *in modo/ così da*, è all'infinito. Attenzione: se l'implicita è costruita con "*per* + infinito" va aggiunto *troppo/ abbastanza* nella principale, per differenziarla dalla finale.

Trasformate le frasi consecutive da implicite in esplicite e viceversa.

1. Caravaggio dipinse quadri così straordinari da lasciare tutti a bocca aperta.
   ▶ Caravaggio dipinse quadri così straordinari *che lasciò tutti a bocca aperta*.

2. Sono tanto stanco da poter piangere senza motivo.
   ▶ Sono tanto stanco *che potrei piangere senza motivo*.

3. Caravaggio nei suoi dipinti collocava le figure al buio così da poter ottenere un effetto particolare con i raggi di luce che le illuminavano.
   ▶ Caravaggio nei suoi dipinti collocava le figure al buio così *che potesse ottenere un effetto particolare con i raggi di luce che le illuminavano*.

4. Corri così veloce che potresti vincere le Olimpiadi.
   ▶ Corri così veloce *da poter vincere le Olimpiadi*.

5. L'artista condusse una vita talmente ribelle e senza regole da finire in prigione.
   ▶ L'artista condusse una vita talmente ribelle e senza regole *che finì in prigione*.

6. Non c'era niente da fare: Caravaggio sarebbe morto sulla spiaggia.
   ▶ Non c'era niente *che si potesse fare: Caravaggio sarebbe morto sulla spiaggia*.

es. 7-8
p. 99

I Ascoltiamo

1 Ascolterete la biografia di un noto pittore del '900: Giorgio De Chirico. Cosa sapete della sua vita e delle sue opere? Discutetene con la classe.

27 **2** Ora ascoltate e rispondete alle domande con le informazioni corrette.

1. Giorgio De Chirico è un pittore italiano, ma dove è nato?
   A Volo, in Tessaglia (Grecia).

2. Quali cose avranno un ruolo importante nell'immaginario dell'artista?
   La Grecia e il mondo classico.

3. In quali città studia?
   Atene, Firenze, Monaco.

4. Quando si trasferisce a Parigi?
   Nel 1911.

5. Quale famoso pittore spagnolo conosce a Parigi?
   Picasso.

6. A quale delle serie di quadri dà vita in questo periodo?
   Alla serie di quadri con piazze metafisiche.

7. Com'è intitolato il suo primo quadro di questa serie?
   "Enigma di un pomeriggio d'autunno".

8. Durante la Prima guerra mondiale in quale città presta servizio come volontario?
   A Ferrara.

9. Insieme a quale pittore futurista, conosciuto in quella città, darà inizio alla pittura metafisica?
   Carlo Carrà.

10. Di che cosa è simbolo il manichino che compare nelle pitture di De Chirico?
    Dell'uomo automa contemporaneo.

11. Da quale opera di suo fratello Alberto Savinio, pittore e scrittore, prende spunto l'artista per la creazione del suo manichino?
    "L'uomo senza volto".

12. Come si chiamano le opere più celebri che dipinge in questo periodo?
    "Ettore e Andromaca" e "Le muse inquietanti".

G. De Chirico,
Le muse inquietanti, 1917,
Collezione privata, Milano

27 **3** Riascoltate la seconda parte della traccia (da 1'43") e completate la definizione di "pittura metafisica".

Per pittura metafisica s'intende un'arte che usa gli strumenti tecnici tipici della pittura per *rappresentare* (1) qualcosa che va al di là dell'esperienza *sensoriale* (2), lasciando spazio a sogni e visioni frutto dell' *inconscio* (3).

Nella pittura metafisica anche i luoghi, per quanto realistici, assumono una *valenza* (4) onirica per via di una prospettiva spesso *distorta* (5) di elementi apparentemente fuori luogo e di colori innaturali. Elementi chiave delle opere metafisiche di De Chirico sono le immense piazze, prive di presenza umana in cui emergono elementi *bizzarri* (6) come manichini, busti di marmo e colonne classiche. Da queste opere spesso *traspare* (7) un senso di solitudine e inquietudine, come se ci trovassimo *immersi* (8) in uno strano sogno.

es. 9
p. 100

es. 10
p. 100

L Parliamo

1 Mettete a confronto le due **immagini** (tratti, colori, forme, ecc). **Secondo voi, appartengono alla stessa corrente artistica? Quale vi piace di più? Che emozione vi trasmettono? Ne siete stupiti, meravigliati o altro?**

S. Botticelli, *Nascita di Venere*, 1482-1495, Galleria degli Uffizi, Firenze

A. Modigliani, *Ritratto di donna*, 1906-1919, MNBA, Buenos Aires, Argentina

2 In Italia esistono molte città d'arte che ogni anno vengono visitate da migliaia di turisti. Fate due liste per sottolineare quali potrebbero essere gli aspetti positivi e quali gli aspetti negativi del turismo di massa.

3 Discutete di come è conservato il patrimonio artistico nel vostro Paese, seguendo lo schema dato*.

M Scriviamo

250-300

Cercate informazioni in internet sulla biografia e le opere di un artista italiano. Compilate la scheda con le informazioni richieste e poi scrivete una relazione.

✱ Per parlare del patrimonio artistico del proprio Paese
- Condizioni e problematiche dei musei (guardiani, spazi, sistemi di sicurezza, ecc.)
- Diritti e doveri di chi visita un museo
- Stato di conservazione delle opere d'arte che si trovano nei musei (restauro, tutela, ecc.)
- Stato di conservazione delle opere d'arte che si trovano all'aperto (fontane, statue, ecc.)
- Furti e traffico illecito (tombaroli, trafficanti, ecc.)
- Iniziative prese per sviluppare la conoscenza del patrimonio artistico

Nome e cognome:

Luogo e data di nascita e morte: Corrente artistica a cui appartiene:

Caratteristiche fondamentali della sua arte:

Tappe fondamentali della sua vita:

Opere d'arte più importanti:

Motivi per cui la sua arte ha rivestito in Italia una particolare importanza:

Descrizione di una sua opera d'arte che vi è particolarmente piaciuta:

In questa unità impareremo a...

- analizzare e creare un monologo teatrale comico
- interpretare una scena comica teatrale

Inoltre vedremo...

- il rapporto di anteriorità (frasi implicite ed esplicite)
- la forma impersonale (ci si + aggettivo plurale)
- i verbi parasintetici (avvicinare, dimagrire, ingrandire, ecc.)

Per cominciare...

1 Leggete i seguenti autoritratti e abbinate a ciascuno il suo cognome, risolvendo l'anagramma.

1 Mi chiamo Carlo. Venezia è la città in cui sono nato. Sono considerato il padre della commedia italiana moderna. Sulle orme del grande commediografo francese Molière, presento in chiave satirica i vizi e le virtù degli italiani del mio tempo. Tra le mie commedie in lingua veneta un posto di rilievo meritano *La locandiera* e *Arlecchino servitore di due padroni*.

ILOGDNO GOLDONI , Venezia, 1707 – Parigi, 1793

2 Il mio nome è Luigi e la Sicilia è la terra dove nacqui. Scrissi romanzi, novelle e molte opere teatrali. Soprattutto per la mia produzione teatrale e le mie complesse tematiche sulla perdita d'identità dell'uomo moderno sono stato considerato uno tra i maggiori drammaturghi del XX secolo. Fui perfino insignito del premio Nobel per la letteratura nel 1934. I miei drammi vengono recitati in tutto il mondo. Tra i miei tanti lavori forse *Sei personaggi in cerca d'autore* è quello più conosciuto.

DIRLANELPO PIRANDELLO ,
Girgenti, 1867 – Roma, 1936

3 Figlio d'arte, mio padre mi chiamò Eduardo. Nacqui a Napoli. Il mio cognome è costituito di due parole, di cui la prima è "De". Per un certo periodo calcai il palcoscenico con i miei fratelli Peppino e Titina. Poi andai per la mia strada. Tra le mie commedie, vorrei citare le mie preferite: *Filumena Marturano*, *Natale in casa Cupiello*, *Napoli milionaria*, e *Le voci di dentro*.

ED LIPFIPO DE FILIPPO ,
Napoli, 1900 – Roma, 1984

4 Sono nato in Lombardia e mi chiamo Dario. Fui un attore e un autore satirico di commedie e farse. Prima che nei maggiori teatri italiani, recitai nelle fabbriche e nei teatri di quartiere, con mia moglie Franca Rame. Inventai pure una nuova lingua per comunicare. Vinsi il premio Nobel nel 1997. Il mio cognome è un monosillabo.

OF FO , Sangiano, 1926 – Milano, 2016

A   Comprensione del testo

QUESTI FANTASMI!

Napoli è terra di contrasti, di gioie e dolori, di vizi e virtù, perciò si recita il proverbio "vedi Napoli e poi muori", come a dire che non esistono al mondo città affascinanti come questa. Si raccontano pure tante storie su Partenope (altro nome di Napoli) i cui protagonisti spesso sono fantasmi. Come mai? Questo accade perché, quando si muore, si resta così legati a questo luogo che non ci si vuole allontanare neanche per andare in paradiso.

Ricca, dunque, è la letteratura sui fantasmi napoletani che abitano nei palazzi antichi.

A questo proposito, il drammaturgo Eduardo De Filippo scrisse nel 1946 una delle sue commedie più divertenti e famose dal titolo *Questi fantasmi*.

La trama: Il protagonista, interpretato dallo stesso Eduardo De Filippo, è Pasquale Lojacono che si trasferisce con la giovane moglie Maria in un appartamento all'ultimo piano di un palazzo seicentesco. Maria non sa che il marito non dovrà pagare l'affitto per cinque anni di quell'enorme abitazione (18 camere e 68 balconi!) in cambio del compito di sfatare la leggenda sulla presenza di spiriti nella casa. Il portiere Raffaele spiega al nuovo inquilino cosa dovrà fare per dimostrare che non ci sono fantasmi in casa: dovrà comparire ogni giorno, due volte al giorno, fuori su tutti i balconi, mostrando serenità e allegria. A tal scopo dovrà anche cantare ad alta voce!

Ascoltando però i racconti del portiere e del "dirimpettaio" di casa, tal Professor Santanna, il nostro protagonista incomincia a credere all'esistenza degli spiriti; pertanto, quando s'imbatte in Alfredo, l'amante della moglie, lo scambia per un fantasma. [...] Un fantasma per il quale Pasquale prova molta simpatia, visto che, ogni volta che va a fargli visita, gli lascia una somma di denaro in una delle tasche della giacca.

La storia di *Questi fantasmi* si avvia alla seguente conclusione: Pasquale un giorno riuscirà a reincontrare Alfredo. Dopo che avrà chiesto allo spirito un ulteriore e sostanzioso aiuto economico, spiegandogli che i soldi gli servono per riconquistare la moglie di cui è perdutamente innamorato, Alfredo, commosso per la triste confessione, gli lascerà un pacco di banconote e scomparirà dalle loro vite.

tratto da *www.quicampania.it*

Una scena: Monologo sul caffè

PASQUALE (Beatamente seduto fuori sul balcone, ha disposto, davanti a sé, un'altra sedia con sopra un vassoio, una piccola macchinetta da caffè napoletana, una tazzina e un piattino. Mentre attende che il caffè sia pronto, parla con il dirimpettaio, il Prof. Santanna.)

Eh, salute professore! Embe', a noialtri napoletani, toglieteci questo poco di sfogo fuori al balcone... E già... Io, per esempio, prufesso', a tutto rinuncerei tranne a questa tazzina di caffè, presa tranquillamente fuori al balcone, dopo quella mezz'oretta di sonno che uno si è fatta dopo pranzo... *(sba-*

Eduardo De Filippo interpreta Pasquale

diglia) Scusate prufesso'! E me la devo preparare io stesso con le mie mani. Sono gelosissimo [...]
(Ascolta)

Mia moglie? No, no. Mia moglie non collabora. È molto più giovane di me, sapete, e la nuova generazione ha perduto queste abitudini che, secondo me, sotto un certo punto di vista, sono la poesia della vita; perché, oltre a farvi occupare il tempo, vi danno pure una certa serenità di spirito. *(Ascolta)*

Bravo, bravo! E poi chi mai potrebbe prepararmi una tazzina di caffè come me la preparo io, con lo stesso zelo... con lo stesso amore… Capirete che, dovendo servire me stesso, seguo le vere esperienze e non trascuro niente... Ma proprio lo faccio con tutte le regole. Per esempio, prufesso', sul becco*... Lo vedete

---

★ becco: estremità della bocca degli uccelli e terminazione a punta di molti oggetti. In senso figurato, significa "marito tradito dalla moglie" ed è sinonimo di "cornuto".

il becco? *(Prende la macchinetta in mano e indica il becco della caffettiera)* Questo, professore! No, qua! Voi guardate a me! Il becco della caffettiera...
(Ascolta)
No, per carità! Non mi arrabbio. Mi permetto di dire che sono di spirito anch'io. Voi m'avete fatto uno scherzo. No, dicevo, sul becco io ci metto questo coppitello di carta... *(Lo mostra)* Sembra niente questo coppitello ma pure ci ha la sua funzione... È già... perché il fumo denso del primo caffè, che poi è il più carico, non si disperde. [...]
Prufesso', voi pure vi divertite qualche volta, e come no perché, spesso, vi vedo fuori al vostro balcone a fare la stessa funzione. La mattina presto vi vedo col giornale [...]
(Rimane in ascolto) [...]
(Il caffè ormai è pronto) Prufesso' [...]. *(Versa il contenuto della macchinetta nella tazza e si dispone a bere)* State servito, prufesso'! [...] Permettete. E che profumo! È 'na meraviglia! Scusate, prufesso'! *(Beve)* Ahhh! Chesto non è cafè... È cioccolato. Vedete quanto poco ci vuole per rendere felice un uomo: una tazzina presa tranquillamente qui fuori... con un simpatico dirimpettaio...

tratto da *Questi fantasmi* di Eduardo De Filippo

Leggete i testi e rispondete alle seguenti domande. *Vedi soluzioni a pag. 207*

1. Come mai Pasquale Lojacono, pur "essendo al verde", riesce ad affittare un appartamento in un bellissimo palazzo seicentesco?
2. Alfredo è uno "spirito" benefattore?
3. Come si conclude la commedia?
4. Di quale rito quotidiano non può privarsi Pasquale?
5. Secondo te, come si traduce in italiano «prufesso', chesto non è cafè»?
6. Pasquale e il professore si danno del voi? Conoscete questa forma di cortesia?

es. 1 p. 101

La *cuccumella*, la caffettiera napoletana

B Riflettiamo sul testo

Delle due alternative proposte quale esprime meglio il significato che hanno nel testo le parole evidenziate?

1. **sfatare** la leggenda   scoprire che è falsa / <u>dimostrare che è falsa</u>
2. **spiriti**   <u>fantasmi</u> / diavolo
3. **dirimpettaio**   <u>chi abita nell'appartamento di fronte</u> / chi abita nell'appartamento accanto
4. **s'imbatte in** Alfredo   cerca / <u>incontra</u>
5. un **sostanzioso** aiuto economico   scarso / <u>notevole</u>
6. lo **scambia per** un fantasma   <u>confonde</u> / cambia con
7. toglieteci questo poco di **sfogo**   apertura / <u>sollievo</u>
8. chi potrebbe prepararmi una tazzina di caffè con lo stesso **zelo**   <u>impegno</u> / gioia
9. il primo caffè che è il più **carico**   <u>forte</u> / pesante
10. il fumo denso **non si disperde**   <u>si conserva</u> / si perde

C Riflettiamo sulla grammatica

Nel testo a pag. 186 abbiamo incontrato la frase «Dopo che avrà chiesto». Come si costruisce la frase con *dopo che* e quando si usa? Le frasi esplicite con *dopo che* possono essere rese in maniera implicita con i modi indefiniti (infinito, gerundio, participio). Potete fare qualche esempio?

AG

Completate le frasi con i verbi al tempo corretto. Poi trasformatele alla forma implicita usando i tre modi indefiniti, quando è possibile, come nell'esempio.

es. Dopo che _____*ebbi fatto*_____ (fare) i conti, mi resi conto di aver speso troppi soldi.
Dopo aver fatto i conti / (Una volta) fatti i conti / Avendo fatto i conti ,
mi resi conto di aver speso troppi soldi.

1. Andate in ufficio, dopo che _*avete/avrete fatto*_ (fare) colazione al bar.
Andate in ufficio, *dopo aver fatto colazione al bar / (una volta) fatta colazione al bar* .

2. Da bambini, solo dopo che _*avevamo imparato*_ (imparare) la lezione, ritornavamo a casa da scuola.
Da bambini, *solo dopo aver imparato la lezione / (una volta) imparata la lezione* ,
ritornavamo a casa da scuola.

3. Signora mia, dopo che _*avrà preso*_ (prendere) le medicine, guarirà.
Signora mia, *dopo aver preso le medicine / (una volta) prese le medicine* , guarirà.

4. Dopo che _*eravamo arrivati/-e*_ (arrivare, noi) a casa, è iniziato lo sciopero dei mezzi di trasporto.
Dopo essere arrivati/-e a casa / (Una volta) Arrivati/-e a casa , è iniziato lo sciopero dei mezzi di trasporto.

5. Dopo che _*avevano preso*_ (prendere) l'autobus, le ragazze si sono accorte che non era quello giusto.
Dopo aver preso l'autobus / (Una volta) Preso l'autobus , le ragazze si sono accorte che non era quello giusto.

6. Mi sentirò meglio, dopo che _*avrò trascorso*_ (trascorrere) le vacanze al mare.
Mi sentirò meglio, *dopo aver trascorso le vacanze al mare /*
(una volta) trascorse le vacanze al mare .

7. Dopo che _*avrà preso*_ (prendere) la laurea, Andrea farà una festa con tutti i parenti.
Dopo aver preso la laurea / Avendo preso la laurea / (Una volta) Presa la laurea ,
Andrea farà una festa con tutti i parenti.

8. Il signor Rossi ci avrebbe parlato dell'incidente, dopo che _*si fosse calmato*_ (calmarsi).
Il signor Rossi ci avrebbe parlato dell'incidente, *dopo essersi calmato / essendosi calmato /*
(una volta) calmatosi .

es. 2-4 p. 101

D Lavoriamo sul lessico

Completate le frasi con la forma corretta delle parole date.

compagnia | recitare | debuttare | palcoscenico | sipario | camerino
quinte | atto | spettacolo | interpretare | copione | battuta

1. Hai sentito che cosa è successo dietro le _*quinte*_ prima dello spettacolo?

2. Una grande attrice nella sua vita _*interpreta*_ sempre dei ruoli proprio come quando _*recita*_ sul _*palcoscenico*_ .

3. Quando finisce il primo _*atto*_ , cala il _*sipario*_ , si accendono le luci e gli attori vanno nei loro _*camerini*_ .

4. Ieri ho visto uno _*spettacolo*_ teatrale interessante, ma purtroppo gli attori spesso dimenticavano le _*battute*_ del _*copione*_ .

5. Che emozione... la mia nuova _*compagnia*_ teatrale il prossimo venerdì _*debutterà*_ al Sistina!

E Curiosità

Nella *Commedia dell'arte*, genere teatrale nato a Venezia nel '500, gli attori portavano delle maschere e interpretavano ruoli fissi senza canovaccio, cioè improvvisando le loro battute. Oltre alla maschera napoletana di *Pulcinella*, altre importanti maschere sono:

Arlecchino, servo imbroglione

Colombina, la servetta

Pantalone, anziano mercante veneziano

Dottor Balanzone, misterioso e presuntuoso

F Riflessioni linguistiche

Pulcinella è entrato anche nella lingua popolare, con celebri modi di dire:

* Se si ha "il naso di Pulcinella", significa che si ha un naso grosso e adunco.

* Se si è poco seri, opportunisti e pigri, si dice "È un Pulcinella!".

* Se ci si vanta di conoscere un segreto che ormai sanno tutti, si dice che quello è "il segreto di Pulcinella".

* Se una festa, un'avventura o un matrimonio finisce presto e male, con vari litigi tra gli invitati, si dice che la storia "è finita come le nozze di Pulcinella".

es. 5 p. 102

G Riflettiamo sulla grammatica

Nelle *Riflessioni liguistiche* abbiamo incontrato «si è poco seri» e «ci si vanta», e nel testo a pag. 186 abbiamo incontrato «si muore», «si resta ... legati» e «non ci si vuole allontanare». Quale funzione ha il *si* prima del verbo? Sapete spiegare perché si dice *seri*, *legati* e non *serio*, *legato*? Inoltre, come mai usiamo *ci si* + verbo?

AG 11.10.3 p. 149

Riscrivete le frasi, sostituendo *uno* con il *si* e seguendo le regole per la costruzione della forma impersonale.

1. Quando uno è solo, è triste.

   Quando si è soli, si è tristi.

2. Se la mattina uno si alza presto, sta bene.

   Se la mattina ci si alza presto, si sta bene.

3. Se uno va in vacanza, mangia, beve e si riposa.

   Se si va in vacanza, si mangia, si beve e ci si riposa.

4. Se oggi uno è licenziato, non può sopravvivere.

   Se oggi si è licenziati, non si può sopravvivere.

5. Quando uno è arrabbiato, deve prima calmarsi e poi reagire.

   Quando si è arrabbiati, ci si deve prima calmare e poi reagire.

6. A casa d'Irene uno canta e ride perché è sempre festa.

   A casa d'Irene si canta e si ride perché è sempre festa.

7. Quando uno non dorme abbastanza, al mattino non può svegliarsi presto.

Quando non si dorme abbastanza, al mattino non ci si può svegliare presto.

8. Quando uno è nervoso, può commettere errori.

Quando si è nervosi, si possono commettere errori.

es. 6 p. 102 es. 7 p. 103

H Lavoriamo sulla lingua

Completate il testo con le parole mancanti (una per spazio).

L'Opera dei Pupi (Òpra dî Pupi *in* (1) siciliano) è un tipo di "teatro delle marionette", caratteristico della tradizione siciliana. I "pupi" (dal latino *pupus* che *significa* (2) bambino) sono delle grandi marionette *di* (3) 80 cm, cioè dei pupazzi di legno dalle fattezze umane, vestiti con armature in metallo, i *quali* (4) vengono animati dall'alto da un sistema di fili e aste che permette ai pupari – a chi *li* (5) manovra – agilità nei movimenti. I pupari mettono *in* (6) scena le storie dei grandi poemi cavallereschi

francesi e italiani (di Ariosto e Tasso) e, in particolare, *le* (7) gesta di Carlo Magno e dei paladini francesi. Questi paladini affascinano il pubblico quando combattono *contro* (8) il potere per difendere la religione, l'amore, la gloria, la fedeltà e spesso riescono *a* (9) vincere. Forse per questo oggi la loro storia appare il ricordo di *un* (10) passato teatrale, incerto tra folklore e cultura.

Nel 2008 l'UNESCO ha iscritto l'*Opera dei Pupi* tra i Patrimoni Orali e Immateriali dell'Umanità.

I Riflettiamo sulla grammatica

5.4 p. 131

Il verbo «affascinano», che abbiamo visto nel testo sui pupi, è un verbo parasintetico, vale a dire un verbo che deriva da un nome (in questo caso *fascino*) o da un aggettivo con l'aggiunta simultanea di un prefisso (*a-, di-, in-, s-, ri-, per-, tra-*) e di un suffisso verbale (*-are, -ire*).

Provate a costruire il verbo parasintetico, partendo dai seguenti nomi e aggettivi.

1. vicino — *avvicinare*
2. lontano — *allontanare*
3. fata — *sfatare*
4. via — *avviare*
5. brutto — *imbruttire*
6. dolce — *addolcire*
7. rabbia — *arrabbiare*
8. bello — *abbellire*
9. pazzo — *impazzire*
10. colpa — *incolpare/discolpare*
11. allegro — *rallegrare*
12. notte — *pernottare*
13. magro — *dimagrire*
14. grande — *ingrandire*
15. coraggio — *incoraggiare/scoraggiare*
16. giovane — *ringiovanire*

es. 8 p. 103

L Ascoltiamo

 1 Ascoltate una storica intervista al famoso attore Vittorio Gassman e completate le informazioni con 3 parole.

L'ATTORE CHI È?

1. È uno... che finge sentimenti *che non prova*.
2. È uno che riveste idee e sentimenti altrui, cioè è un abnorme, è *un mostro per* definizione.

Vittorio Gassman con il figlio Alessandro, anche lui attore di successo

3. Poi si tratta di farlo, appunto, *senza prendersi troppo* sul serio.

4. Lei diceva che *faceva il cinema* soltanto per pagarsi il teatro.

5. Quasi che il cinema fosse un genere *inferiore rispetto al* teatro.

6. Il cinema non mi voleva bene *in quel momento* e allora anch'io non lo amavo molto.

7. Anche il mio *atteggiamento, il mio* amore è cambiato.

8. In Francia effettivamente negli ultimi anni c'è stata *un'attenzione vorace* sul cinema italiano e sulla commedia all'italiana.

9. Che poi è *un'etichetta che* significa e non significa.

10. Alcuni buoni prodotti della commedia italiana sono stati *un pochino trascurati* o anche smentiti per poi accettarli di riflesso.

2 Condividete l'opinione di Gassman? Secondo voi, l'attore è un "mostro" perché riesce a trasformarsi in un altro individuo?

es. 9-10
p. 103

M Parliamo

1 Osservate l'immagine a destra e spiegate se considerate buona l'idea di realizzare film "liberamente ispirati" a opere teatrali. Motivate la vostra opinione.

2 Quali caratteristiche sono peculiari di un attore di cinema e quali di un attore di teatro? Potete citare un autore teatrale considerato "eccellente" nel vostro Paese, sottolineando i motivi che lo rendono "unico"?

Sophia Loren e Marcello Mastroianni in *Matrimonio all'italiana*, di Vittorio De Sica (1964): adattamento cinematografico di *Filumena Marturano* di De Filippo

3 a Volete mettere in scena il monologo del testo di De Filippo. Immaginate:

▶ com'è il balcone dove si svolge il monologo;

▶ quali oggetti, secondo voi, dovrebbero comparire;

▶ il viso, il carattere e l'abbigliamento del protagonista;

▶ se il protagonista recita in piedi o seduto;

▶ quali espressioni il protagonista dovrebbe assumere in base alle sue emozioni;

▶ quali gesti dovrebbe fare.

b Ora guardate la scena direttamente online digitando "Questi fantasmi, monologo sul caffè" e confermate se avete "talento" teatrale.

N Scriviamo

250-350

Riscrivete in modo umoristico il testo di De Filippo, sostituendo il caffè con un prodotto tipico del vostro Paese e immaginando le risposte dell'interlocutore.

O Situazione

Scegliete il "copione" più intrigante e, a coppie, provate a recitare il nuovo dialogo.

i-d-e-e.it

Ma che musica, maestro!

In questa unità impareremo a...

- *comprendere e scrivere un'intervista immaginaria*
- *informarsi e informare sulla programmazione di eventi musicali*
- *riflettere sul linguaggio dell'opera*

Inoltre vedremo...

- *il discorso indiretto*
- *i superlativi idiomatici* (innamorato cotto, stanco morto, *ecc.*)
- *la punteggiatura*

Per cominciare...

 1 Che rapporto avete con la musica? Vi piace l'opera italiana? Se sì, spiegatene il motivo e riportate i compositori, le arie e gli interpreti che preferite; se no, esprimete perché non amate il "bel canto" e quale genere musicale vi attira di più.

2 Potreste abbinare alcuni dei teatri italiani più importanti alla città in cui si trovano?

c	1. Teatro dell'Opera di	a. Napoli
d	2. Gran Teatro La Fenice di	b. Milano
a	3. Teatro San Carlo di	c. Roma
b	4. Teatro alla Scala di	d. Venezia

Gran Teatro *La Fenice*

A Comprensione del testo

 1 Leggete il titolo dell'intervista a Verdi in basso. Secondo voi, perché è definita "impossibile"? Scambiatevi idee.

2 Leggete il testo e indicate le informazioni presenti tra quelle date.

INTERVISTA "IMPOSSIBILE" A GIUSEPPE VERDI (1813-1901)

Quando è nata in Lei la passione per la musica?
Beh, per quanto mi ricordo, ho sempre avuto una passione per la musica, fin da piccino.

E chi è stata la persona che ha incentivato questo suo interesse? Che ruolo ha avuto nella sua vita?
Uhm... forse più di tutti Antonio Barezzi. Mi ha aiutato finanziariamente a proseguire gli studi. Grazie a lui, mio padre mi iscrisse al Ginnasio di Busseto. Mi permise anche di frequentare assiduamente il teatro della Scala di Milano per poter assistere agli spettacoli.

In che modo Lei era legato alla figlia di Antonio Barezzi? Cosa ricorda di lei?
Fu la mia prima moglie da cui ho avuto due figli, Virginia e Icilio, morti poco prima di lei. Margherita l'ho amata molto, ma a lei è legato, purtroppo, un periodo molto triste della mia vita.

Dopo Margherita, ha avuto altri legami importanti nella sua vita?
Sì, con Giuseppina Strepponi, la famosa soprano.

Siamo inoltre venuti a conoscenza che durante il matrimonio con lei ha avuto una relazione extraconiugale. È vero?

Ma come fate ad avere queste informazioni?! Comunque... la causa di una crisi quasi definitiva con Giuseppina è stata Teresa Stolz, e durante i dieci anni trascorsi insieme a lei ho scritto l'*Aida* e gliel'ho dedicata. Ne ero innamorato cotto. Finita la passione, sono tornato con mia moglie che è stata la vera donna della mia vita. Possiamo cambiare genere di domande?!

Va bene, come Lei desidera. Passiamo allora alla sua vita politica. Vivendo nel periodo dell'unificazione italiana, Lei cosa ne pensa?

Sono favorevole, e per questo mi sono candidato a deputato e sono stato eletto nel 1861. È grazie a Camillo Benso conte di Cavour che ho accettato di entrare in politica.

Ora ci parli un po' dei maestri che l'hanno incitata e aiutata nella Sua carriera.

Il mio primo maestro fu Ferdinando Provesi, direttore della scuola musicale di Busseto. Egli mi fornì un'approfondita istruzione musicale. Alla sua morte cercai di succedergli ma mi fu preferito, senza concorso, Giovanni Ferrari. Comunque, nel 1836, ebbi la mia rivincita e divenni maestro di cappella del comune di Busseto. Importante fu anche l'aiuto di Vincenzo Lavigna, maestro al cembalo della Scala. Ricordo che mi fece suonare come maestro al cembalo durante le prove di un'orchestra di dilettanti.

E per quanto riguarda l'impresario Bartolomeo Merelli cosa può dire?

Mi diede l'incarico di comporre una prima opera per il teatro della Scala di Milano nel 1837 alla quale seguirono altre opere importanti come *Oberto, Conte di San Bonifacio* e il *Nabucco*.

Ha viaggiato parecchio nella Sua vita?

Mmh... direi proprio di sì.

A quali luoghi è maggiormente legato e per quale motivo?

Riguardo alla mia vita sentimentale, senza dubbio alla Francia, dove mi sono sposato con Giuseppina. A Londra, perché è stata la prima città straniera a commissionarmi un'opera. Poi... al Cairo, perché in occasione delle celebrazioni egiziane per l'apertura del canale di Suez è stata rappresentata l'*Aida*, una delle mie opere più famose.

E dell'Italia?

Beh, Busseto perché è là che sono nato, cresciuto e ho iniziato i miei studi. Poi per proseguirli mi sono trasferito a Milano dove ho tentato di entrare nel Conservatorio di Musica, ma non sono stato accettato. Successivamente in questa città mi sono cimentato come compositore teatrale, ed è qui che ho creato le mie maggiori e più famose opere.

Bene, La ringraziamo per la Sua grande disponibilità nei nostri confronti. Arrivederci, alla prossima intervista e... VIVA VERDI!!!

Grazie a voi, arrivederci.

tratto da *doc.studenti.it*

x	1.	Giuseppe Verdi nacque a Busseto.
	2.	Il suo nome completo è Giuseppe Fortunino Francesco Verdi.
	3.	Fu uno dei massimi compositori italiani dell'Ottocento.
x	4.	Era dotato di una precoce inclinazione musicale.
	5.	Da ragazzo, si esercitava su un vecchio pianoforte.
x	6.	Si sposò due volte.
	7.	Compose il *Rigoletto*, *Il trovatore*, *La traviata*.
x	8.	Verdi si dedicò anche alla politica.
x	9.	Nell'intervista cita due maestri.
	10.	Lo slogan "Viva Verdi" è stato utilizzato durante il Risorgimento come acronimo* per «Viva Vittorio Emanuele Re d'Italia"

★ acronimo: nome formato con le lettere iniziali di altre parole.

B   Riflettiamo sul testo

1 Delle due alternative proposte, quale esprime il significato che hanno nel testo le parole evidenziate?

1. fin da piccino <u>bambino</u> / neonato
2. ha incentivato questo suo interesse <u>sostenuto</u> / frenato
3. mi permise anche di frequentare assiduamente occasionalmente / <u>con continuità</u>
4. mi sono candidato deputato <u>mi sono presentato alle elezioni</u> / sono stato nominato
5. mi fornì un'approfondita istruzione musicale evitò / <u>impartì</u>
6. mi fu preferito, senza concorso partita / <u>esami pubblici</u>
7. è stata la prima città straniera a commissionarmi un'opera <u>richiedermi</u> / prenotarmi
8. in questa città mi sono cimentato come compositore teatrale esposto / <u>messo alla prova</u>

2 Riformulate con parole diverse le espressioni evidenziate.

1. per quanto mi ricordo ......*da quello che*......
2. proseguire gli studi ......*continuare*......
3. Grazie a lui ......*Per merito suo*......
4. Egli mi fornì ......*Lui*......
5. cercai di succedergli *prendere il suo posto*

6. Comunque, nel 1836, ebbi la mia rivincita
 Ad ogni modo/Tuttavia
7. Riguardo alla mia vita sentimentale
 Relativamente
8. la sua grande disponibilità nei nostri confronti ......*verso di noi*......

C   Lavoriamo sul lessico

1 Lavorate in coppia. Conoscete questi strumenti musicali? Abbinate i loro nomi alle immagini, completando con le lettere che mancano.

d	1. clar*inetto*
b	2. fisar*monica*
g	3. ar*pa*
e	4. tr*omba*
c	5. fla*uto*
a	6. vio*lino*
f	7. sass*ofono*
h	8. batt*eria*

2 A gruppi. Nel testo abbiamo incontrato alcune parole, come "maestro al cembalo", tipiche del linguaggio operistico. Provate ad abbinare le seguenti definizioni con alcune delle parole del riquadro. Vince il gruppo che termina per primo, facendo meno errori!

c	1.	Melodia vocale o strumentale che simboleggia il momento in cui l'azione si ferma e il personaggio esprime i propri sentimenti. È uno dei momenti principali dell'opera.
h	2.	Brano musicale che apre l'opera e spesso ne presenta i temi principali.
b	3.	Voce più acuta tra le voci di petto maschili e forse la più famosa dell'opera lirica, parallela a quella del soprano.
f	4.	"Piccola opera" dal carattere leggero, alterna dialoghi parlati, canti e danze.
l	5.	Interprete che si esibisce con un brano musicale destinato a una voce sola.
a	6.	Testo di un'opera lirica.
m	7.	La cantante lirica che interpreta i ruoli principali.
n	8.	Opera drammatica messa in musica e cantata.
g	9.	Opera di carattere buffo con un solo atto.
e	10.	È il responsabile dell'orchestra, chiamato anche "maestro".

a. libretto
b. tenore
c. aria
d. baritono
e. direttore d'orchestra
f. operetta
g. farsa
h. preludio (ouverture)
i. basso
l. solista
m. prima donna
n. opera lirica

es. 1 p. 104

D Riflettiamo sulla grammatica

Ricordate quali sono le regole per trasformare un discorso da diretto a indiretto?

AG 15 p. 158

1 Trasforma l'intervista al discorso indiretto, usando per le domande come frase principale «Il giornalista ha domandato a Verdi...», e per le risposte di Verdi «Verdi ha risposto che...». Attenzione: le interrogative indirette (le domande del giornalista) richiedono il congiuntivo.

es. 2-5 p. 104

«Innamorato cotto», che abbiamo incontrato nel testo a pag. 193, è un superlativo che si forma rafforzando l'aggettivo positivo con un altro di significato analogo o con un'espressione.

AG 4.2.6 p. 129

2 Abbinate l'aggettivo della colonna A con il rafforzativo adatto della colonna B.

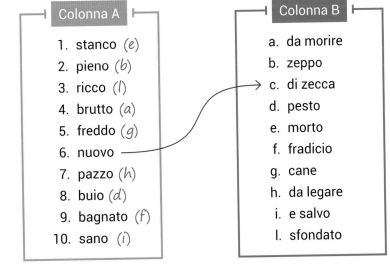

Colonna A		Colonna B
1. stanco (e)		a. da morire
2. pieno (b)		b. zeppo
3. ricco (l)		c. di zecca
4. brutto (a)		d. pesto
5. freddo (g)		e. morto
6. nuovo		f. fradicio
7. pazzo (h)		g. cane
8. buio (d)		h. da legare
9. bagnato (f)		i. e salvo
10. sano (i)		l. sfondato

es. 6 p. 106

es. 7-8 p. 107

E Situazione

(Da preparare in precedenza con un supporto tecnologico: computer, tablet o smartphone)
Un gruppo di amici stranieri che visiteranno l'Italia nel mese di agosto amano molto la musica italiana e in particolare l'opera. Gli proponi di recarsi all'Arena di Verona per ascoltare... (cerca in internet il programma di quest'anno per il mese di agosto e scegli l'evento musicale più adatto a loro), motivandogli la tua preferenza.

F Lavoriamo sulla lingua

Quella che segue è la splendida romanza *Tosca* che potete ascoltare su YouTube. Una della particolarità di questa romanza riguarda la presenza di termini che caratterizzano la prosa e la poesia dell'Ottocento. In coppia, provate a sostituire alle parole evidenziate termini del linguaggio operistico, scegliendoli fra quelli del riquadro a destra, come nell'esempio.

E luccicavan le stelle ...   lucevan
e(d) odorava la terra   olezzava
cigolava l'uscio dell'orto ...   stridea
e un passo sfiorava la sabbia ...   rena
Entrava lei profumata,   ella fragrante
mi cadeva fra le braccia.   cadea

O dolci baci, o sensuali carezze,   languide
mentr'io palpitante le belle forme fremente
liberavo dai veli!   discioglea
Finì per sempre il sogno mio d'amore. svanì
L'ora è passata, e muoio disperato! fuggita
E muoio disperato!
E non ho amato mai tanto la vita,
tanto la vita!

stridea
fuggita
cadea
rena
ella
olezzava
svanì
discioglea
lucevan
fragrante
fremente
languide

G Ascoltiamo

(29) Ascoltate l'intervista al presidente del Conservatorio Santa Cecilia di Roma, Adolfo Vannucci, e indicate quali delle seguenti affermazioni sono presenti.

- [x] 1. Gian Marco Ciampa è un giovane talento del Conservatorio di Santa Cecilia.
- [x] 2. Lui non ha un agente che lo ingaggi per le tournée, ma si presenta a vari concorsi e li vince.
- [ ] 3. Gian Marco Ciampa è l'astro nascente della chitarra classica italiana.
- [x] 4. Gli studenti del Conservatorio di Santa Cecilia sono in numero superiore a quelli del Conservatorio di Milano.
- [ ] 5. I corsi di studio del Conservatorio di Santa Cecilia per i vari indirizzi variano da sei a dieci anni.
- [ ] 6. Il Conservatorio di Santa Cecilia è un'istituzione pubblica.

7. Il Conservatorio di Santa Cecilia è famoso per l'auditorium e per la sua preziosa biblioteca. ☐

8. Il Conservatorio di Santa Cecilia ha una situazione logistica difficile. ☒

9. Ad arricchire l'offerta formativa c'è un corpo docenti d'eccellenza. ☐

10. I ragazzi del Conservatorio di Santa Cecilia presenteranno un programma musicale caratterizzato da una grande varietà di musica. ☒

H Riflettiamo sulla grammatica

 Rileggete il testo alle pagine 192 e 193 e riflettete sull'uso della punteggiatura.

AG
22
p. 165

Poi aggiungete la punteggiatura al seguente testo.

In Italia il moltiplicarsi degli esponenti della categoria di artisti,conosciuti con il termine cantautore (da cantante + autore),cresciuta specialmente nella seconda metà del Novecento,ha portato al formarsi di diverse scuole.le più note,comunque,sono quella genovese,quella romana,la napoletana,la bolognese e la milanese.sebbene il fenomeno si sia poi diffuso su scala nazionale,la parola cantautore,con cui si indica colui che interpreta canzoni da lui stesso composte,fu creata nell'ambito della casa discografica RCA.

I Parliamo

es. 9
p. 107

1 Leggete e commentate il grafico. Quali altri servizi di musica conoscete o usate? Quali sono i pro e i contro?

2 Secondo voi, quali sono gli elementi che determinano il successo di un tipo di musica, di un'opera e/o di una canzone?

3 Se voi doveste dedicare un'aria lirica, una musica e/o una canzone, quale scegliereste? A chi la dedichereste? Quale sentimento desiderereste esprimerle?

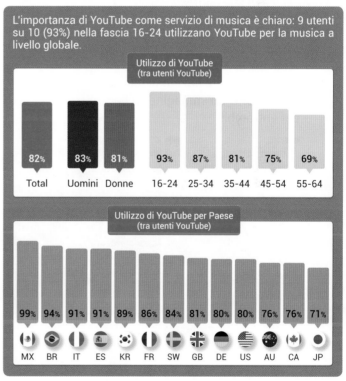

L'importanza di YouTube come servizio di musica è chiaro: 9 utenti su 10 (93%) nella fascia 16-24 utilizzano YouTube per la musica a livello globale.

Fonte: www.ifpi.org

L Scriviamo

1 Leggi la seguente affermazione di Aristotele e scrivi un testo per esprimere il tuo parere, soffermandoti sulla funzione, sugli scopi e gli usi della musica nella società contemporanea. Se lo ritieni opportuno, puoi fare riferimento anche a tue esperienze di pratica e/o ascolto musicale.

"La musica non va praticata per un unico tipo di beneficio che da essa può derivare, ma per usi molteplici, poiché può servire per l'educazione individuale e collettiva come pure per la ricreazione, il sollievo e il riposo da uno sforzo."

2 Immagina di fare un'intervista immaginaria al tuo cantante preferito. Cosa gli chiederesti? Come pensi ti risponderebbe?

In questa unità impareremo a...

- *conoscere le principali feste italiane*
- *descrivere le feste italiane*
- *chiedere per sapere*

Inoltre vedremo...

- *la dislocazione della frase secondaria*
- *i connettivi (sintesi)*
- *i nomi in -cia e -gia*
- *i diversi usi di* che *(sintesi)*

2 Abbinate le immagini ai brevi testi che si riferiscono a due importanti feste nazionali italiane. (Attenzione: un'immagine va bene per entrambi!)

Per cominciare...

1 In Italia, quali tra le seguenti sono feste nazionali (N) e quali religiose (R)?

R 1° gennaio
Capodanno (Santo Stefano)

R marzo-aprile
Pasqua

N 1° maggio
Festa dei lavoratori

R 15 agosto
Assunzione di Maria

R 8 dicembre
Immacolata Concezione

R 6 gennaio
Epifania

N 25 aprile
Festa della Liberazione

N 2 giugno
Festa della Repubblica

R 1° novembre
Ognissanti

R 25 dicembre
Natale

a

b c

d

1 ⬚ *b, c*

Il 25 aprile 1945 segna la vittoria della Resistenza italiana sui nazifascisti. Quel giorno, infatti, la città di Milano, sede del comando partigiano, prende il sopravvento sui fascisti. Ormai l'Italia sta per essere completamente liberata mentre la fine della guerra s'avvicina. Il 28 aprile, lo stesso Mussolini verrà catturato e giustiziato. Per questo il 25 aprile viene festeggiato ogni anno in Italia con cortei, eventi, concerti e manifestazioni che avvengono in tutta la Penisola e soprattutto a Roma dove si svolgono le celebrazioni ufficiali. Qui il Presidente della Repubblica rende omaggio al Monumento del Milite Ignoto, depositando una corona di fiori sull'Altare della Patria. Tutti cantano l'inno dei partigiani *Bella ciao*.

e

2 ⌐ *a, c, d, e* ⌐

Il 2 giugno si festeggia la nascita della Repubblica. In questo giorno, infatti, nel 1946, gli italiani e le italiane furono chiamati alle urne per un referendum istituzionale, ovvero per scegliere tra il sistema politico monarchico o repubblicano. La vittoria della Repubblica fu schiacciante. Così il re andò in esilio e l'Assemblea Costituente cominciò a redigere la nuova Costituzione che entrerà in vigore il 1° gennaio 1948. A Roma questa giornata si celebra con una parata militare ai Fori Imperiali, il volo delle frecce tricolori e la deposizione di una corona di alloro sull'Altare della Patria.

A Comprensione del testo

Leggete i testi e poi indicate a quale dei due si riferiscono le affermazioni che seguono.

testo A

IL PALIO

Il Palio è una gara equestre che si svolge due volte all'anno nella magica città di Siena: il 2 luglio e il 16 agosto.

Vi prendono parte dieci delle diciassette contrade cittadine, estratte a sorteggio. Che questa tradizione, in equilibrio fra gioco e rivalità tra le varie contrade senesi, abbia un'origine molto antica è noto a tutti. Il termine 'palio', infatti, deriva dal latino *pallium* che significa 'mantello' e indicava l'abitudine frequente, durante le gare medievali (a cavallo e non), di premiare il vincitore con una stoffa preziosa. Il giorno del Palio il turista si trova davanti un mondo sconosciuto, un entusiasmo misterioso e scatenante che ha per simbolo una piazza unica al mondo per scenografica bellezza, la meravigliosa Piazza del Campo, a forma di conchiglia, e un corteo di figuranti che raccontano la storia della loro città tra un luccicare d'armi e uno sventolio di bandiere, manovrate da abilissimi alfieri. Ma lo spettacolo che fa sprigionare l'adrenalina è la corsa vera e propria dei fantini a cavallo. Novanta secondi di follia collettiva, vissuti senza fiato da un'immensa platea che tiene il cuore in mano dall'emozione. Una corsa sfrenata, violenta, impetuosa, in cui

tutto è possibile e tutto permesso purché si riesca a conquistare il "cencio", il palio con l'immagine di Maria Assunta. Il premio di un intero anno di preparazioni.

La Piazza del Palio di Siena, nel giorno della giostra, cambia i suoi colori: vista dall'alto, si riempie al centro come fosse una grande macchia (la folla) e il corridoio restante dove avviene la corsa si tinge di piccole chiazze scure (i cavalli) e puntini accesi (colori delle contrade indossati dai fantini). Uno spettacolo davvero straordinario!

tratto da www.toscanainside.com

testo B

LA REGATA STORICA

Venezia è per antonomasia la città sull'acqua e, quindi, non è certo un caso che la Regata Stori-

ca, la festa più conosciuta e spettacolare della città, si svolga sull'arteria acquatica principale veneziana, il Canal Grande. Che si tratti di un evento molto atteso ogni anno, lo attestano i migliaia e migliaia di turisti che la prima domenica di settembre affollano Venezia per assistere a questa grande manifestazione che non ha perso un briciolo del suo fascino durante i secoli di storia. In particolare, vengono apprezzati due momenti distinti della Regata Storica: il corteo storico, una fastosa sfilata di imbarcazioni tipiche cinquecentesche con in testa la barca di rappresentanza della Serenissima, il "Bucintoro", che rievoca il caldo benvenuto riservato nel 1489 a Caterina Cornaro, sposa del re di Cipro, costretta a rinunciare al trono in favore di Venezia. Seguono decine e decine di imbarcazioni multicolori guidate da gondolieri in costume che trasportano Doge, Caterina Cornaro, tutte le più alte cariche della Magistratura, in una fedele ricostruzione del passato glorioso di una delle Repubbliche Marinare più potenti e influenti che hanno dominato per secoli il Mediterraneo. L'altro evento particolarmente attraente e simbolico della Regata Storica di Venezia è la gara dei "gondolini", che tocca le acque di fronte a Piazza San Marco e scorre lungo il Canal Grande: la regata delle piccole imbarcazioni colorate è sempre stato un momento molto seguito e sentito, con un tifo partigiano, chiassoso e appassionato.

Il nome Regata ha un'incerta derivazione: è comunque probabile che derivi da *riga*, cioè la disposizione che le imbarcazioni assumono alla partenza.

tratto da *www.vivovenetia.com*

A	B	
X		1. Ha per simbolo una piazza unica al mondo.
X		2. Chi scrive non è tanto d'accordo con l'idea di abolire del tutto la tv.
X		3. Novanta secondi di pura adrenalina per fantini e pubblico.
	X	4. La più spettacolare festa della città si svolge sull'acqua.
X		5. Abilissimi alfieri sventolano e lanciano in cielo bandiere, manovrandole.
X		6. Ha luogo in piena estate.
	X	7. Il corteo storico rievoca il benvenuto a Caterina Cornaro.
X		8. Il premio è un "cencio" con l'immagine della Madonna.
	X	9. È una ricostruzione del passato glorioso di questa Repubblica Marinara.
	X	10. Il suo nome deriva da *riga*.

B Riflettiamo sul testo

1 Le frasi e le espressioni che seguono potrebbero sostituirne altre presenti rispettivamente nei testi A e B. Quali?

testo A
1. competizione con cavalli
2. i quartieri di Siena
3. scelte con una pratica che è affidata al caso
4. coloro che compaiono in uno spettacolo ma recitano una parte non parlata
5. l'azione di agitare una bandiera al vento
6. liberare un ormone che stimola circolazione, respirazione e metabolismo
7. l'atleta che per professione monta i cavalli nelle corse

gara equestre
contrade
estratte a sorteggio

figuranti
sventolio

sprigionare l'adrenalina
fantino

testo B
1. importante via di traffico o di comunicazione
2. gruppo di persone che accompagna o rende onore a qualcuno
3. richiama alla memoria
4. coloro che con un remo manovrano una gondola, tipica imbarcazione veneziana
5. rumoroso

arteria
corteo
rievoca
gondolieri
chiassoso

2 Riformulate con altre parole le espressioni evidenziate presenti nei testi A e B.

1. la corsa vera e propria .... *effettiva*
2. senza fiato .... *con il fiato sospeso*
3. tiene il cuore in mano .... *prova un'emozione forte*
4. rivalità .... *competizione*
5. per antonomasia .... *per eccellenza*
6. fastosa sfilata .... *ricca*
7. con un briciolo .... *poco*
8. tifo partigiano .... *di parte*

Sbandieratori a Siena durante il Palio

Giostra del Saracino di Arezzo

C   Lavoriamo sul lessico

 Le parole che includono il significato più generale di altre sono dette iperonimi.

1 Trovate l'iperonimo che lega le parole di ogni gruppo, come nell'esempio.

es. tigre, gatto, <u>felino</u>, leone
1. calle, vicolo, sentiero, <u>stradina</u>
2. cavallo, <u>equino</u>, asino, mulo,
3. <u>imbarcazione</u>, gondola, traghetto, aliscafo
4. palio, regata, giostra, <u>gara</u>

2 Nel testo A a pagina 199 abbiamo visto l'espressione *prendere parte*.
Riscrivete le frasi che seguono sostituendo le parti evidenziate con i modi di dire dati.

prendere...

...le distanze   ...una cotta per   ...sul serio   ...il toro per le corna   ...con le mani nel sacco

1. La polizia ha sorpreso il ladro a rubare ed è stato subito processato.
   ▶ *La polizia ha preso il ladro con le mani nel sacco ed è stato subito processato.*
2. Non potendo far fronte alle spese eccessive di suo figlio, Lucia ha deciso di affrontare la situazione in modo drastico: gli ha nascosto le carte di credito!
   ▶ *Non potendo far fronte alle spese eccessive di suo figlio, Lucia ha deciso di prendere il toro per le corna: gli ha nascosto le carte di credito!*
3. Mauro si è innamorato di un'amica di sua sorella; l'unico problema è che lei è già fidanzata.
   ▶ *Mauro ha preso una cotta per un'amica di sua sorella; l'unico problema è che lei è già fidanzata.*
4. Quando ho visto che quei ragazzi si ubriacavano spesso, ho deciso di allontanarmi.
   ▶ *Quando ho visto che quei ragazzi si ubriacavano spesso, ho deciso di prendere le distanze.*
5. Siccome so che a Vito piace inventare storie, non ho considerato vera la sua versione.
   ▶ *Siccome so che a Vito piace inventare storie, non ho preso sul serio la sua versione.*

 es. 1-2
p. 108

D Riflettiamo sulla grammatica

Rileggete queste frasi tratte dai testi alle pagine 199 e 200: «Che questa tradizione [...] abbia un'origine molto antica è noto a tutti», «Che si tratti di un evento religioso molto atteso ogni anno, lo attestano [...]». Salta all'occhio la presenza di una variazione nell'ordine delle frasi, esiste cioè una dislocazione della frase secondaria, che di norma segue la principale. In questo caso, nella frase dislocata-secondaria si usa sempre il congiuntivo. Attenzione, però: se la frase dislocata è una proposizione soggettiva (cioè fa da soggetto alla frase reggente), non richiede il pronome *lo*, mentre, se è una proposizione oggettiva (cioè fa da oggetto alla frase reggente), l'introduzione del pronome *lo* diventa necessaria.

AG 11.12.2 p. 152

Ora "dislocate" anche voi le seguenti frasi secondarie.

1. Poche persone sanno che Marino è un ragazzo sensibile e premuroso.
   ▶ *Che Marino sia un ragazzo sensibile e premuroso lo sanno poche persone.*

2. Era noto a tutti che il fantino avesse un carattere impulsivo.
   ▶ *Che il fantino avesse un carattere impulsivo era noto a tutti.*

3. Tutti pensano che il Palio di Siena sia una competizione equestre molto suggestiva.
   ▶ *Che il Palio di Siena sia una competizione equestre molto suggestiva lo pensano tutti.*

4. Molti ritengono indecoroso che alcuni scattino delle foto durante una processione religiosa.
   ▶ *Che alcuni scattino delle foto durante una processione religiosa molti lo ritengono indecoroso.*

5. Nessuno poteva immaginare che nell'Italia del Sud le persone fossero tanto amanti della tradizione.
   ▶ *Che nell'Italia del Sud le persone fossero tanto amanti della tradizione nessuno poteva immaginarlo (lo poteva immaginare).*

6. È evidente che è difficile rifiutare una tale proposta.
   ▶ *Che sia difficile rifiutare una tale proposta è evidente.*

7. Non è una novità che gli italiani sono dei grandi festaioli.
   ▶ *Che gli italiani siano dei grandi festaioli non è una novità.*

es. 3-5 p. 108

E Curiosità

L'etimologia della parola *festa* risale al latino *festum* o a *dies festus* (= giorno di festa) indicando un giorno di "gioia pubblica, baldoria". La festa come evento gioioso comunitario o, quantomeno, da condividere con gli altri. Come dire che senza condivisione e partecipazione, non c'è vera festa... Un'origine ancora più antica si riferisce al greco *festiao* o *estiao* che indica l'atto di accogliere presso il focolare domestico (*estia*), confermando il significato originario e profondo di condivisione, di accoglienza e di comunione gioiosa della festa.

tratto da *www.etimoitaliano.it*

F Ascoltiamo

1 Osservate la foto a pagina 203: siete mai stati a una festa simile? Raccontate la vostra esperienza oppure come immaginate si svolga la celebrazione.

2 Ascoltate il servizio Tg e completate le frasi (massimo 4 parole).

1. Urbino, città patrimonio dell'Unesco e fulcro del Rinascimento italiano, vestirà nuovamente i _preziosi abiti di corte_ per la trentaquattresima edizione della Festa del Duca.

2. L'intero centro storico tornerà indietro nel tempo, per _far rivivere la_ quotidianità quattrocentesca.

3. Rigorosamente in costume d'epoca le truppe del Signore del Montefeltro, per i vicoli e le salite del centro, dove si esibiranno _colorati sbandieratori_ di San Sepolcro.

4. Il corteo storico accompagnerà _verso i momenti centrali_ della festa.

5. Per noi la Festa del Duca è _un pretesto per evocare_ tutto il ricco lascito culturale.

Festa del Duca di Urbino (14-16 agosto)

6. L'amministrazione ha voluto puntare forte su questo evento centrale nell'estate urbinate, raddoppiando l'offerta di _spettacoli e intrattenimento_.

7. L'anno scorso ci sono stati flussi di presenze _che hanno sfiorato_ gli 80.000 visitatori.

8. Quest'anno _abbiamo spalmato_ tutti i mercati storici nella città.

9. Cuore della manifestazione è _la rievocazione storica_ dedicata all'ingresso del Duca Federico nell'Ordine della Giarrettiera.

10. L'Inghilterra con l'allora Signoria d'Urbino ha avuto dei grandi rapporti che _si sono protratti_ anche nel tempo.

3 Urbino era una città molto importante durante il Rinascimento. Ne conoscete delle altre? Sapete che cosa sono i Ducati e le Signorie?

G Riflettiamo sulla grammatica

Nell'ascolto abbiamo sentito le frasi: «Mentre il corteo storico accompagnerà [...]» e «perché ci sono artisti che [...]». *Mentre* e *perché*, come sappiamo, sono dei connettivi. Ricordate quale modo verbale richiedono?

 18 p. 163

Dividetevi in due gruppi. Il primo gruppo troverà i connettivi che richiedono l'indicativo e il secondo quelli che richiedono il congiuntivo.

forse | anche se | prima che | benché | poiché | come se | tuttavia | affinché | se | purché
sicché | come | inoltre | a meno che | quindi | infatti | mentre | appena
dopo che | senza che | eppure | giacché | anzi | salvo che | dato che

Indicativo	Congiuntivo
forse, anche se, poiché, tuttavia, se, sicché, come, inoltre, quindi, infatti, mentre, appena, dopo che, eppure, giacché, anzi, dato che	*prima che, benché, come se, affinché, se, purché, a meno che, senza che, salvo che*

H Situazione

Rivolgi delle domande a un amico italiano per conoscere quali feste e sagre si svolgono nella sua città (quando si svolgono, come sono organizzate, qual è più tradizionale, se lui vi ha mai partecipato, ecc.).

I Lavoriamo sulla lingua

Completate il testo con le parti mancanti scegliendo tra quelle date.

SAGRE MADE IN ITALY

Sapete che cos'è una "sagra"? Partendo dall'etimologia del nome, *sagra* deriva dal latino *sacrum*, *che significa "sacro"* (1). Le radici della tradizione delle sagre hanno origini antichissime e religiose. Infatti, era usanza molto diffusa, nell'antichità, di tenere dei festeggiamenti *per ringraziare le divinità* (2), ma anche per propiziarsi un buon raccolto. Quindi, in un forte legame tra sacralità e natura, le sagre costituivano momenti di grande e *significativa aggregazione* (3). In epoca

Sagra del pesce spada di Aci Trezza

moderna si è perso il significato religioso, ma non quello di momento d'aggregazione e di festa popolare *legata alla celebrazione di* (4) un prodotto della terra. Così, dalla primavera all'autunno ogni regione italiana, ogni cittadina o piccolo centro propone le sue sagre. Tra le più diffuse *c'è la Sagra delle ciliegie* (5), del peperone, del vino, del pesce e tantissime altre che uniscono *al momento gastronomico* (6) quello ludico. Giostre, tiri a segno, spettacoli musicali e canori rallegrano il pubblico, in una semplice allegria antica.

Un esempio valga per tutti. Ad Aci Trezza, *in provincia di Catania* (7), in estate, si festeggia la "Sagra del pesce spada", uno *degli eventi più seguiti* (8) dai visitatori e da numerosi turisti che possono gustare il buon pesce spada *cucinato da mani esperte* (9), nel solco della tradizione, e partecipare pure ai festeggiamenti *in onore del Santo* (10) patrono del borgo marinaro, San Giovanni Battista.

a. significativa aggregazione
b. degli eventi più seguiti
c. in onore del Santo
d. al momento gastronomico
e. legata alla celebrazione di
f. che significa "sacro"
g. in provincia di Catania
h. per ringraziare le divinità
i. c'è la Sagra delle ciliegie
l. cucinato da mani esperte

tratto da *www.cilentonotizie.it* e *magazine.dooid.it*

es. 8
p. 110

L Riflettiamo sulla grammatica

I nomi che terminano in *-cia* e *-gia* come «ciliegia» che abbiamo trovato nel testo *Sagre made in Italy* al plurale presentano una particolarità. Quale?

2.2.2
p. 120

Formate il plurale delle seguenti parole.

camicia	valigia	faccia	pioggia	farmacia	bugia	strategia	provincia
camicie	valigie	facce	piogge	farmacie	bugie	strategie	province

es. 9-10
p. 110

M Parliamo

 1 Guardate le foto e dite quali di queste feste e sagre conoscete. Per le altre di cui non sapete niente potete intuire in che cosa consistono, a giudicare dalle immagini?

| Il calcio storico fiorentino | Festa dei Ceri di Gubbio (corsa dei ceri) | Il Carnevale di Ivrea (battaglia delle arance) |

 2 Quali sono gli eventi che si festeggiano nel vostro Paese che vi sembrano più spettacolari?

 3 Secondo voi, è importante che ogni Paese festeggi le ricorrenze civili e religiose? Motivate la vostra risposta, riportando qualche esempio.

N Scriviamo

 Lei scrive in una relazione le sue riflessioni su questo argomento che le sta molto a cuore, poiché ritiene che le tradizioni e i saperi delle popolazioni siano i veri custodi dell'umanità e della sua sopravvivenza.

"Il momento festivo svolge un ruolo centrale nella vita di ognuno di noi. Per alcuni, le feste importanti rappresentano soltanto un momento per divertirsi e fare tutto quello che si desidera; per altri esprimono il bisogno e la volontà di recuperare in senso lato l'elemento religioso; mentre più o meno per tutti significano l'importanza dello stare insieme, della comunità. Le feste diventano, infatti, il luogo privilegiato per creare o rinsaldare i legami sociali. Oggi sono cambiati i bisogni e le abitudini della gente, ma l'importanza della socializzazione e dei momenti collettivi non si è estinta: fioriscono concerti, raduni, meeting e si assiste al recupero di vecchie tradizioni, di vecchi riti, di feste e sagre popolari".

O Giochiamo

 Giocate a coppie. A turno, ognuno sceglie una festa tra quelle del riquadro. Lo studente A può fare massimo 5 domande per scoprire la festa scelta da B, che potrà rispondere solo "sì" o "no". Se A indovina al primo tentativo vince 3 punti, se indovina al secondo vince 2 punti, se indovina al terzo tentativo vince 1 punto, altrimenti non vince nessun punto. Poi il turno passa a B. Vince il primo che fa 10 punti.

> Palio di Siena
> Regata Storica di Venezia
> Festa del Duca di Urbino
> Calcio storico fiorentino
> Festa dei Ceri di Gubbio
> Carnevale di Ivrea (Battaglia delle arance)
> Festa della Liberazione
> Festa della Repubblica

Unità 14   Sezione A   es. 2

1. L'imitazione, spesso di bassa qualità, di un prodotto nostrano.

2. Per gli stranieri, abituati ad hamburger e patatine fritte, il suolo italico è sinonimo del "mangiar bene", qualità molto apprezzata.

3. Laddove non esiste una valida conoscenza del sapore dei prodotti italiani.

4. Denuncia il danno che ne deriva all'Italia non solo per quanto riguarda il profitto, ma anche per i posti di lavoro persi.

Unità 14   Sezione H

1. Spesso si assiste al fenomeno dell'imitazione di prodotti italiani.

2. È diminuita l'esportazione dei prodotti italiani all'estero.

3. Il cibo italiano taroccato è il motivo del calo delle importazioni dall'Italia.

4. Occorre denunciare i venditori di prodotti italiani contraffatti.

5. La diffusione del cibo italiano taroccato è enorme nei supermercati di tutto il mondo.

6. I produttori italiani desiderano a tutti i costi il mantenimento dell'identità nazionale dei loro prodotti.

7. In alcuni casi è evidente la deformazione del nome del prodotto italiano.

8. In alcuni Paesi del mondo non esiste neanche la probabilità del rispetto dei regolamenti disciplinari e degli standard di produzione imposti dall'Unione Europea.

Unità 15   Sezione A   es. 3

1. è tutto, non esistono stimoli altrettanto forti; 2. il desiderio di vincere denaro o la noia, di procurarsi una vita sociale più ricca, di vivere uno stato di eccitazione, ecc.; 3. come una persona attiva, piena di risorse, fortunata, brillante e generosa (tende infatti a condividere le sue vincite con gli altri acquistando regali, offrendo cene, ecc.); 4. il gioco si trasforma in una vera e propria dipendenza, e avendo ormai perduto tanto denaro al gioco, il giocatore inizierà a mentire; 5. modificarsi in modo più visibile: assenze più frequenti e lunghe, minore interesse per la famiglia, le prime telefonate dei creditori; 6. gli crede perché gli vuole bene, perché ha comunque fiducia in lui e anche perché c'è un'immagine sociale da salvaguardare; 7. prevede terapie individuali, terapie familiari e di gruppo, gruppi di auto-aiuto e sostegno legale.

Unità 15   Sezione D

1. Poiché non può resistere...; 2. Dopo che avrà perduto (/perso) tanto denaro...; 3. ...perché desidera vincere denaro; 4. Siccome è all'oscuro del problema...; 5. Benché abbia chiesto prestiti e venduto oggetti...; 6. Quando il governo di un Paese gestisce...

Unità 18   Sezione A   es. 1

a. Aveva il corpo esile e gli occhi del colore del mare, indossava abiti eleganti di sua creazione.

b. Era una donna laboriosa, ottimista, molto intelligente ma modesta, definiva infatti la sua intelligenza mediocre. Era anche impegnata in campo umanitario e sociale.

c. Frequentò Medicina contro il volere del padre ma fu costretta ad abbandonare la specializzazione in Psichiatria e Neurologia a causa delle leggi razziali del 1938. Continuò le sue ricerche da casa e al termine della guerra si trasferì negli Stati Uniti per lavorare all'università, dove scoprì un'importante proteina che le fece vincere il Nobel. Nel corso della sua vita vinse molti premi e fu la prima donna ad essere ammessa alla Pontificia Accademia delle Scienze.

d. "Il corpo faccia quello che vuole. Io non sono il corpo: io sono la mente."; "Non si nasce Nobel, ma lo si diventa."

Soluzioni delle attività

Unità 23   Sezione A

1. Il "fenomeno mafioso" nacque in Sicilia e nel Sud Italia nel 1800.

2. Quando i grandi latifondisti incaricarono i loro bravi di riscuotere dai contadini l'affitto dei propri terreni, questi ne approfittarono per estorcere denaro ai poveri contadini.

3. Impose il proprio controllo sulla forza-lavoro dell'immigrazione clandestina in USA e un vero e proprio racket nelle terre di destinazione: partiva solo chi assicurava ai mafiosi l'appoggio elettorale suo e della sua famiglia.

4. Approfittando del grande giro di denaro del boom economico, riuscì a ingrandire ulteriormente le attività e moltiplicare i guadagni, intensificando le pratiche di scambio elettorale.

5. Narcotraffico, commercio di armi e di vari prodotti di contrabbando anche su larghissima scala.

6. Grazie alle loro rivelazioni, nel 1986 sono state processate più di 400 persone e arrestati molti capimafia.

Unità 25   Sezione A   (risposte suggerite)

1. (con 20 parole circa) Lo scrittore parla di come è nata la sua passione per il cinema, della frequenza con cui ci andava da ragazzo.

2. (con 40 parole circa) Lo scrittore racconta come, durante l'adolescenza, è nata in lui la passione per il cinema. Ci andava quasi tutti i giorni, intorno alle due di pomeriggio, di nascosto e togliendo tempo allo studio. A volte ci andava due volte nello stesso giorno.

3. (con 70 parole circa) Lo scrittore narra che, durante l'adolescenza, era nata in lui la passione per il cinema e per questo ci andava di pomeriggio, intorno alle due, quasi tutti i giorni e magari due volte al giorno. Il cinema gli serviva a soddisfare il bisogno di spaesamento, di proiezione della sua attenzione in uno spazio diverso, bisogno forse dannoso per lo studio, ma certamente favorevole alle fantasticherie della sua età.

Unità 27   Sezione D

effetto cromatico-luminoso (nome + aggettivo composto)

vita sregolata (nome + aggettivo che deriva da un participio)

banale litigio (funzione descrittiva accessoria: indica un giudizio del parlante)

soggiorno romano (nome + aggettivo relazionale)

maggiori riferimenti (significato metaforico)

pittura europea (nome + aggettivo relazionale)

certo tempo (significato metaforico)

gravi ferite (funzione descrittiva accessoria)

grandi pittori (significato metaforico)

artista maledetto (nome + aggettivo che deriva da un participio)

natura umana (nome + aggettivo relazionale)

prepotente genialità (funzione descrittiva accessoria)

animo umano (nome + aggettivo relazionale)

sua drammaticità (aggettivo possessivo + nome)

pittura realista (nome + aggettivo relazionale)

finestra aperta (nome + aggettivo che deriva da un participio)

Unità 28   Sezione A

1. Perché in cambio dovrà sfatare la leggenda sulla presenza di spiriti nella casa.

2. No, è l'amante della moglie di Pasquale.

3. Pasquale chiede aiuto economico ad Alfredo per riconquistare sua moglie. L'amante, commosso, lo aiuta e scompare dalle loro vite.

4. Dopo il riposino pomeridiano, prepararsi una tazzina di caffè e berla sul balcone.

5. Professore, questo non è caffè.

6. No, si danno del voi. Durante il fascismo era la forma imposta dal regime, al posto del Lei.

nuovissimo
PROGETTO
italiano

3

Tipologie testuali	Elementi comunicativi	Elementi grammaticali e lessicali

Unità 1   *Italia e italiani*   pag. 5

Una donna bellissima, vacanza quasi disastrosa a Positano testo narrativo *Il paese delle sorprese* testo espositivo 🔊 *Reportage giornalistico sulle caratteristiche delle città italiane*	• Parlare dell'Italia e degli italiani • Leggere e commentare un'infografica o dati statistici • Sfatare stereotipi ▶ Clip culturale: *Piazze d'Italia*	• Il presente indicativo dei verbi irregolari più complessi • Gli articoli con i nomi geografici • Regioni italiane e aggettivi etnici • Espressioni per leggere e commentare un grafico

Unità 2   *C'era una volta*   pag. 11

La strada che non andava in nessun posto favola 🔊 *Intervista al fondatore della Libreria per ragazzi*	• Immaginare il contenuto di una favola, osservando delle illustrazioni • Individuare e commentare la morale di una favola • Inventare e/o scrivere una favola	• Il "cuore" delle parole • L'indefinito *nessuno* • Le interiezioni • L'imperfetto indicativo

Unità 3   *Genitori e figli*   pag. 17

Conflitti tra genitori e figli. Urlare non serve intervista *La famiglia allargata* testo esplicativo 🔊 *Una scrittrice parla di un suo libro-guida per genitori 'quasi perfetti'*	• Ricavare elementi (riconoscere emozioni, fare delle ipotesi, ecc.) da una foto • Scrivere un saggio breve partendo da una scaletta • Sostenere una discussione con un genitore	• I possessivi con i nomi di parentela • Gli indefiniti • I sostantivi indipendenti • Sostantivi che si somigliano • Battute per sostenere una discussione • Alcuni modi di dire

Unità 4   *A caccia di amici*   pag. 24

Lunga vita alle (vere) amiche saggio breve *Elena e Lila* brano di letteratura 🔊 *Inchiesta sull'argomento dell'amicizia*	• Fare delle ipotesi sul contenuto di un testo, partendo dal titolo • Commentare massime sull'amicizia • Scrivere su un blog	• Il verbo *fare* e i suoi sinonimi • I numerali collettivi • *Farsi* + infinito • Gli avverbi di modo • La posizione degli avverbi • I prefissi nominali e aggettivali

208

Tipologie testuali	Elementi comunicativi	Elementi grammaticali e lessicali

Unità 5   *Cari animali*   pag. 31

Visita a un canile brano di letteratura *Hachiko, l'akita giapponese conosciuto in tutto il mondo* testo narrativo ◄)) *Telefonata tra un cliente e la receptionist di un albergo*	• Riassumere un testo letterario seguendo delle indicazioni • Raccontare un'esperienza vissuta • Scrivere una lettera formale di protesta • Leggere un grafico	• Uso di *infine, alla fine* e *finalmente* • L'uso dell'imperfetto e del passato prossimo • Le reggenze verbali • Categorie e versi di animali • Espressioni per scrivere una lettera formale di protesta

▶ Mini documentario: *Il ruolo delle associazioni animaliste*

Unità 6   *Gli esami non finiscono mai*   pag. 38

Panico da esami: la parola allo psicologo intervista ◄)) *Consigli di uno studente su come gestire l'ansia da esame*	• Scrivere una lettera d'opinione al giornale • Confrontare passato e presente per cogliere e descrivere cambiamenti epocali	• L'infinito presente e passato • Il plurale di nomi e aggettivi in *-co* e *-go* • l'avverbio *appunto* • I marcatori o segnali discorsivi • I nomi collettivi • Le parole polisemiche

▶ Mini documentario: *Il sistema universitario italiano*

Unità 7   *Cellulari, che passione!*   pag. 45

Più messaggi e meno abbracci, così è cambiata la comunicazione fra i ragazzi saggio breve *Dove nasce la passione per i selfie?* ricerca statistica ◄)) *Intervista a un'esperta sul tema telefonini e bambini*	• Commentare delle affermazioni, esprimendo il proprio punto di vista • Estrapolare da un testo le informazioni più importanti • Esprimere e argomentare il proprio accordo o disaccordo	• L'uso di *magari* • Il suffisso *-bile* • Il prefisso di negazione *in-* • Gli alterati e i falsi alterati • I nomi in *-io* • Connettivi ed espressioni utili per argomentare

Unità 8   *Siamo tutti tifosi*   pag. 51

Goal! brano di letteratura *Il gioco del calcio durante il fascismo* testo informativo ◄)) *Intervista a una tifosa della Roma*	• Fare delle ipotesi sul contenuto generale di un testo, dopo aver letto il primo paragrafo • Definire il carattere di una persona • Spiegare a qualcuno il motivo di un rifiuto • Scrivere un saggio breve	• Aggettivi negativi per descrivere il carattere • L'uso di *anzi* • Il trapassato prossimo • Imperfetto, passato e trapassato prossimo • I verbi con doppio ausiliare • Discipline sportive • Espressioni utili per scrivere un saggio breve

▶ Intervista autentica: *Lo sport in Italia*

| Tipologie testuali | Elementi comunicativi | Elementi grammaticali e lessicali |

Tipologie testuali	Elementi comunicativi	Elementi grammaticali e lessicali

nuovissimo
PROGETTO 3
italiano

Tipologie testuali	Elementi comunicativi	Elementi grammaticali e lessicali

Unità 29   *Ma che musica, maestro!*   pag. 192

Intervista "impossibile" a Giuseppe Verdi (1913-1901) intervista *Tosca* brano d'opera 🔊 *Intervista informativa sul Conservatorio Santa Cecilia di Roma*	• Comprendere e scrivere un'intervista immaginaria • Informarsi e informare sulla programmazione di eventi musicali • Riflettere sul linguaggio dell'opera	• Gli strumenti musicali • Il linguaggio operistico • Il discorso indiretto • I superlativi idiomatici (*innamorato cotto, stanco morto,* ecc.) • La punteggiatura

Unità 30   *Italia in festa*   pag. 198

Il Palio La Regata Storica testi descrittivi *Sagre Made in Italy* testo informativo 🔊 *Trasmissione radiofonica sulla Festa del Duca a Urbino*	• Conoscere le principali feste italiane • Descrivere le feste italiane • Chiedere per sapere	• Alcuni modi di dire con *prendere* • Gli iperonimi • La dislocazione della frase secondaria • I connettivi (sintesi) • Feste nazionali e religiose • I nomi in *-cia* e *-gia* • I diversi usi di *che* (sintesi)

Puoi ascoltare il CD audio anche su i-d-e-e.it.

[78']

Unità 1	**1**	E2		Unità 11	**11**	H1		Unità 21	**21**	I2
Unità 2	**2**	E2		Unità 12	**12**	L2		Unità 22	**22**	E2
Unità 3	**3**	G2		Unità 13	**13**	D2		Unità 23	**23**	F1
Unità 4	**4**	H1, 2		Unità 14	**14**	E1		Unità 24	**24**	F2
Unità 5	**5**	A2		Unità 15	**15**	E		Unità 25	**25**	F1, 2
Unità 6	**6**	F1		Unità 16	**16**	E1		Unità 26	**26**	H2
Unità 7	**7**	I2		Unità 17	**17**	G2		Unità 27	**27**	I2, 3
Unità 8	**8**	F2, 3		Unità 18	**18**	H2		Unità 28	**28**	L1
Unità 9	**9**	F2		Unità 19	**19**	E2		Unità 29	**29**	G
Unità 10	**10**	G2		Unità 20	**20**	E2		Unità 30	**30**	F2

Pg.14: maremagnum.com (*Novelle*), www.abebooks.it (*Favole*); Pg.17: cinema.everyeye.it (*in alto*); Pg.18: divorceaz.net (*in alto*), bur.rizzolilibri.it (*in basso*); Pg.22: icesaroni2.skyrock.com; Pg.23: www.glistatigenerali.com (*a sinistra*); Pg.28: magzter.com; Pg.30: viva.pl (*Perfetti sconosciuti*), cinobo.com (*La pazza gioia*); Pg.31: pethotels.it (*in basso*); Pg.32: amazon.com; Pg.48: www.imdb.com (*Perfetti sconosciuti*); Pg.49: www.amazon.it (*in basso*); Pg.56: calciopedia.com.br (*in alto*); Pg.62: panoramasposi.it (*a destra*); Pg.63: commons.wikimedia.org (*in alto*); Pg.65: nicedie.it (*in alto*); Pg.66: www.timetrips.co.uk; Pg.72: *Archivio Edilingua*; Pg.73: sorrisi.com; Pg.74: fmav.org (*a sinistra*); Pg.76: www.novella2000.it, www.eva3000.it; Pg.79: www.italymagazine.com; Pg.81: *Archivio Edilingua*; Pg.82: i2.wp.com (*in alto*); www.spettacolandotv.it (*La vita è bella*); Pg.84: palermo.gds.it (*in basso*); Pg.87: teleambiente.it; Pg.88: reportcampania.it; Pg.89: www.zonalocale.it; Pg.90: it.wikipedia.org (*i gianduiotti*); academiedugout.fr (*il tartufo*); Pg.91: nessunpelosullalingua.altervista.org (*in alto*), teleborsa.it (*in basso*); Pg.92: shop.coles.com.au; Pg.93: www.kongnews.it (*in alto*); Pg.94: gnamgnamstyle.it (*in alto*), sabrochef.cl (*in basso*); Pg.95: tulain.com; Pg.97: ©T. Marin; Pg.99: sulpanaro.net (*in alto*); emilyshauser.weebly.com (*in basso*); Pg.100: fredepanda.it; Pg.106: amazon.com; Pg.107: it.wikipedia.org (*Olivetti*); Pg.109: www.erbasalus.it (*in alto*); Pg.110: citystars-heliopolis.com.eg; Pg.113: abebooks.com; Pg.116: nationalmedals.org; Pg.117: ©T. Marin (*in basso*); Pg.118: www.labolzonella1656.it (*in alto*), www.ilportaledeibambini.net (*in basso*); Pg.119: viaggiolibera.it; Pg.120: www.cittadellascienza.it; Pg.126: enerplanet.it; Pg.129: roma-artigiana.it (*a sinistra*), *Archivio Edilingua* (*a destra*); Pg.130: atexnos.gr (*Mazzini*), pinterest (*Garibaldi*); Pg.131: oltrelalinea.news (*in alto*), en.wikipedia.org (*in basso*); Pg.132: vistanet.it; Pg.135: tuttartpitturasculturapoesiamusica.com; Pg.137: www.cicap.org; Pg.139: corrieredelmezzogiorno.corriere.it; Pg.144: giuntialpunto.it (*in alto*), medium.com (*in basso*); Pg.145: www.pambazuka.org; Pg.146: twnews.it (*in alto*), mentelocale.it (*in basso*); Pg.147: thereaderwiki.com (*in alto*), www.amazon.com (*in basso*); Pg.148: pinterest (*1*), raimondorizzo.wordpress.com (*2*), transnationalmigrantplatform.net (*3*); Pg.149: pinterest (*Il Padrino*), twitter.com (*grafico*); Pg.150: www.amazon.com (*in alto*), ©Gedi (*La Stampa*), www.youmovies.it (*Falcone e Borsellino*); Pg.151: www.open.online; Pg.152: pinterest; Pg.154: www.ipersensibol.it; Pg.155: www.passeggeriattenti.it; Pg.158: www.autoblog.it (*in basso*); Pg.160: libreriapaci.it; Pg.162: artslife.com (*in alto*); Pg.163: www.luccafilmfestival.it (*Toni Servillo*); Pg.164: crfashionbook.com; Pg.166: optimagazine.com (*Il capitale umano*), mymovies.it (*Jasmine Trinca*); Pg.167: bancaaltatoscana.it; Pg.168: juarezhoy.com.mx; Pg.174: festivaldelmedioevo.it (*in alto*), www.linguaveneta.net (*F*); Pg.179: flickr.com; Pg.180: historiacontemporaneaorvalle.files.wordpress.com; Pg.183: arteworld.it; Pg.184: uffizi.it (*Nascita di Venere*), cocosse-journal.org (*Ritratto di donna*); Pg.185: el.wikipedia.org (*1*), pinterest (*2*), timesnews.gr (*3*), cdn.britannica.com (*4*); Pg.186: www.imdb.com (*in alto*), anci.it (*in basso*); Pg.187: files.spazioweb.it; Pg.189: *Archivio Edilingua*; Pg.190: italiafoodjourney.it (*a sinistra*), newnotizie.it (*in basso*); Pg.191: www.cinematographe.it; Pg.193: commons.wikimedia.org (*in alto*), ilcorrieremusicale.it (*in basso*); Pg.196: napoli.fanpage.it; Pg.198: viaggi.corriere.it (*a*), tracciamenti.net, (*b*) www.discoverwalks.com, (*c*) cronacasocial.com, (*d*) corriere.it (*e*); Pg.201: vitaliatours.com (*Giostra del Saracino di Arezzo*); Pg.203: radioromalibera.org; Pg.204: sicilianews24.it; Pg.205: www.bottadiculo.it (*Il calcio storico fiorentino*), gubbio.infoaltaumbria.it (*Festa dei Ceri di Gubbio*), chillisauce.com (*Il Carnevale di Ivrea*)

Unità 17   Sezione 0

Categorie suggerite

- Medicina alternativa
- Erboristeria
- Omeopatia
- Medicina tradizionale
- Cronoterapia
- Sistema sanitario
- Medichese